I.S.B.N. 2-89149-072-X

Imprimé aux Etats~Unis, 1981

LES 10 GRANDS DE L'INCONSCIENT

UNE ÉDITION SPÉCIALE DE LAFFONT CANADA LTÉE

Sommaire

Ont collaboré à cet ouvrage :

André Akoun

Claudine Bernard

Michel Bernard

Claude Bonnafont

Dr Jean-Pierre Coudray

Georges H. Chacornac

Jacqueline Hubert

Roland Jaccard

Henri Lucioni

Monique Maynadier

Jacques Mousseau

Sarah Peltant

Herbert Schaffer

Les parties qu'ils ont rédigées sont signées de leurs initiales.

La plupart de ces articles ont été publiés pour la première fois dans la revue « Psychologie ».

LES 10 GRANDS DE L'INCONSCIENT

LES 10 GRANDS

JEAN MARTIN CHARCOT

Roger Viollet

Biographie

29 novembre 1825
Naissance de Jean Martin Charcot, à Paris, dans une famille modeste.
Le jeune garçon fait ses études au lycée Bonaparte (Condorcet).

1844
Ses études secondaires terminées, il décide de devenir médecin.

1848
Il est nommé interne à la faculté de médecine, où il a pour maître Rayer, médecin de Napoléon III.

1851
Charcot est membre de la Société de biologie, fondée en 1848.

1853-1855
Durant son internat à la Salpêtrière, il rédige sa thèse de doctorat qui traite des différences entre goutte et rhumatisme chronique.
Vers la même époque, il se marie.
Il est nommé chef de clinique à la faculté de médecine ; il s'installe rue Laffite.

1856
Charcot est nommé médecin des hôpitaux de Paris.

1860
Il est agrégé de la faculté. Il devient vice-président de la Société de biologie.

1862
Charcot devient médecin de l'hospice de la Salpêtrière : c'est pour lui l'orientation définitive.

De 1862 à 1870
Il donne des cours sur les maladies des vieillards et les affections du système nerveux ; ils ont un très grand succès.

1868
Rapport sur la sclérose en plaques.

1870
Quand la guerre survient, Charcot soigne à la Salpêtrière les malades atteints de fièvre typhoïde et de variole.
Il entreprend ses premiers travaux sur l'hystérie et commence à s'intéresser à l'hypnose.

1872
Il est nommé à la chaire d'anatomie pathologique à la Faculté de médecine ; il y enseignera jusqu'en 1882. Il poursuit à la Salpêtrière ses cours de clinique neurologique.
Vers la même époque, il est nommé membre de l'Académie de médecine.

1873
Il aborde la question des localisations médullaires.

1874
Archives de physiologie normale et pathologique.

1875
Leçons sur les localisations cérébrales.

1878
Il se consacre aux problèmes de l'hypnotisme.

1882
Charcot est titulaire de la première chaire mondiale de neurologie, que Gambetta crée pour lui. Ses principaux sujets d'étude sont les névroses, l'hystérie, l'hypnotisme.

1883
Il est nommé membre de l'Institut.

1884
Il s'installe dans un hôtel particulier, au 217, boulevard Saint-Germain.
A cette date, les travaux de Bernheim et Liébault commencent : c'est le début des controverses entre l'école de la Salpêtrière et celle de Nancy.

1885-1886
Charcot a Freud comme élève à la Salpêtrière, pendant quelques mois.

16 août 1893
Charcot meurt d'un œdème aigu du poumon, au cours d'un voyage dans le Morvan.

Jean Martin Charcot : les débuts de la psychiatrie moderne

Il est des destins d'hommes qui sont inséparables des lieux dans lesquels ils se sont déroulés. Celui de Jean-Martin Charcot paraît être tout entier inscrit dans l'enceinte sévère de la Salpêtrière. Ce fut à la fois celui d'un « patron », d'une « école » et d'une institution qui marquèrent ou reflétèrent à un tel point les idées du temps que l'on ne peut toujours parvenir à se faire une opinion précise du véritable moteur de cette aventure. Mais nul ne contestera que par le génie et l'audace des hommes qui en furent les artisans, parfois même par leurs outrances ou leurs naïvetés, « l'épopée de la Salpêtrière » a été l'une des étapes les plus importantes de l'histoire de la médecine mentale. Lorsque, en 1862, Charcot devint médecin de la Salpêtrière, il semblait se condamner à devoir consacrer sa vie à soigner « les pneumonies des 5 000 vieilles femmes et des 80 aliénés » de ce « lointain dépôt ». Pour l'universitaire qu'il était, appelé à un brillant avenir, cette nomination pouvait apparaître comme une disgrâce, ou tout du moins une « voie de garage ». Pourtant, Charcot l'a délibérément choisie. Qui donc était cet homme ?

Les bases fondamentales de la neurologie

La vie de Charcot s'inscrit, elle aussi, dans un périmètre géographiquement restreint. Il naît le 29 novembre 1825, au numéro 1 de la rue du Faubourg-Poissonnière, dans une famille modeste, mais à l'abri du besoin. Quelques centaines de mètres séparent le lycée Bonaparte, où il fait ses études secondaires, de la faculté de médecine, où il poursuivra une carrière hospitalo-universitaire brillante et classique : interne en 1848, chef de clinique, médecin des hôpitaux de Paris, agrégé, il publie de nombreux travaux de médecine générale et consacre sa thèse au rhumatisme chronique. Il est assez piquant de songer que lorsque le destin frappera à sa porte, J. M. Charcot n'aura pas beaucoup de chemin à faire pour trouver l'aventure et la gloire mondiale que son fils, le commandant Charcot◆, médecin lui aussi, ira chercher aux pôles.

L'hôpital de la Salpêtrière, situé dans le faubourg Saint-Marcel, à Paris, était en 1862, écrit Courchet◆ « un immense hospice de la vieillesse. » Petite ville dans la ville, riche d'une longue histoire que l'on respire, » si on l'ignore, dans ses cours et ses rues. Elle était pourtant peu » connue et peu courue par le monde médical parisien. Jadis, de bril- » lants aliénistes, Baillarger et Falret◆, y avaient fait résonner le nom de » la jeune psychiatrie... Mais qui parle donc des aliénistes ? Les jeunes » médecins des hôpitaux évitaient de se faire nommer au poste de l'infir- » merie générale.... Charcot choisit la place. »

L'expérience et les enseignements de ses maîtres lui avaient fait comprendre que la médecine ne pouvait se construire que selon la méthode anatomo-clinique et qu'il fallait pour cela disposer d'un « matériel »

◆ Jean Charcot (1867-1936), médecin, est à l'origine de nombreuses expéditions et travaux océanographiques dans les régions polaires. Il mourut en mer sur le *Pourquoi-Pas?*

◆ J. Courchet : « Janet à la Salpêtrière », in *Evolution psychiatrique* (1950, III).

◆ J. Baillarger (1809-1890) et J.-P. Falret (1794-1870) contribuèrent à l'édification de la nosologie psychiatrique. La polémique qui les opposa au sujet de la psychose maniaco-dépressive est demeurée célèbre.

considérable. On comprend que ces 5 000 vieilles femmes aient pu tenter son esprit de recherche. « Dès lors, avec une rapidité étonnante, » Charcot, la Salpêtrière, la neurologie vont faire une grande carrière. » Charcot, d'un prodigieux élan, transforme les choses. D'abord, il moissonne, recueille et fait recueillir des observations, procède et fait procéder à des autopsies. Ensuite, il réalise, détermine, coordonne, codifie, fonde la neurologie sur la méthode anatomo-clinique de Laennec◆. » Aux salles de malades sont annexés des laboratoires d'anatomie, d'otologie, de phoniatrie, d'oculistique, d'électrologie◆. Charcot et ses collaborateurs publient « à tour de bras » et font connaître dans le monde entier les résultats de leurs observations. La sclérose en plaques est décrite, les arthropathies tabétiques◆ (arthropathies de Charcot) sont découvertes, la sclérose latérale amyotrophique (maladie de Charcot) est isolée. On précise que les distributions cutanées de nerfs périphériques (zones de Charcot), les localisations médullaires. On décrit de nouvelles particularités anatomiques (artère de Charcot)◆, etc. Les petites salles de son service sont déjà insuffisantes pour accueillir la foule des auditeurs étrangers aux cours de Charcot sur les maladies nerveuses. En 1882, Charcot sera titulaire de la première chaire mondiale de neurologie que créera pour lui Gambetta.

En quelques années, ce Parisien a conquis le monde, mais c'est le monde qui est venu à lui.

◆ J. Courchet: «Janet à la Salpêtrière», in *Evolution psychiatrique* (1950, III).

◆ Successivement, *anatomie:* étude de la forme et de la position des organes, *otologie:* étude de l'oreille et de ses maladies, *phoniatrie:* étude des troubles et des maladies de la voix, *oculistique:* étude des troubles et maladies des yeux, *électrologie:* étude des courants électriques sur le corps.

◆ *arthropathies tabétiques:* lésions de la moelle épinière.

◆ Les découvertes et descriptions de Charcot demeurent les fondements indiscutés de la neurologie moderne.

Charcot eut un élève illustre : Freud

Freud qui fréquente la Salpêtrière pendant dix-sept semaines, en 1885-1886, alors que le maître est à l'apogée de sa gloire, donne dans sa correspondance d'intéressants témoignages sur l'homme et son auditoire. « J'entrai, écrit-il, comme élève à la Salpêtrière, mais j'y fus, au » début, parmi tous les élèves accourus de l'étranger◆. »

Tout de suite, il est impressionné par le professeur. « Dans son rôle de » professeur, Charcot était parfaitement séduisant. Chacune de ses » leçons, par sa conception, par sa composition, était un petit chef-» d'œuvre. Le style en était parfait et les phases impressionnaient l'audi-» toire. » Mais le médecin avait aussi su imposer un style personnel, une façon d'aborder le malade avec un « chaud et vif intérêt » bien différente de la « sereine superficialité » à laquelle les médecins viennois avaient habitué Freud. « C'est un homme de taille élevée, âgé de 58 ans, » coiffé d'un haut-de-forme, avec des yeux sombres, au regard étonnamment doux, de longs cheveux rejetés derrière les oreilles, bien rasé, » une physionomie très expressive et des lèvres très charnues. En » résumé, un prêtre laïc, dont on perçoit la grande intelligence et qui » paraît mener une bonne vie◆. »

◆ E. Jones: *Sigmund Freud, vie et œuvre* tome I (Paris, P.U.F., 1958).

◆ E. Jones: *Sigmund Freud, vie et œuvre,* tome I (Paris, P.U.F., 1958).

« Je crois que je suis en train de changer beaucoup, confie Freud. Charcot est à la fois l'un des plus grands médecins et un homme dont le bon sens a quelque chose de génial. Il bouleverse simplement mes sentiments et mes desseins. Je sors souvent de l'une de ses conférences comme de Notre-Dame...◆ »

◆ E. Jones: *Sigmund Freud, vie et œuvre*, tome I (Paris, P.U.F., 1958).

Mais si Freud est allé à Paris, c'est surtout parce que Charcot s'était attaqué aux problèmes de l'hystérie et de l'hypnose.

Pierre Marie, l'un des élèves de Charcot, a raconté dans quelles conditions Charcot fut amené à s'occuper des hystériques : « En 1871, le hasard fit qu'à la Salpêtrière le bâtiment Sainte-Laure se trouva dans un tel état de vétusté que l'administration hospitalière dut le faire évacuer. C'est là que se trouvaient hospitalisés, pêle-mêle avec les aliénés, les épileptiques et les hystériques. L'administration profita de l'évacuation de ce bâtiment pour séparer enfin d'avec les aliénés les épileptiques et les hystériques. Et comme ces deux catégories de malades présentaient des crises convulsives elle trouva logique de les réunir et de créer pour eux un quartier spécial sous le nom de quartier des épileptiques. Charcot était alors le plus ancien des deux médecins de la Salpêtrière ; ce nouveau service lui fut automatiquement confié. C'est ainsi que, involontairement, par la force des choses, Charcot se trouva plongé en pleine hystérie◆. »

◆ Voir P. Pichot: «Histoire des idées sur l'hystérie», in *Confrontations psychiatriques*, I, (1968).

Hystérie et hypnose

Où en étaient alors l'hystérie et l'hypnose, que Charcot va lier ? Comme le suggère l'étymologie, l'hystérie◆ était depuis l'Antiquité considérée comme une maladie dont la nature sexuelle n'était pas mise en doute. Devant les contorsions spectaculaires des malades pendant la « crise » qui les caractérise, les médecins recommandaient donc aux jeunes filles de se marier et aux veuves de convoler à nouveau. Mais, « sous l'influence des conceptions augustiniennes liant plaisir et péché, on vit dans les manifestations hystériques une intervention du Malin. Aussi, parmi les milliers de victimes de la chasse aux sorcières, on ne saurait chiffrer le nombre d'hystériques qui montèrent au bûcher◆ ».

◆ *hystérie:* du grec *hustera*, utérus. Cette maladie était, en effet, attribuée par Hippocrate à des déplacements de cet organe, qui allait chercher sur le foie l'humidité qui lui manquait. Charcot, le premier, l'attribua à des troubles nerveux.

◆ T. Lemperière: «Hystérie», in *Encyclopedia universalis*, vol. 8, (1970)

L'opinion médicale avait tenté de résister à la conception démoniaque de l'hystérie, mais c'est seulement au XIXᵉ siècle que s'affirma progressivement — contre les croyances magiques de la maladie-possession et de la maladie-péché — une conception laïque et objective. Les tenants d'une explication organique de l'hystérie (Griesinger) et les partisans de son origine psychologique (Pinel)◆ s'affrontèrent dans une bataille interminable. Mais un autre courant de recherches et d'idées se développait parallèlement : celui du magnétisme. Là aussi, dans un désordre d'extravagances, les organicistes s'opposaient aux psychologistes. Mesmer et

◆ Pour P. Pinel (1745-1826), en qui on a vu le «libérateur des aliénés», l'hystérie est une «névrose» à base «morale». Au contraire, pour W. Griesinger (1817-1878), qui ouvre la grande école allemande de nosologie, l'hystérie, comme toutes les maladies mentales, est une «maladie du cerveau».

ses successeurs voulaient faire du magnétisme la conséquence de l'action d'un « fluide » ; l'abbé Faria et ses disciples ne voyaient là que suggestion◆.

◆ Voir H. Luccioni : « Hippolyte Bernheim, 40 années de recherches sur l'hypnose », in *Psychologie*, nº 25.

Braid, en 1843, invente le mot d'« hypnotisme » et ouvre son étude positive. Mais « l'hypnose reste entourée d'un halo de mystère auprès du » grand public pour qui elle revêt une apparence magique exerçant à la » fois un effet d'attraction et de crainte◆ ». L'hystérie, elle aussi, demeure dans l'opinion l'expression maudite de la fureur érotique.

◆ L. Chertok : « Hypnose », in *Encyclopedia universalis*, vol. 8 (1970).

Charcot aborde l'étude de ces phénomènes avec circonspection. Refusant cet héritage pour le moins suspect, il va s'efforcer d'appliquer les méthodes auxquelles il devait ses découvertes antérieures : l'étude attentive de la symptomatologie, la délimitation précise du tableau clinique, la détermination objective de la nature de la maladie.

Son premier souci fut de bien distinguer les hystériques des épileptiques parmi les « convulsionnaires » dont il avait pris la responsabilité. « Je n'y voyais, écrira-t-il, que confusion, et l'impuissance à laquelle » j'étais réduit me causait une certaine irritation, lorsqu'un jour, par » une sorte d'intuition, je me dis : mais c'est toujours la même chose ! » Alors j'en conclus qu'il y avait là une sorte de maladie particulière, » l'hysteria major, commençant par une attaque épileptoïde qui diffère » si peu de la véritable attaque d'épilepsie qu'on l'a dénommée la mala- » die hystéro-épileptique, bien qu'elle n'ait rien de commun avec l'épi- » lepsie◆. »

◆ J.-M. Charcot *l'Hystérie*, textes choisis et présentés par E. Trillat (Toulouse, Privat, 1971).

C'est dans cet esprit qu'il décrit la crise caractéristique de la « grande hystérie ». Dans sa leçon inaugurale, il donne cette description résumée : « Quatre périodes se succèdent dans l'attaque complète avec la » régularité d'un mécanisme : 1. période épileptoïde ; 2. période des » grands mouvements (contradictoires, illogiques) ; 3. période des atti- » tudes passionnelles (logiques) ; 4. délire terminal. Rien n'est laissé au » hasard, tout s'y passe au contraire selon les règles, toujours les » mêmes, communes à la pratique de la ville et à celle de l'hôpital, » valables pour tous les pays, pour toutes les races ; par conséquent, la » simulation dont on parle tant quand il s'agit d'hystérie n'est, à tout » prendre, dans l'état actuel de nos connaissances, qu'un épouvantail » devant lequel s'arrêteront seuls les timides et les novices◆. »

◆ J.-M. Charcot : *Leçons sur les maladies du système nerveux, faites à la Salpêtrière* publiées par Bourneville, tome III (Paris, Delahaye, 1880-1883).

Nombreux étaient les auteurs étrangers et provinciaux qui faisaient remarquer que « chez eux » les choses ne se passaient pourtant pas ainsi. Mais Charcot ne veut rien entendre : « Cela ne se voit pas en » Angleterre, dit l'un ; cela, dit un autre, ne se voit pas en Allemagne... » Mais du moment que le fait existe à Paris, il est fort à croire qu'il se » produit ailleurs », et il ajoute, sarcastique : « Il semble que l'hystéro- » épilepsie n'existe qu'en France, et je pourrais même dire — et on l'a

» dit parfois — qu'à la Salpêtrière ; ce serait vraiment chose merveil-
» leuse que je puisse ainsi créer des maladies au gré de mon caprice et
» de ma fantaisie◆. » Telle était pourtant, nous le verrons, une partie de la vérité. Malgré son bon sens, Charcot n'avait pas vu que, dans les domaines qu'il abordait, l'objet variait avec les conditions de l'observation.

◆ J.-M. Charcot: *l'Hystérie*, textes choisis et présentés par E. Trillat (Toulouse, Privat, 1971).

Charcot considère l'hystérie comme une « maladie du système nerveux »

Dans ce domaine, le doctrinaire laisse la place au clinicien et à l'anatomiste. Charcot s'attache à la recherche des lésions neurologiques spécifiques à travers les symptômes permanents que l'on pouvait observer chez les malades présentant de telles crises : les stigmates. Ces derniers ne manquaient pas : contractions, paralysies, rétrécissement du champ visuel, zones d'anesthésie cutanée, etc. Ils pouvaient même exister en dehors de toute crise. La connaissance que Charcot a des manifestations motrices ou sensitives des lésions du système nerveux lui permet d'éliminer les causes connues. Par exemple, devant une malade présentant une paralysie de la main accompagnée d'une anesthésie « en manchon », Charcot peut dire : « Cette topographie ne correspond à aucune
» distribution des nerfs périphériques, ni à une lésion spinale, ni à une
» lésion bulbaire, ni à une lésion des masses centrales. Ce n'est ni un
» ramolissement, ni une hémorragie cérébrale, ni aucune lésion maté-
» rielle grossière. Il n'y a qu'une seule maladie qui produise ces acci-
» dents : c'est l'hystérie. Il y a donc chez elle une lésion corticale, mais
» qui n'est pas une lésion organique ; c'est une lésion dynamique◆. »

◆ J.-M. Charcot: *l'Hystérie*, textes choisis et présentés par E. Trillat (Toulouse, Privat, 1971).

C'est précisément parce que, pour Charcot, l'hystérie est une maladie du système nerveux, qu'elle ne peut être le privilège des seules femmes. Si l'hystérie masculine avait été niée comme une contradiction dans les termes (les hommes n'ont pas d'utérus), c'était bien que l'on avait eu tort de se fier à l'étymologie. En fait, Charcot apportait des témoignages cliniques convaincants d'hommes présentant des paralysies hystériques ou des grandes crises en tout point comparables à ce qu'il pouvait observer chez les femmes. Il avait cependant conscience de se heurter aux préjugés du temps, car, disait-il, si l'on admet à la rigueur qu'un jeune homme efféminé puisse, après des difficultés sentimentales, présenter des signes d'hystérie, le sens commun l'acceptera avec beaucoup plus de difficultés s'il s'agit d'un « robuste artisan » — un chauffeur de locomotive, par exemple, après un accident de chemin de fer. Pourtant, l'évidence clinique était là et, ajoutait Charcot, « c'est une idée à
» laquelle il faudra se faire ».

Charcot rapproche l'hystérie de l'hypnose qui permet à ses élèves — car Charcot n'a jamais pratiqué lui-même l'hypnose — de reproduire des phénomènes en tout point identiques.

Déjà évoquée par Lasègue, cette identification est considérée comme un fait indiscutable. Richer◆ en fixe la doctrine : « Des deux côtés, nous » trouvons des manifestations tellement semblables que la raison étiolo- » gique seule permet de la différencier ; spontanée ici, provoquée là◆. »
A la Salpêtrière, d'autre part — et contrairement à ce qu'affirme Bernheim à Nancy, pour qui tout le monde est plus ou moins hypnotisable —, on pense que l'hypnose n'est active que chez les hystériques.
Mais Charcot allait être victime de son propre succès. Il s'était attaqué à un sujet « sacré » et il avait capté l'attention du grand public. « Les » leçons attiraient des gens du monde, des acteurs, des littérateurs, des » magistrats, des journalistes. Les présentations de sujets en état de » léthargie, de catalepsie, de somnambulisme, de sujets présentant des » crises violentes, ressemblaient trop à une mise en scène théâtrale◆. »
Janet a raconté comment était conditionné le matériel clinique qui servait aux « démonstrations »◆. A force d'observations et de descriptions, non seulement toute une symptomatologie avait été créée de toutes pièces et fixée artificiellement, mais on disposait en outre d'une véritable collection de curiosités, produits d'un dressage dont personne n'avait été conscient. Il suffisait à Charcot de prier l'interne de toucher tel point hystérogène pour que telle malade présente une attaque qui se déroulait, à la satisfaction du maître et de l'assistance, selon un scénario immuable, en tout point conforme à ce qui avait été annoncé.
Le parti pris de positivité que l'on affichait à la Salpêtrière devait, par ailleurs, conduire à un véritable déclin scientiste. Les faciles références à l'électricité, magie des temps modernes, se multiplient, la métallothérapie◆ est remise à l'honneur.
Pitres se persuade qu'il peut hypnotiser la moitié du cerveau d'une malade en fixant un seul de ses yeux. Il parvient ensuite à déplacer le phénomène du côté opposé à l'aide d'un aimant. Binet◆ endort les malades en approchant un aimant des « points hystérogènes ». Babinski◆ guérit à distance une jeune muette en transférant sur elle, toujours grâce à l'aimant, la guérison qu'il avait obtenue au préalable chez une hystérique du service rendue muette sous l'hypnose puis guérie par le même procédé.

◆ Richer, un des premiers à s'occuper de l'hypnose, se rallia à Charcot.
A ne pas confondre avec Richet, qui travailla aussi avec Charcot et est bien connu pour ses études sur le spiritisme et les phénomènes métaphysiques.

◆ Cité par P. Pichot : « Histoire des idées sur l'hystérie », in *Confrontations psychiatriques*, I (1968).

◆ G. Guillain : *J.-M. Charcot, sa vie, son œuvre* (Paris, Masson, 1965).

◆ P. Janet : *les Médications psychologiques* (Paris, Alcan, 1925).

◆ La *métallothérapie*, ou traitement par application des métaux fut introduite à la Salpêtrière par Burk « ex-professeur libre de métallothérapie appliquée à la pathologie ». Il affirmait guérir « toujours avec succès », non seulement les « maladies nerveuses », mais même le choléra.

◆ F. Gauquelin : « Alfred Binet, les tests d'intelligence », in *les 10 Grands de la psychologie* (Paris, C.E.P.L. Denoël, 1972).

◆ Babinski (1857-1932) a par ailleurs laissé une œuvre neurologique considérable.
Le réflexe cutané plantaire, ou signe de Babinski, est considéré comme nécessaire dans tout examen du système nerveux.

Critique des théories de Charcot

En 1893, Charcot meurt subitement et cet événement met Paris et le monde en émoi. Une compagnie d'infanterie rendit les honneurs à la levée du corps, à la Salpêtrière. Toutes les écoles médicales et scientifiques saluèrent cette disparition... et toute une partie de l'œuvre du maître, précisément celle qui avait le plus contribué à sa gloire, fut critiquée par ses disciples les plus fervents. C'était comme si l'on s'éveillait d'une hypnose collective. Babinski oublie ses propres élucubrations, porte le coup de grâce : l'hystérie n'est rien d'autre que de la suggestion. Il propose de l'appeler pithiatisme◆. « Cette révision, écrit Pichot, » eut un succès immédiat : il était urgent de faire table rase de l'entité » monstrueuse édifiée à la Salpêtrière. » Mais elle eut pour conséquence de frapper d'interdit toute recherche sur l'hystérie, comme d'ailleurs sur l'hypnose. Pendant une trentaine d'années, ce terme devint même suspect à beaucoup de médecins pour qui il évoquera plus une simple simulation qu'un état pathologique digne de constituer un objet de science médicale. Aussi Barrucand n'a-t-il pas tort d'écrire que « si l'on » veut porter un jugement qui ne se laisse pas influencer par une tradi- » tion aussi solide qu'erronée, on doit reconnaître aujourd'hui le » démembrement de l'hystérie et son remplacement par le pithiatisme » comme un échec patent pour Babinski◆ ».

◆ Du grec *peithein*, persuasion, et *iatikos*, guérison.

◆ N. Barrucand : *Histoire de l'hypnose en France* (Paris, P.U.F., 1967).

Que penser alors de cette aventure scientifique hors série dont la Salpêtrière avait été le théâtre et les acteurs autant les malades que les médecins ? A bien des égards, l'épopée semblait avoir tourné à la farce. Mais l'avenir confirmera l'espoir de Freud qui, sortant des conférences de Charcot « comme de Notre-Dame », se demandait si « la graine ger- » mera et aboutira au fruit ».

L'hystérie a-t-elle une origine physique ou psychique ?

Passant outre les critiques négatives de Babinski, Freud et Janet maintiendront l'attention sur les phénomènes étudiés par Charcot. Ont-ils dû eux-mêmes « trahir » Charcot pour pouvoir placer leurs recherches au niveau psychologique et non plus neurologique ? Sans doute pas. Les idées du maître avaient sensiblement évolué et il avait compris que l'hystérie était une maladie mentale. Faut-il croire Binet lorsqu'il écrit : « Les maîtres de la science sont comme des princes entourés d'habiles » courtisans qui nuancent la vérité à leur usage [...]. Charcot vieillissant » s'imaginait que c'était lui qui avait eu l'idée de faire de l'hystérie une » maladie mentale◆ » ? Ou bien doit-on croire Charcot lui-même qui écrit dans la préface de la thèse de Janet : « Ces études viennent confir- » mer une pensée souvent exprimée dans nos leçons, que l'hystérie est » en grande partie une maladie mentale » ?

D'ailleurs, comme le souligne Pichot◆, « l'année de sa mort, parut » simultanément à Paris et à Londres un article intitulé « La foi qui » guérit », et les notes de son secrétaire particulier, Georges Guinon,

◆ Cité par P. Pichot « Histoire des idées sur l'hystérie», in *Confrontations psychiatriques* 1, (1968).

◆ P. Pichot : « Histoire des idées sur l'hystérie», in *Confrontations psychiatriques*, 1, 1968.

» révèlent que dans ses derniers mois Charcot avait conçu le projet de » dynamiter l'édifice qu'il avait construit ».

Charcot a certainement été gêné par la pauvreté de la psychologie de son temps, et, faute de la « psychologie objective » qu'il réclamait, il n'a pu aller bien loin. « La petite psychologie à l'eau de rose que l'on » enseigne dans les collèges ne peut servir à beaucoup », disait-il dans une de ses leçons du mardi. « C'est une autre psychologie qu'il nous » faut, une psychologie renforcée par les études pathologiques que nous » faisons. » Cette psychologie, il appartiendra à Freud et à Janet de la constituer et de donner une explication psychologique de l'hystérie.

Mais on est en droit de penser que c'est à travers les commentaires parfois décousus et même contradictoires de Charcot, en particulier sur les paralysies post-traumatiques et les suggestions posthypnotiques, que le rôle de la « réminiscence » a été reconnu. Que de questions devaient naître dans les esprits de Janet et de Freud lorsque Charcot, après avoir éliminé toutes les explications neurologiques, abordait le versant mental de l'expression de ces « lésions dynamiques » ! Ainsi, dans l'exemple que nous avons déjà développé, Charcot en vient à supposer que c'est au niveau de l'« idée d'absence de mouvement » que doit être recherchée l'explication ; et que cela est lié au fait que la paralysie de la main de la malade qu'il présente est apparue presque immédiatement après qu'elle eut donné une gifle à son enfant. N'étaient-ce pas là les premiers pas vers la découverte de l'inconscient ? Toujours est-il que Freud, dans la notice nécrologique qu'il lui consacre, attribue à Charcot « le mérite » des découvertes qui lui confèrent la place éternelle d'avoir le premier » élucidé la question de l'hystérie ».

La psychiatrie moderne revient à ses idées premières

Singulier mérite que d'être ainsi à l'origine des idées qui gouvernent la psychiatrie d'aujourd'hui. Mais ne faut-il pas aller encore plus loin et reconnaître qu'il a peut-être aussi préparé celle de demain ? Ce reproche si souvent adressé à Charcot d'avoir absolument voulu faire de l'hystérie une maladie du système nerveux, peut-on encore le formuler aujourd'hui dans les mêmes termes ? On peut, certes, discuter de la réalisation, mais l'intention n'est ni absurde ni démentie par les faits. De ce point de vue aussi, les idées de Charcot n'avaient cessé d'évoluer, et les lésions responsables des symptômes hystériques lui apparaissaient comme devoir être cherchées à des niveaux de plus en plus subtils. Cette recherche, bien que dans l'ensemble cachée par le courant psychologique, n'a cependant pas été totalement abandonnée. Après la Première Guerre mondiale, certains auteurs firent remarquer que les manifestations de l'hystérie se rencontraient souvent chez des personnes ayant été atteintes d'encéphalite épidémique◆ dont on avait pu démontrer les lésions électives au niveau des formations extra-pyramidales. Pavlov, en 1932, publie un important article intitulé « Essai d'interprétation physiologique de la symptomatologie de l'hystérie », dans lequel il assigne un rôle privilégié aux processus d'inhibition corticale. Plus près de nous, de nombreux auteurs — J. de Ajuriaguerra, M. Dongier, H. Gastaud, C. Koupernik, L. Van Bogaert et bien d'autres — s'attachent à mettre en évidence les facteurs organiques de l'hystérie. L'emploi de techniques d'investigation poussées (électro-encéphalographie, électromyographie, expérimentations biochimiques) ont montré que les symptômes hystériques étaient beaucoup plus enracinés dans l'organisme que l'on avait pu le croire. Certes, nous sommes encore loin de connaître le subtratum biologique de l'hystérie ; mais après tout, comme le rappelle H. Ey◆, « ce sort est celui de la majorité des maladies mentales ». Qui, pourtant, devant le succès de la chimiothérapie, peut encore nier que le cerveau soit pour quelque chose dans ces désordres de la psyché ?

Dans ce domaine aussi, Charcot aura peut-être été en avance sur son temps et aura manqué du langage et des moyens techniques nécessaires au développement de son exigence. Mais là encore, il préparait l'avenir. C'est lui, avec Richet, qui fonde la Société de psychologie-physiologie ; c'est lui aussi qui ouvre à la Salpêtrière le laboratoire de psychologie qu'illustrera Janet. Alors... Charcot, grand nom de la neurologie bien sûr, le serait-il aussi de la psychiatrie ? Pourquoi pas ?

J.-P. C. et H. L.

◆ La célèbre épidémie de « grippe espagnole » de 1917.

◆ H. Ey : « Introduction à l'étude actuelle de l'hystérie (historique et analyse du concept) » in *Revue du praticien*, tome XIV (1964).

Quiz

En pathologie, le déterminisme règne partout, même dans le domaine de l'hystérie.

Connaissez-vous Jean Martin Charcot ?

1
Dans quel hôpital Jean Martin Charcot fut-il médecin et devint-il célèbre ?
☐ Sainte-Anne
☐ La Pitié
☐ La Salpêtrière

2
En quelle année naquit Jean Martin Charcot ?
☐ 1800
☐ 1825
☐ 1850

3
A quel âge décida-t-il de se consacrer à la neurologie ?
☐ 30 ans
☐ 37 ans
☐ 48 ans

4
Quel fut le maître en neurologie de Charcot ?
☐ Claude Bernard
☐ Pinel
☐ Duchenne

5
Charcot considérait-il l'hystérie comme
☐ une maladie psychologique
☐ une maladie du système nerveux
☐ une simulation

6
L'hystérie fut longtemps confondue, de par son aspect extérieur, à une autre maladie ; il s'agit de
☐ la schizophrénie
☐ la névrose traumatique
☐ l'épilepsie

7
La méthode employée par Charcot dans ses recherches neurologiques, puis sur l'hystérie, est
☐ la méthode anatomoclinique
☐ la méthode analytique
☐ la méthode expérimentale

8
En quelle année Charcot obtint-il la chaire de clinique des maladies nerveuses ?
☐ 1871
☐ 1876
☐ 1882

9
L'hystérie est-elle une maladie
☐ exclusivement féminine
☐ présente surtout chez la femme, mais pouvant se rencontrer également chez l'homme et chez l'enfant
☐ présente en part égale chez les deux sexes

10
Parmi les symptômes suivants, quels sont ceux qui relèvent de l'hystérie ?
☐ paralysie
☐ dyspepsie
☐ douleur ovarienne
☐ contracture
☐ convulsions
☐ anesthésie
☐ asthénie
☐ neurasthénie
☐ désorientation spatiale
☐ rétrécissement du champ visuel
☐ hallucinations

11
Quelle méthode utilisait Charcot pour faire cesser les crises convulsives des hystériques ?
☐ la douche froide
☐ la compression des ovaires
☐ l'administration de calmants

12
Qu'entendait Charcot par « point hystérogène » ?
☐ un point du corps dont la simple stimulation provoque une crise hystérique
☐ un point douloureux, de localisation variable, dont se plaignent les hystériques
☐ une zone du corps complètement anesthésiée chez l'hystérique

13
Charcot put distinguer parmi les différentes formes d'amnésies, les amnésies relevant de l'hystérie de la manière suivante :
☐ le sujet victime d'une amnésie hystérique a toujours d'autres symptômes hystériques
☐ l'amnésie hystérique est une simulation qu'on détecte par un examen approfondi
☐ l'amnésie hystérique disparaît sous hypnose

14
Pour le traitement de l'hystérie chez l'enfant, le meilleur remède à prescrire

était, pour Charcot
☐ l'hydrothérapie
☐ la chimiothérapie
☐ la séparation d'avec la mère

15
Un des symptômes caractérisant l'hystéric et relevé par Charcot est l'héminanesthésie ; en quoi consiste ce symptôme ?
☐ des maux de tête violents et répétés
☐ l'insensibilité plus ou moins prononcée de la partie gauche ou droite du corps
☐ la paralysie de la partie droite ou gauche du corps

16
Le commandant Charcot, médecin et explorateur des pôles, était-il
☐ le fils
☐ le frère
☐ le père de Jean Martin Charcot

17
C'est à l'époque de Charcot que l'on découvrit les propriétés de l'hypnose. Cette méthode fut d'ailleurs largement utilisée sur les hystériques de la Salpêtrière. Charcot pensait que
☐ seuls les hystériques sont hypnotisables
☐ l'hypnose devrait être généralisée pour le traitement de toutes les affections mentales
☐ le pouvoir d'hypnotiser est un don que tous les médecins ne possèdent pas

18
La période de la plus grande notoriété de Charcot se situa entre les années :
☐ 1860 - 1870
☐ 1865 - 1885
☐ 1870 - 1893

19
Charcot découvrit trois formes de paralysie : les paralysies hystériques, post-traumatiques, hypnotiques, qu'il regroupa sous la même dénomination
☐ paralysies organiques
☐ paralysies dynamiques
☐ hémiplégies

20
Quelle impression fit sur le jeune Freud l'enseignement de Charcot à la Salpêtrière ?
☐ Freud émit de sérieux doutes sur la méthode hypnotique
☐ il fut impressionné très favorablement par les leçons de Charcot
☐ il pensa que les travaux de Charcot étaient incomplets

21
Freud fit les premières découvertes de la psychanalyse à partir d'une catégorie de malades ; il s'agissait
☐ des névropathes
☐ des hystériques
☐ des schizophrènes

22
Sur un célèbre tableau représentant Charcot donnant une leçon en présence d'une hystérique, le peintre a involontairement montré deux erreurs fondamentales du maître qui sont
☐ les assistants n'ont pas revêtu de blouse blanche
☐ Charcot explique à l'assistance ce qu'est l'hystérie
☐ une femme soutient la malade
☐ il n'y a pas de barrière entre l'assistance et la malade
☐ au mur, une gravure représente une hystérique en crise

23
Le grand neurologue Babinski critiqua l'œuvre de Charcot
☐ il la critiqua de son vivant mais se rallia à ses théories après sa mort
☐ il ne fut jamais d'accord avec Charcot et développa ses recherches dans un sens différent
☐ disciple de Charcot, il le critiqua après sa mort

24
Les dernières années de Charcot à la Salpêtrière furent marquées par
☐ des pratiques s'écartant de la science
☐ de nouvelles découvertes sur l'hypnose
☐ un regain d'activité scientifique

25
La recherche de facteurs organiques de l'hystérie est-elle abandonnée ?
☐ elle est abandonnée depuis Charcot
☐ elle a été abandonnée après Freud
☐ elle a toujours des adeptes

26
Selon les notes du secrétaire de Charcot, celui-ci aurait conçu le projet de bouleverser ses conceptions de l'hystérie, à la fin de sa vie. Selon ces nouvelles conceptions, l'hystérie serait
☐ une maladie fonctionnelle
☐ une forme d'épilepsie
☐ une maladie mentale

Quiz

Réponses

1 La Salpêtrière.
Charcot exerça toute sa vie à la Salpêtrière. C'est là qu'eurent lieu les leçons sur l'hystérie qui le rendirent célèbre.

2 1825.
Jean-Martin Charcot naquit le 29 novembre 1825 à Paris. Il fut, pendant son enfance, un écolier froid, silencieux et timide. Son père construisait des voitures et était réputé pour être un artiste plus qu'un artisan.

3 37 ans.
Devenu médecin à l'hospice de la Salpêtrière en 1862 — il avait alors 37 ans —, il dirigea ses recherches vers la neurologie. De 1862 à 1870 ; il recueillit un nombre considérable d'observations avant de commencer ses travaux sur l'hystérie qui devaient le rendre célèbre.

4 Duchenne.
Duchenne de Boulogne n'avait pas de position officielle en neurologie, mais Charcot se réclamait de lui comme son maître. Les découvertes en neurologie faites par Charcot entre 1862 et 1870 firent de lui le plus grand neurologue de son temps.

5 Une maladie du système nerveux.
Charcot entreprit de rechercher avec soin les lésions neurologiques qui pouvaient être à l'origine de l'hystérie. Il dut se rendre à l'évidence, devant les faits observés, qu'aucune lésion connue du système nerveux ne pouvait rendre compte des phénomènes hystériques, paralysies, anesthésies, contractions. Il en conclut donc que les lésions n'étaient pas organiques mais « dynamiques », c'est-à-dire qu'elles se situaient au niveau du fonctionnement du système nerveux central.

6 L'épilepsie.
L'aspect extérieur de la crise hystérique était tellement semblable à celui de l'attaque épileptique que les deux sortes de maladies se trouvaient souvent confondues sous le terme de convulsionnaires. L'hystérie a parfois été appelée pour cette raison hystéro-épilepsie. C'est Charcot qui établit la spécificité de la crise hystérique qui, selon lui, se déroulait toujours selon le même processus et n'avait rien de commun dans son étiologie avec l'épilepsie.

7 La méthode anatomoclinique.
« *La méthode anatomoclinique de Charcot repose essentiellement sur la recherche de la différence. C'est toujours par comparaisons qu'il procède. Il faut pousser la juxtaposition de cas de plus en plus ressemblants, de plus en plus voisins pour voir jusqu'où ira la différence et ne conclure à l'identité que lorsque la série des épreuves ne livre plus aucune différence* » (Trillat : Préface de « l'Hystérie », textes choisis de Charcot, p. 11).

8 1882.
Cette chaire avait été créée en 1881 par Gambetta. C'était la première fois que, dans le monde, la neurologie était reconnue comme une discipline autonome.

9 Présente surtout chez la femme, mais pouvant se trouver chez l'homme et chez l'enfant.
Malgré son étymologie (hystérie vient de « utérus »), Charcot montre qu'en tant que maladie du système nerveux elle pouvait se recontrer aussi bien chez l'homme que chez la femme. Cependant, l'expériene courante atteste que peu d'hommes en sont atteints. Les cas d'hystérie chez le jeune garçon sont, par contre, plus fréquents, mais, selon l'expression même de Charcot, ne « tiennent pas ».

10 Paralysie - douleur ovarienne - contracture -

anesthésie - rétrécissement du champ visuel - convulsions - hallucinations.
Les nombreux symptômes pouvant donner lieu à un diagnostic d'hystérie ne signifiait évidemment pas que la présence de l'un quelconque de ces symptômes soit dû à l'hystérie.

11 La compression des ovaires.
Cette méthode ne fut d'ailleurs pas inventée par Charcot puisqu'on note que déjà au Moyen Age, lors des épidémies hystériques célèbres, les secours apportés aux convulsionnaires consistaient principalement en une compression du ventre. Charcot prônait l'utilisation de cette méthode dans son service, non pas en tant que traitement de l'hystérie, mais simplement pour faire cesser les crises et soulager les malades.

12 Un point du corps dont la simple stimulation provoque une crise hystérique.
A la Salpêtrière, Charcot pouvait produire à volonté des crises hystériques grâce aux fameux points hystérogènes. L'existence de ces points, et surtout leur rôle quasi automatique de déclenchement des crises, ne devait pas être démontré par la suite. Méconnaissant la nature avant tout psychologique de l'hystérie, Charcot ne pouvait se douter que le déclenchement de ces crises pouvait avoir des raisons beaucoup plus complexes qu'une simple stimulation mécanique.

13 L'amnésie hystérique disparaît sous hypnose.
C'est en effet par ce moyen que Charcot put faire retrouver provisoirement la mémoire à un certain nombre de malades. Mais la mémoire retrouvée sous hypnose était bien souvent à nouveau perdue au réveil. Cependant son apparition, même fugace, suffisait à démontrer qu'il s'agissait là d'une amnésie hystérique, car l'amnésie liée à des causes organiques ne disparaît jamais, même sous hypnose.

14 La séparation d'avec la mère. Ecoutons Charcot :
« *Dans les cas d'hystérie des jeunes garçons, ce qu'il faut surtout faire c'est les séparer de leurs mères. Tant qu'ils sont avec leurs mères, il n'y a rien à faire. Placer cet enfant dans un établissement hydrothérapique et laisser la mère l'y accompagner ne servirait à rien. Mieux vaudrait le placer dans un établissement où il n'y aurait pas d'hydrothérapie, à la condition que la mère ne l'y suivît pas.*

Quelquefois le père est aussi insupportable que la mère, le mieux est de les supprimer tous les deux » (L'hystérie, p. 202).

15 L'insensibilité plus ou moins prononcée de la partie droite ou gauche du corps.
« *Les deux moitiés du corps étant supposées séparées par un plan antéro-postérieur, tout un côté — face, cou, tronc, etc. — a perdu la sensibilité et, si très souvent cette perte de la sensibilité porte seulement sur les parties superficielles (téguments externes), elle envahit quelquefois aussi les régions profondes (muscles, os, articulations* » (L'hystérie, p. 27).

16 Son fils.
Jean-Baptiste Charcot naquit en 1867 et mourut en mer en 1936. Spécialiste des pôles, il dirigea de nombreuses recherches *océanographiques.*

17 Seul les hystériques sont hypnotisables.
Pour Charcot, c'est le fait qu'ils étaient en réalité suggestionnables au plus haut point qui rendait les hystériques perméables à l'hypnose.
La pratique de l'hypnose, qui ouvrait directement sur la connaissance de l'inconscient, permettait de faire disparaître, par suggestion certains

symptômes hystériques. L'école de Nancy, et en particulier Liébault, devait, par la suite, montrer que les hystériques ne sont pas les seuls à pouvoir être hypnotisés et que chacun de nous peut l'être à des degrés divers.

18 1870-1893.
Donc durant les vingt-trois dernières années de sa vie, c'est-à-dire le moment où il mena à la Salpêtrière ses travaux sur l'hystérie, Charcot fut considéré comme le plus grand neurologue de son temps. Patients et élèves accoururent alors du monde entier.

19 Paralysies dynamiques.
Charcot put reproduire sous hypnose des paralysies en tout point identiques aux paralysies hystériques et post-traumatiques dont la caractéristique est de ne pas s'accompagner de lésions organiques du système nerveux. Il proposa de classer ces différentes formes de paralysie dans un groupe dit des paralysies dynamiques.

20 Il fut impressionné très favorablement par les leçons de Charcot.
C'est parce que Charcot s'intéressait aux problèmes de l'hystérie et de l'hypnose que Freud vint à Paris suivre ses cours ; c'était en 1885 et 1886. L'impression laissée par Charcot sur Freud fut celle « *d'un grand médecin et d'un homme dont le bon sens a quelque chose de génial* ».
Ce n'est que bien plus tard, lorsque Freud élabora sa théorie des névroses qu'il put mettre en doute un certain nombre d'hypothèses de Charcot.

21 Des hystériques.
Influencé par l'enseignement de Charcot, Freud s'attacha d'abord au traitement des hystériques, qu'il chercha, dans un premier temps, à guérir par l'hypnose. Puis il abandonna cette méthode qu'il remplaça par celle des associations libres. Avec la découverte du phénomène de refoulement, il fit, à partir des hystériques, les découvertes les plus importantes de la psychanalyse.

22 Charcot explique à l'assistance ce qu'est l'hystérie. Au mur, une gravure représente une hystérique en crise.
Sur son tableau, le peintre (Brouillet) mit en évidence, de manière involontaire, l'erreur fondamentale de Charcot. Les explications verbales du maître et l'image sur un mur d'une hystérique en crise étaient des éléments de suggestion pour la malade, dont Charcot ne comprenait pas toute la portée.

23 Disciple de Charcot, il le critiqua après sa mort.
Après avoir lui-même participé aux expériences de Charcot, Babinski les critiqua sévèrement et alla jusqu'à affirmer que l'hystérie n'était qu'une simple suggestion.

24 Des pratiques s'écartant de la science
Des abus de l'utilisation de l'hypnose eurent lieu et des méthodes telles que la métallothérapie (traitement par application des métaux) en étant remises en honneurs marquèrent un déclin de la recherche vraiment scientifique.

25 Elle a toujours des adeptes.
La tentative de Charcot de rechercher les causes physiques de l'hystérie n'est pas abandonnée puisque des recherches sur les facteurs organiques de l'hystérie ont été menées par Pavlov et Ajuriaguera, entre autres.

26 Une maladie mentale.
Parlant des travaux de Janet, Charcot écrivait à la fin de sa vie : « *Ces études viennent confirmer une pensée souvent exprimée dans nos leçons, que l'hystérie est en grande partie une maladie mentale.* »

» Citations «

Il arrive souvent, quand je prêche la nécessité de la séparation d'une fille hystérique d'avec sa famille, qu'on me fait cette objection qu'une jeune fille ne peut se séparer de sa mère. Alors je réponds que cela peut être vrai dans les romans, mais que, dans la réalité, les choses se passent autrement. Il est curieux en effet de voir comment les hystériques changent du jour au lendemain. Lorsqu'une jeune fille hystérique se sépare de sa mère, le spectacle est très émouvant, mais, tout à coup, elle se résigne avec la plus grande facilité. Que de fois j'ai vu ce contraste ! Aussi, quand une mère vient me dire : « Comment voulez- » vous que cette fille, qui ne m'a jamais quittée, se sépare de moi ? », je » lui réponds : « Je connais cette histoire. Savez-vous combien de temps » les jeunes filles bien élevées pleurent leurs mères lorsqu'elles les » quittent ? J'ai pris des notes. Il y en a qui ne les pleurent pas du tout » — c'est comme cela ? D'autres les pleurent une heure ; prenons la » moyenne, si vous voulez : c'est une demi-heure, ce n'est pas beau- » coup. » Je ne puis pourtant pas faire une leçon de psychologie hystérique à toutes les mères qui viennent me présenter leurs enfants. Et, ici, je sais bien que je ne suis pas compris du tout, parce que je sais bien que la psychologie n'est pas encore entrée dans la voie physiologique. Jusqu'à présent, on s'est habitué à mettre la psychologie à part ; on l'enseigne au collège, mais c'est une petite psychologie à l'eau de rose qui ne peut servir beaucoup. Savoir que nous avons des facultés diverses, ce n'est pas bien utile dans l'application. C'est une autre psychologie qu'il faut créer, une psychologie renforcée par les études pathologiques auxquelles nous nous livrons. Nous sommes en train de le faire avec le concours de psychologues qui, cette fois, veulent bien ne pas considérer uniquement ce qu'on appelle l'observation intérieure, comme le faisaient leurs devanciers. Le psychologue d'autrefois se renfermait dans son cabinet, il se regardait en dedans, il était son propre sujet d'observation. C'était une méthode qui pouvait avoir du bon, mais qui était tout à fait insuffisante. Il faut, pour contrôler cette observation de l'homme par lui-même, une observation inverse et, dans cette observation inverse, la pathologie nerveuse joue un rôle considérable.

Leçons du mardi à la Salpêtrière, 1887-1888 (*Paris, Progrès Médical, 1892*).

»

J'ai hérité de ce service — dont le chef était M. Delasiauve qui le dirigeait fort bien — il y a environ quinze ou vingt ans et, dès les premiers moments, je fus témoin des attaques d'hystéro-épileptiques. Je procédais avec la plus grande circonspection dans mes diagnostics, car je me disais : Comment se fait-il que ces choses-là ne soient pas dans les livres ? Comment s'y prendrait-on si l'on voulait décrire cela d'après nature ? Je n'y voyais absolument que confusion, et l'impuissance à laquelle j'étais réduit me causait une certaine irritation, lorsqu'un jour,

*par une sorte d'intuition, je me suis dit : Mais c'est toujours la même chose ! Alors j'en conclus qu'il y avait là une maladie particulière, l'*hysteria major*, commençant par une attaque épileptoïde qui diffère si peu de la véritable épilepsie qu'on la dénomme la maladie hystéro-épileptique, bien qu'elle n'ait rien de commun avec l'épilepsie.*
La phase épileptoïde se subdivise en période tomique, puis en période clinique ; vient alors le silence et la phase des grands mouvements, laquelle se produit sous deux aspects principaux, les salutations et l'arc de cercle. Dans cette phase, tantôt c'est l'arc de cercle qui domine, tantôt les salutations. Vous arrivez enfin à une troisième phase. Tout à coup, vous voyez la malade qui regarde une image fictive ; c'est une hallucination qui varie suivant les circonstances : tantôt la malade donne des signes d'épouvante, tantôt des signes de joie, selon que le spectacle qu'elle croit avoir devant les yeux est épouvantable ou plaisant [...]. *Il n'y a pas une succession d'attaques, qui passent, mais une attaque qui se développe* [...]. *Vous voyez que j'emploie ici la méthode des types. Le type contient ce qu'il y a dans l'espèce de plus complet. Puis, ainsi que cela se fait dans toutes les maladies nerveuses, il faut apprendre à scinder son type. La période épileptoïde peut manquer, l'attaque commence d'emblée par les grands mouvements, les salutations, l'arc de cercle ; parfois, ce sont les grands mouvements qui font défaut et la chose débute par les hallucinations : l'attaque vient ensuite. Il y a une vingtaine de variétés, mais, si vous avez la clé, vous êtes ramené tout de suite au type que vous reconstituez dans votre esprit et, au bout d'un certain temps, vous vous dites : malgré l'immense variété apparente des phénomènes, c'est toujours la même chose.*

Leçons du mardi à la Salpêtrière, 1887-1888 (*Paris, Progrès Médical, 1892*).

J'en viens au second malade du groupe. C'est un pauvre diable âgé de vingt-quatre ans, portant le nom de Ro... eau. Oh ! la nature, « la nature immorale », comme certains philosophes pessimistes l'appellent, ne l'a pas ménagé. Lui aussi est un dégénéré, et l'hérédité nerveuse nous sera facile à établir. Son intelligence est faible, pour ne pas dire plus : il n'a jamais pu apprendre à lire ; sa marche est gênée par l'existence de deux pieds-bots congénitaux, et on lui voit au cou de nombreuses traces de scrofule. De plus, il bégaie horriblement, comme vous aurez dans un instant l'occasion de le constater. Cependant, malgré cela, avec la permission des autorités compétentes il vit de la profession de chanteur des rues dans la banlieue de Paris. Voyez, il porte constamment dans sa poche son pauvre livret de licence, sale, crasseux, « à vous tirer des » larmes ». Quand il parle, il ne peut pas assembler deux mots de suite, tant il bégaie ; mais quand il chante, quand il chante « La Fauvette » par exemple — car, par une ironie du sort, c'est la tendre romance qu'il

cultive spécialement —, c'est une autre affaire, cela va tout seul, paraît-il, et sans accrocs. Il est donc abasique, si vous voulez, de la langue et des lèvres pour l'articulation parlée, il ne l'est plus quand il s'agit de l'articulation chantée ; fait bien connu, du reste.
C'est ainsi qu'il gagne sa vie, bien maigrement, couchant par-ci par-là, pour quelques sous, dans des garnis infâmes, et quelquefois aussi, pour rien, à la belle étoile. Il raconte avec emphase que, pendant un mois, il a occupé une chambre qu'il a payée dix francs.
Malgré tout, Messieurs, c'est un garçon placide, rangé, résigné, plutôt bienveillant et, j'ajouterai, inoffensif, ou il me tromperait fort. Les choses ont été pour lui tant bien que mal jusqu'à il y a deux mois. A cette époque il a commencé à s'affaiblir considérablement et, en même temps, sont survenues des attaques qui n'ont pas cessé depuis de se reproduire de temps à autre. Telle est la raison pour laquelle il est venu demander son admission à la Clinique.

Leçons du mardi à la Salpêtrière, 1887-1888 (*Paris, Progrès Médical, 1892*).

La malade est tombée à terre tout à coup, en poussant un cri : la perte de connaissance est complète. La rigidité tétanique de tous les membres qui, en général, inaugure la scène, est poussée à un haut degré ; le tronc est fortement recourbé en arrière, l'abdomen proéminent, très distendu et très résistant.
La meilleure condition pour une démonstration parfaite des effets de la compression ovarienne en pareil cas est que la malade soit étendue horizontalement sur le sol ou, si cela est possible, sur un matelas, dans le décubitus dorsal. Le médecin, alors, ayant un genou en terre, plonge le poing fermé dans celle des fosses iliaques que l'observation antérieure lui aura démontrée être le siège habituel de la douleur ovarienne. Tout d'abord, il lui faut faire appel à toute sa force afin de vaincre la rigidité des muscles de l'abdomen. Mais, celle-ci une fois vaincue, la main perçoit la résistance offerte par le détroit supérieur du bassin : la scène change et la résolution des phénomènes convulsif commence à se produire.
Des mouvements de déglutition plus ou moins nombreux, et parfois très bruyants, ne tardent guère à se manifester ; la conscience presque aussitôt se réveille et, à cet instant, tantôt la malade gémit et pleure, criant qu'on lui fait mal, tantôt, au contraire, elle accuse un soulagement dont elle témoigne sa reconnaissance : « Ah ! c'est bien ! Cela fait » du bien ! » s'écrie toujours, en pareille circonstance, Geneviève.
Le résultat, quoi qu'il en soit, est en somme toujours le même et, pour peu que vous insistiez sur la compression pendant deux, trois ou quatre minutes, vous êtes à peu près assurés que tous les phénomènes de l'accès vont se dissiper comme par enchantement...

Œuvres complètes, 11e leçon. *Cité dans* E. Treillat : l'Hystérie. (*Toulouse, Privat, 1971*).

Bibliographie

Ouvrages principaux :
Œuvres complètes (*Paris, Delahaye et Lecrosnier, 1880-1893, 13 vol.*).

Etude critique et clinique de la doctrine des localisations motrices dans l'écorce des hémisphères cérébraux (*Paris, Alcan, 1883*).

Les Démoniaques dans l'Art, *en collaboration avec P. Richer* (*Paris, Delahaye et Lecrosnier, 1887*).

Les Difformes et les malades dans l'Art, *en collaboration avec P. Richer* (*Paris, Delahaye et Lecrosnier, 1887*).

Traité de médecine (*Paris, Masson, 1889-1905, 10 vol.*).

Hémorragie et ramollissement du cerveau (*Paris, Progrès Médical, 1890*).

Leçons du mardi à la Salpêtrière, 1887-1888 et 1888-1889. Notes de cours (*Paris, Progrès Médical, 1892*).

Leçons sur les maladies du système nerveux (*Paris, Progrès Médical, 1892-1894*).

Clinique des maladies du système nerveux. Leçons du professeur, mémoires, notes et observations parus pendant les années 1889-1890 et 1890-1891 (*Paris, Progrès Médical, 1892-1893*).

Leçons sur les localisations dans les maladies du cerveau et de la moelle épinière (*Paris, Progrès Médical, 1893*).

Les Centres moteurs corticaux chez l'homme (*Paris, Rueff et Cie, 1895*).

A propos de six cas d'hystérie chez l'homme (*Paris, Théraplix, 1969*).

L'hystérie. Textes choisis et présentés par E. Treillat (*Toulouse, Privat, 1971*).

Ouvrage de référence :
Guillain (G.) : Jean-Martin Charcot, sa vie, son œuvre (*Paris, Masson, 1955*).

PIERRE JANET

Collection Palais de la Découverte

Biographie

30 mai 1859
Naissance de Pierre Janet à Paris ; il appartient à une famille universitaire. Celle-ci déménage peu après à Bourg-la-Reine.
Le jeune garçon fait ses études secondaires au lycée Louis-le-Grand.

1879
A l'Ecole normale supérieure, il est condisciple de Jaurès et de Bergson.

1881-1888
Janet est professeur de philosophie au lycée du Havre ; il est admis à assister à des expériences à l'hôpital et s'intéresse à la télépathie et à l'hypnose.

1889
Thèse de doctorat ès lettres : *l'Automatisme psychologique*. Il présente aussi une thèse de doctorat en philosophie.

1890
Nommé professeur de philosophie à Paris (aux lycées Louis-le-Grand, Rollin, Condorcet), il poursuit en même temps des études de médecine et fréquente la Salpêtrière où il est élève de Charcot.

1893
Thèse de doctorat en médecine, *l'Etat mental des hystériques*, soutenue devant Charcot. Il est chargé de diriger à la Salpêtrière le laboratoire de psychologie auprès de Charcot, puis de Raymond.

1894
Il se marie.

1895
A partir de cette date, il est assistant de Ribot dans la chaire de psychologie expérimentale et comparée au Collège de France.

1902
Il succède à Ribot au Collège de France et gardera cette fonction jusqu'en 1934.

1903
Les Obsessions et la psychasthénie.

1904
Il fonde le *Journal de psychologie normale et pathologique,* avec G. Dumas

1909
Les Névroses.

1913
Janet devient membre de l'Académie des sciences morales.

1923
La Médecine psychologique.

1929
L'Evolution psychologique de la personnalité.

1932
L'Amour et la haine.
La force et la faiblesse psychologiques.

1934
Janet est à la retraite et devient professeur honoraire au Collège de France ; il continue de donner cours et conférences à l'hôpital Sainte-Anne.

1935
Les Débuts de l'intelligence.

1936
L'Intelligence avant le langage.

1937
Janet donne une conférence au Congrès de Paris.

Février 1947
Mort de Pierre Janet.

Pierre Janet : un anti-freudien virulent

Aujourd'hui, la psychanalyse — freudienne et non freudienne — tient le haut du pavé psychiatrique, et on a peine à croire que Pierre Janet fut pendant tout un temps, en France, cette sorte de dictateur éclairé de la médecine mentale qui fit obstacle à la pénétration des idées de Freud dans les milieux médicaux français. On aurait plutôt envie de voir en Janet un penseur parallèle de la psychanalyse — voire un Freud français et avant Freud —, puisque tous deux furent de ceux qui voulurent expliquer certaines maladies, comme l'hystérie, à partir de l'action de processus psychiques inconscients et non à partir de troubles somatiques, c'est-à-dire du corps. Mais — il faut le dire nettement — le rapprochement des deux penseurs serait factice.
L'inconscient dont parle Janet et celui dont parle Freud n'ont de commun que le nom et le fait qu'ils sont de nature psychique. Nous reviendrons sur cela.

Janet et Freud n'ont jamais parlé le même langage

Le contentieux entre Freud et Janet est lourd. Il semble bien qu'en l'occurrence, c'est Janet qui eut le comportement le moins ouvert. Accusant Freud de pillage intellectuel, il laissa se répandre la légende selon laquelle celui-ci utilisa malhonnêtement des idées que lui, Janet, avait développées lors d'une rencontre commune chez Charcot et dans des conférences ; idées qui auraient été à l'origine des « Etudes sur l'hystérie ». Il faudrait être aveugle à tout ce qui sépare les conceptions de Janet de celles de Freud pour souscrire à l'accusation de plagiat. Certes, Janet et Freud parlent de phénomènes inconscients, mais il s'agit de choses radicalement opposées, comme nous le verrons plus loin. Freud l'a dit souvent, la pierre de touche de la psychanalyse, c'est la notion de refoulement. Or, nulle part, on ne trouve cette notion chez Janet. Quant à l'inconscient, il n'est jamais conçu par Janet comme un système psychique déterminant l'ordre du conscient.
La controverse entre les deux penseurs aurait pu n'être qu'un débat théorique. Elle devint, par la faute de Janet, qui laissait dominer en lui l'aigreur et le ressentiment, une querelle de personnes, voire une querelle de basse cuisine. Janet opposa le barrage le plus obstiné et le plus efficace à la propagation des idées freudiennes en France.
Edouard Pichon◆, l'un des premiers analystes français (qui était, la chose est assez drôle, le gendre de Janet), écrivit un jour à Freud, alors devenu une gloire en Europe et aux Etats-Unis, pour lui demander s'il accepterait de rencontrer Janet. Freud refusa et s'en expliqua dans une lettre à Marie Bonaparte du 9 avril 1937◆ que nous reproduisons :
« Non, je ne verrai pas Janet. Je ne puis m'empêcher de lui reprocher » de s'être conduit injustement à l'égard de la psychanalyse et aussi

◆ *Edouard Pichon,* médecin-psychiatre d'enfants et linguiste, avait des opinions scientifiques contraires à celles de son beau-père : il se rangea du côté de la psychanalyse dont Janet mettait en doute l'aspect scientifique, traitant même Freud de mystique et de littérateur. Pichon fut à la source de la diffusion de la psychanalyse en France, puisqu'il collabora dès 1926 à la Société psychanalytique nouvellement fondée et élabora notamment un vocabulaire psychanalytique français.

◆ E. Jones : *Sigmund Freud, vie et œuvre* (Paris, P.U.F., 1961).

» envers moi personnellement et de n'avoir jamais rien fait pour répa-
» rer cela. Il fut assez bête pour dire que l'idée d'une étiologie◆ sexuelle
» des névroses ne pouvait germer que dans l'atmosphère d'une ville
» comme Vienne. Puis, lorsque les écrivains français répandirent la
» rumeur selon laquelle j'aurais suivi ses conférences et lui aurais volé
» ses idées, il aurait pu, d'un mot, mettre fin à de tels racontars puis-
» qu'en fait je ne lui ai jamais parlé ni n'ai entendu prononcer son nom
» pendant la période Charcot ; il ne l'a jamais fait. »

◆ *étiologie:* étude des causes d'une maladie.

Par un injuste retour des choses, aujourd'hui, c'est la dictature éclairée de Freud qui fait obstacle à la gloire — moindre peut-être, mais incontestable — de Janet. Mais le combat scientifique n'est pas un duel ni une compétition sportive. Un jour, les haines personnelles disparaissent, les hommes meurent et seules subsistent leurs idées. Le temps est appelé à redonner à Janet une place de pionnier et de théoricien de la science psychiatrique, celle d'un des pères de la psychologie expérimentale.

Pierre Janet est né à Paris en 1859. Sa vie fut paisible avec, pour seules tempêtes et seules joies, celle que donnent l'étude et la recherche d'une part, les aléas de la carrière d'autre part.

Elève de Ribot et de Charcot

Esprit qui, de son propre aveu, était profondément religieux, Janet se passionna très vite pour les sciences naturelles et la botanique, s'adonnant toute sa vie à cette dernière passion et disant volontiers qu'il était un jardinier manqué. Du conflit entre ses penchants mystiques et son goût de la science, il sortit en optant pour la science mais, précisément, pour cette science un peu marginale et qui étudie les états mystiques ou extatiques : la science psychiatrique.

Pierre Janet fut élève de Ribot◆, à qui il succéda au Collège de France, et de Charcot.

◆ *Théodule Ribot,* psychologue français, né en 1839, mort en 1916. Philosophe de formation, il s'intéressa aux données d'une science alors nouvelle : la psychophysiologie, et travailla d'après les observations des psychiatres, persuadé que la maladie mentale éclairait les mécanismes psychiques normaux.

A Ribot, Pierre Janet doit cette méthode d'observation — révolutionnaire à l'époque — qui refuse de voir dans les états mentaux normaux et les états pathologiques deux réalités radicalement différentes. La connaissance des maladies mentales doit permettre de comprendre les mécanismes psychiques normaux ; la pathologie est l'auxiliaire de la psychologie. C'est ainsi que, en 1889, dans sa thèse de doctorat ès lettres, « l'Automatisme psychologique », il écrit : « Les phénomènes automa-
» tiques [...] se rattachent, comme tous les symptômes pathologiques,
» par des transitions innombrables, aux phénomènes de la psychologie
» normale et l'on peut discuter indéfiniment sur la limite entre la mala-
» die et la santé. »

Comme Freud, Janet doit beaucoup à Charcot, dont les travaux sur l'hypnose et sur l'hystérie le déterminèrent dans ses recherches.
En 1881, Janet, alors professeur de philosophie au lycée du Havre, s'était mis en relation avec un médecin — le docteur Gibert — qui disposait d'un médium, Léonie, particulièrement suggestionnable et qui tombait en sommeil hypotique à volonté. Il s'intéressa vivement aux états seconds et participa à des expériences de télépathie en collaboration avec le docteur Gibert et des représentants de la Society for Psychical Research venus tout exprès de Londres pour étudier le cas de Léonie, capable de « double vue ». Janet, influencé par son penchant au mysticisme, voyait dans ces états seconds la manifestation de pouvoirs spirituels supérieurs. Sa conviction s'appuyait également sur le pouvoir mystérieux de l'hypnose. Celle-ci, en effet, annulait les paralysies et les anesthésies des hystériques. Les annulait... parfois... et pour un temps ! Mais très vite, le penchant naturaliste l'emporta sur le penchant mystique. Janet se mit à douter de la sincérité des malades et de la supériorité de ces fameux états seconds — qu'il dénoncera plus tard comme étant le résultat d'une suggestibilité très grande due à la désagrégation psychique. Ces expériences du Havre le feront se pencher sur l'hystérie◆ et c'est ce qui motiva sa participation aux cours de Charcot.
Charcot voulait faire de la psychologie une discipline scientifique. Il avait créé à la Salpêtrière le laboratoire de psychologie. « Toutes les » études précédentes, dit Janet, avaient démontré à Charcot une chose » qu'il pressentait depuis longtemps : l'importance pratique des études » psychologiques, la nécessité de les développer et de les faire pénétrer » dans l'enseignement médical [...]. Il comprenait que la maladie présente à l'observateur d'admirables expériences toutes faites et permet » de comprendre les lois de l'état normal◆. »

◆ *hystérie:* disposition de certains malades à présenter les apparences d'infirmités physiques.

◆ Charcot, cité par P. Janet : « J. M. Charcot, son œuvre psychologique », in *Revue philosophique* (1895).

L'hypnotisme permet l'étude des états hystériques

De Charcot, Janet apprend à prêter une attention méticuleuse à tous les signes que présente le malade, y compris les plus insignifiants. Cette observation clinique scrupuleuse sera l'essentiel de sa méthode de travail ; et une grande partie de ses écrits consacrés à ces descriptions constitue un capital particulièrement intéressant de la littérature psychiatrique. En 1878, Charcot est frappé par l'analogie entre les phénomènes d'hypnotisme et la crise hystérique, sans toutefois les confondre comme le prétendaient ses adversaires. Au contraire, Charcot fut le premier à démystifier le phénomène de l'hypnose en le considérant de façon scientifique, c'est-à-dire en l'utilisant pour reconstituer artificiellement des états hystériques (paralysies, anesthésies), afin d'en analyser cliniquement les mécanismes. « L'état hypnotique, disait-il, n'est autre

» qu'un état nerveux artificiel ou expérimental dont les manifestations » multiples apparaissent ou s'évanouissent suivant les besoins de l'étude » au gré de l'observateur. Considéré de la sorte, l'hypnotisme devient » une mine précieuse à explorer aussi bien pour le physiologiste que » pour le médecin. »

L'automatisme psychologique

Sous l'impulsion de Charcot, donc, Pierre Janet consacre sa thèse de doctorat en philosophie (1889) et sa thèse de doctorat en médecine (1892) à l'analyse de l'hypnose et de l'hystérie. Il y considère l'hystérie comme une maladie mentale dont seule la psychologie peut rendre compte ; on trouve ici la première manifestation de ce « psychologisme » qui lui fait considérer que la biologie ou la physiologie ne peuvent expliquer des phénomènes psychiques tels que les phénomènes de conscience.

Dans ces deux œuvres, Janet pose les premiers jalons de sa théorie de la « hiérarchie des conduites », et de la force et de la faiblesse psychologiques. Dans le premier ouvrage, « l'Automatisme psychologique◆ », il décrit un type d'action humaine, qualifié d'automatique et de psychologique, qui relève d'un fonctionnement des formes inférieures et élémentaires de la conscience et de la sensibilité. Il oppose à ces formes subconscientes de fonctionnement de l'esprit des formes supérieures conscientes, volontaires et synthétiques, unificatrices des premières. Il écrit : « Si les phénomènes d'automatisme sont uniquement dus à la » faiblesse, ils doivent exister chez l'homme normal comme chez le » malade, mais au lieu d'être seuls comme chez celui-ci, ils sont chez » celui-là masqués et dépassés par d'autres phénomènes plus complexes. » Le riche possède déjà le pain et l'eau du pauvre, mais il a encore » autre chose en plus. L'homme bien portant possède l'automatisme du » malade, quoiqu'il ait en plus d'autres facultés supérieures. » Janet complète cette idée dans sa thèse de médecine « Etat mental des hystériques » en définissant l'état de faiblesse mentale comme caractérisé par le rétrécissement du « champ de la conscience ». A ce stade de son œuvre, il considère l'hystérie comme résultant d'une inhibition de l'activité synthétique, inhibition qui libère anarchiquement les activités inférieures et élémentaires et qui peut être obtenue artificiellement par hypnose.

◆ P. Janet : *l'Automatisme psychologique* (Paris, P.U.F., 1899).

Ainsi Janet — avant Freud, après Charcot — met en évidence l'existence d'activités psychiques subconscientes. Cependant, une chose choque son esprit rationaliste : dans le cas de l'hypnose, les actes peuvent être automatiques, subconscients et apparemment intelligents, c'est-à-dire qu'ils mettent en jeu une véritable personnalité seconde. Il

considérera plus tard (dans les « Névroses », de 1909) que ces phénomènes sont dus à un état de suggestibilité particulier qui favorise une obéissance irréfléchie aux ordres de l'hypnotiseur, un dressage et une complaisance qui donnent l'illusion d'une double personnalité.
Tout au long de son œuvre et de sa carrière d'enseignant, Janet va reprendre et compléter ces thèmes annoncés dans « l'Automatisme psychologique » et dans « l'Etat mental des hystériques », les confrontant sans répit à la réalité clinique qu'il découvrait tous les jours. Eugène Minkowski, psychiatre français qui l'a bien connu, nous le décrit dans son cadre de vie : « Pierre Janet travaillait la plume à la main ; jour » par jour, il notait les renseignements recueillis auprès de ses malades, » de même que ses propres observations. Dans une petite pièce, à côté » de son grand bureau de travail, tapissé de livres, un mur était occupé » par son herbier [...], les trois autres murs servant à une cartothèque » remplie d'observations de ses malades ; celles concernant la malade » décrite dans les deux volumes « De l'angoisse à l'extase » occupaient » à elles seules trois cartons. Ainsi, inlassablement, il poursuivait sa » recherche◆. »

◆ E. Minkowski : «A propos des dernières publications de Pierre Janet», in *Bulletin de psychologie* (numéro spécial de novembre 1960).

Janet fut un chercheur infatigable

Quelle était la personnalité de cet homme que l'on connaît surtout par son œuvre ? Dans un article nécrologique paru en Espagne en 1947, J. Germain écrit : « La mort avait saisi le professeur Janet comme par » hasard, et il disparaissait, travaillant et enseignant, comme il avait » vécu. » Ce qui frappe d'abord chez Janet, c'est cette opiniâtreté, cette vivacité, cette intelligence qui lui firent garder intacte sa capacité de pensée jusqu'à la fin de ses jours. Ainsi le vit-on, après 1934, alors qu'il avait pris sa retraite d'enseignant, donner de nombreux cours et conférences à l'hôpital Sainte-Anne. Infatigable et éternel étudiant, esprit infiniment ouvert et novateur, obstiné à poursuivre la vérité, il entreprit à près de quatre-vingts ans des recherches sur les délirants et les persécutés et travailla à un livre sur les diverses formes de la croyance. Ses qualités de savant étaient en harmonie avec celles de l'homme de tous les jours. Au dire de ses proches, en effet, il apparaissait comme un homme très bienveillant, énergique et équilibré, capable de surmonter les circonstances les plus pénibles. Il le montra pendant la dernière guerre, lorsqu'il perdit sa femme, son fils, sa sœur, son frère et son gendre, recevant les coups du sort avec un courage peu commun à un âge où souvent l'usure de la vie se fait durement sentir.
Clinicien acharné — certains ont voulu voir dans sa grande méticulosité allant jusqu'à l'obsession un symptôme de trouble psychasthénique —, Janet fut de ceux qui, en France, contribuèrent le plus fortement à la

naissance d'une psychologie objectice qui se donne comme objet non les « faits de conscience », tels que les livre l'introspection, mais les actes. Il reste en cela l'élève de Ribot, auquel il rendit hommage en ces termes, à l'occasion de son centenaire : « La psychologie de Ribot — » c'est là son grand caractère qu'on lui reproche encore perpétuelle- » ment — est une psychologie objective, une « psychologie du vu », » comme on l'a dit très justement, qui traite de l'homme comme un » objet, qui l'étudie du dehors comme un objet◆. »

◆ P. Janet: *Centenaire de Th. Ribot* (1939).

La « fonction du réel » permet l'action efficace

Dans ses premières œuvres, donc, Janet avait mis au point la notion de « richesse mentale » et de « pauvreté mentale », celle d'activité inférieure automatique et d'activité supérieure dite synthétique. Il s'était servi de ces notions dans ses études sur l'hystérie. En 1903, dans son livre sur « les Obsessions et la Psychasthénie », il complète sa théorie par les très importantes notions de « force et tension psychologiques » et de « fonction du réel », concepts qui l'amèneront à sa théorie des conduites.

S'intéressant aux obsessions à une époque où l'on ne voyait dans celles-ci que des symptômes de dégénérescence mentale, Janet fut amené à définir la psychasthénie, dont il fait un trouble mental constitutionnel englobant l'angoisse, la phobie, l'obsession, avec, en sourdine, des sentiments morbides de dépersonnalisation et une impuissance psychique grandissante (timidité, irrésolution, angoisse sociale, manies mentales, etc.). Le psychasthénique est un sujet fatigué, qui manque d'énergie mentale, incapable de concevoir la réalité extérieure de manière synthétique, qui ressent par suite un sentiment d'incomplétude, qui présente enfin, dit Janet, un déficit de la « fonction du réel ». Ainsi, la fonction du réel est l'utilisation de l'énergie psychologique dans la perception du monde extérieur et dans l'action sur celui-ci ; elle permet l'action efficace sur la réalité. Or le malade, observe Janet, dispose tout de même d'une certaine énergie. Incapable de l'utiliser dans des activités de niveau psychique élevé, il l'investit dans des comportements peu élaborés : automatismes psychologiques, doutes, angoisses, agitations, phénomènes obsessionnels.

Parallèlement à la fonction du réel intervient, dans l'action, l'équilibre entre la force et la tension psychologiques. La force psychologique est l'énergie des tendances, énergie organique qui tend à se décharger ; elle alimente la tension psychologique, c'est-à-dire son utilisation dans l'action : la tension est le support de l'acte. Une grande force psychologique peut être accompagnée d'une basse tension, dans certains phénomèmes pathologiques par exemple. Aussi ne faut-il pas confondre force et tension, mais distinguer la force psychologique, potentiel quantitatif d'énergie qui correspond à la force des tendances, et la tension psychologique, utilisation qualitative de l'énergie qui correspond à la hiérarchie des actes. Les fonctions psychiques nécessitent, pour s'exercer et atteindre leurs niveaux supérieurs d'adaptation, une tension psychologique qui est fonction du degré d'efficacité et de complexité de l'action. La diminution de cette tension entraîne une dégradation de la fonction du réel. Le sujet n'est alors plus capable d'attention. En lui domine l'activité ludique et imaginative gardant peu de rapport avec la réalité. Lorsque la dégradation s'accroît, on assiste alors à des activités incontrôlées : compulsion à accomplir des actes indésirables, lutte contre des idées obsédantes, rites conjuratoires. Puis viennent des manifestations explosives, des mouvements passionnels, des crises hystériques. Janet situe en dernier lieu la crise épileptique.

La psychologie de la conduite

Janet avait donc élaboré des niveaux d'action humaine de plus en plus dégradés dans les manifestations pathologiques. L'idée lui vint alors de classer les niveaux de l'action humaine normale du plus simple au plus compliqué. Il lui fallait établir une véritable échelle des conduites — qui faisait défaut en psychologie — qui lui permettrait, en même temps que faire une synthèse de ses différents travaux et découvertes, de poser une table de référence objective pour l'étude des phénomènes psychologiques.

Novateur, Janet met au centre de la psychologie la notion d'action humaine, construisant une psychologie qu'on appellera « psychologie de la conduite », pour la différencier de la psychologie du comportement de Watson.

Comme ce dernier, Janet ramène l'étude du psychique à celle de ses manifestations observables. Il écrit : « Nous sommes obligés de concevoir une psychologie dans laquelle l'action visible à l'extérieur est le phénomène fondamental, et la pensée intérieure n'est que la reproduction, la combinaison de ces actions extérieures sous des formes réduites et particulières◆. » Mais Janet considère que la notion de « comportement » qu'utilise Watson est trop étroite pour rendre compte des phénomènes complexes en jeu dans l'action humaine. Elle n'est utilisable qu'en psychologie animale.

◆ Janet, cité par M. Bergeron : « la Psychologie des conduites », in *Bulletin de psychologie* (numéro spécial de novembre 1960).

Le grand mérite de la notion de conduite et sa grande nouveauté, c'est qu'elle détruit les vieilles conceptions de la psychologie traditionnelle, mais sans par là se limiter à ce qu'elles ne sont pas, c'est-à-dire en les intégrant, en en faisant la synthèse. C'est ainsi que la théorie des conduites, qui n'est pas la science des sentiments et de la conscience

les intègre comme faisant partie de l'action, comme réactions de l'organisme à ses propres actes.
Ainsi, la notion de conduite fait l'unité autour d'un sujet tendu vers un but, un objet. L'individu n'est plus, avec Janet, une juxtaposition de fonctions, de mécanismes distincts et indépendants, intervenant au gré du hasard — conception issue des observations cliniques des aliénistes du XVe siècle qui prêtaient aux troubles une origine bien précise : intellectuelle, émotionnelle, perceptive, comme si l'homme était cloisonné en divers compartiments bien étanches dont les mécanicistes et les finalistes expliquaient le fonctionnement. Il est envisagé dans sa totalité, en rapport avec la réalité, avec le monde extérieur, et selon la formule employée par Wallon, « comme une hiérarchie d'activités qui se condi- » tionneraient entre elles, depuis les plus organiques ou les plus auto- » matiques jusqu'aux plus réfléchies ou aux plus conscientes, et inverse- » ment◆ ».

◆ H. Wallon : « Pierre Janet, psychologue réaliste », in *Bulletin de psychologie* (numéro spécial de novembre 1960).

Janet distingue quatre groupes de conduites :
1. Un groupe de conduites liées aux actes automatiques, réflexes, perceptifs, et aux premiers actes sociaux rudimentaires tels que l'imitation (acte où intervient l'autre). Ce groupe porte le nom de *conduites animales ;*
2. Un groupe de conduites dites *intellectuelles élémentaires,* qui comprend : *a*) les conduites de direction et de position qui caractérisent certaines opérations intellectuelles simples, telles que les notions d'aller et retour, de droite et de gauche, de partir et d'arriver, etc. ; *b*) les conduites de rassemblement et de rangement, de fabrication des outils. Ces conduites offrent la particularité d'être doubles : fabriquer l'outil, s'en servir ; remplir le panier, le vider, etc. Ce groupe de conduites comprend également le langage ;
3. Un groupe de *conduites moyennes* ayant trait surtout à la croyance : il comprend la croyance assertive, qui permet d'économiser des forces en spéculant sur une action future dont on utilise immédiatement les résultats, la croyance réfléchie et la réflexion issue de la discussion ;
4. Un dernier groupe : les *conduites supérieures,* dans lesquelles Janet range les conduites de travail, l'effort, l'expérience acquise qui conditionnera l'action future grâce à la mémoire, et les conduites de progrès (recherches intellectuelles).

Janet étudie les fonctions humaines dans leur évolution

La théorie janétienne ne se contente pas de classer les actions humaines du point de vue de la complexité, de leur donner une explication dynamique ; elle se veut aussi théorie génétique, cherchant à retracer l'histoire de l'apparition des fonctions qui composent les conduites, et à classer ces dernières d'un point de vue évolutionniste. Ainsi Pierre Janet se réfère-t-il aux différents stades de la phylogenèse◆ pour expliquer la maladie mentale et les délires qu'il considère comme des régressions, à des stades inférieurs de celle-ci. Une chose est à remarquer, qui montre la différence entre Janet et Freud : Janet s'intéresse à l'évolution des groupes sociaux, à la genèse des fonctions dans l'histoire de l'humanité ; il délaisse presque totalement l'histoire de l'individu et ne prête aucune attention à l'enfance des sujets qu'il observe. Cependant, cette hiérarchie des fonctions qu'il avait établie, les travaux de Piaget sur la genèse des fonctions de l'enfant viendront l'étayer largement.

◆ La *phylogenèse* est l'histoire de l'évolution de l'espèce. On l'oppose à l'*ontogenèse*, science du développement de l'individu.

La relation sociale essentielle est le rapport commandement-obéissance

A son dédain de l'enfance Janet ajoute un relatif désintérêt pour l'environnement social des conduites et l'impact sur elles du contexte culturel. Ce n'est pas que Janet ait nié totalement l'aspect social de la conduite ; mais, partisan, d'une psychologie pure et parfaitement séparée des autres sciences, il s'est contenté d'assister au déroulement des conduites et d'en analyser les mécanismes, mais sans les mettre dans un contexte de transformation qui ne peut se situer que sur un plan culturel. Pour lui, la maladie est une désadaptation sociale, sa guérison une réadaptation. Pourtant, l'analyse des conduites sociales de Pierre Janet ne manque pas de finesse. L'acquisition qui, selon lui, est à la base de la socialisation de l'homme est le langage, issu pour lui de l'acte du commandement et de l'obéissance, rapport social clé, il est vrai. Cette relation de commandement-obéissance est analysée par Janet sous l'angle du « bénéfice » et de la « défense sociale ». En effet, il y a économie psychique à réaliser une action par la parole, par l'ordre ; et corollairement, celui qui obéit économise aussi des forces psychiques, puisqu'il est dispensé de la responsabilité et de l'initiative de l'acte. Mais cette relation, parfaite si l'entente entre le maître et l'esclave est acceptée d'un commun accord, comporte ses risques : la désobéissance qui déclenche aussitôt la punition, la contrainte. Ce sont les défenses sociales. Un équilibre existe cependant entre le maître et l'esclave, entre bénéfice et défense sociale : c'est, selon Janet, la position de l'« officier subalterne » qui commande et subit à la fois, position très recherchée parce qu'économique.

L'étude du langage et de ce rapport commandement-obéissance, qui met en bloc deux ou plusieurs sujets dans une même action, c'est-à-dire qui

réunit le sujet et ce que Janet appelle le « socius », est un premier pas qui amène Janet de la psychologie de l'individu à la psychologie des relations, à une interpsychologie. A la fin de sa vie, alors qu'il étudie les délires et les persécutions, Janet verra la nécessité de cette interpsychologie, et expliquera les délires de persécution par le mécanisme de projection sur autrui (le « socius »). De la même façon, il étudiera la jalousie, l'imitation, la sympathie. Ainsi, sa psychologie devient-elle une psychologie non plus du sujet, de la personne appréhendée dans son isolement, mais une psychologie de la rencontre, de la relation « je-tu ». C'est un progrès indéniable, dont Janet se rend bien compte et dont il s'explique, en 1937, lors de sa conférence au congrès de Paris : « Mes » études, probablement à cause de notre éducation philosophique, me » paraissent, aujourd'hui, avoir été trop limitées. Nous ne voulions pas » d'une psychologie subjective, mais nous étions trop enfermés dans une » psychologie personnelle, ce qui était en somme comme une consé» quence et une expression de la psychologie subjective. » L'objet de la psychologie n'est pas la conscience ; ce n'est pas le sujet, c'est la conduite, c'est-à-dire la relation du sujet à l'entourage.

Janet a établi une classification des troubles mentaux

L'apport de Pierre Janet en psychopathologie fut d'abord d'avoir établi une classification des troubles mentaux, appuyée sur un matériel clinique très riche et très nuancé ; classification qui inspire encore aujourd'hui les psychiatres. C'est ce que dit le docteur Hesnard, psychanalyste : « La doctrine de Janet a réalisé un immense progrès sur la psychopatho» logie de son époque, alors réduite à des descriptions cliniques avec » quelques interprétations limitées, sans possibilité de synthèse ni de » doctrine. Sa description fine et minutieuse des principales formes de » névrose — l'hystérie, la « grande névrose » et la psychasthénie, qu'il » a le premier observée, isolée, nommée et à laquelle son nom restera » attaché — nous les révélait sous la forme de conduites morbides, » dérivées de conduites normales◆. »

◆ A. Hesnard : « Un parallèle Janet-Freud », in *Bulletin de psychologie* (numéro spécial de novembre 1960).

Personne avant Janet, en effet, n'avait clairement distingué ces deux névroses, et c'est grâce à sa théorie des conduites qu'il put le faire. Dans l'hystérie, qu'il définissait en 1891 comme « un type de faiblesse » ou de misère mentale caractérisé par le rétrécissement du champ de conscience », comme dans la psychasthénie, on peut observer des phénomènes obsessionnels, et ces deux névroses présentent également, pour Janet, un déficit de la synthèse mentale qui se manifeste par un manque de volonté. Mais Janet définit la différence entre l'idée fixe de l'hystérique et l'obsession du psychasthénique. L'idée fixe, en effet, peut s'accompagner d'une force psychique, ce qui aboutit à la réalisation d'une suggestion, ou à un acte incontrôlé. L'obsession, au contraire, s'associe à la faiblesse psychique et tout acte entrepris, toute pensée n'aboutiront jamais, ce qui augmente la fatigue. D'autre part, la psychasthénie comme l'hystérie présentent un rétrécissement du champ de la conscience. Mais, dans le premier cas, ce rétrécissement atteint tout l'espace perceptible et tend à ne pas augmenter la fatigue ; dans le second, il est localisé sur des fonctions élémentaires et corporelles. Il s'ensuit un déficit de la fonction du réel chez le psychasthénique, un manque de cohérence de la structure de la personnalité chez l'hystérique. Ne nous y trompons point cependant. Ces analyses de Janet ont un intérêt historique, mais elles sont périmées. C'est à Freud que la psychiatrie doit des définitions plus exhaustives de ces névroses : non seulement par des descriptions symptomatologiques, qui différencient par exemple aujourd'hui l'hystérie de conversion (paralysie hystérique) et l'hystérie d'angoisse (où le symptôme principal est la phobie), mais aussi grâce à la détermination de l'étiologie de ses maladies, qui prennent racine dans des conflits psychiques, définis par la psychanalyse. Et l'on peut exprimer cette première distinction entre Janet et Freud en citant J. Laplanche et J.-B. Pontalis « [Janet] a décrit, sous le terme » de psychasthénie, une névrose proche de ce que Freud désigne sous » le nom de névrose obsessionnelle, mais en centrant sa description » autour d'une conception étiologique différente : ce qui pour lui est » fondamental et conditionne la lutte obsessionnelle elle-même, c'est » un état déficitaire, la faiblesse de la synthèse mentale, une asthénie » psychique, tandis que pour Freud, doutes et inhibitions sont les consé» quences d'un conflit mobilisant et bloquant les énergies du sujet◆. »

◆ J. Laplanche et J.-B. Pontalis : *Vocabulaire de la psychanalyse* (Paris, P.U.F., 1967).

La méthode cathartique

La méthode cathartique est encore un des éléments de la psychopathologie auquel le nom de Janet reste attaché. Une importante littérature est consacrée à la question de la priorité de la découverte de cette méthode : Janet l'a-t-il définie avec Breuer, ou Freud l'a-t-il soupçonnée antérieurement ? Peu importe. Voyons plutôt de quoi il s'agit et quels ont été les travaux réalisés respectivement en France et en Autriche, étant entendu que tant Janet que Freud avaient connaissance des travaux sur l'hypnose réalisés par Charcot, dont ils furent tous deux élèves.

La méthode cathartique est une « méthode de psychothérapie où l'effet » thérapeutique cherché est une "purgation" (catharsis), une décharge » adéquate des effets pathogènes. La cure permet au sujet d'évoquer » et même de revivre les événements traumatiques auxquels des effets

» sont liés et d'abréagir à ceux-ci◆ ». La catharsis est donc la décharge émotionnelle plus ou moins intense et mouvementée qui accompagne la reviviscence de certains souvenirs ; elle a lieu au cours de l'hypnose, de la cure analytique, de la narco-analyse et également du psychodrame. Vers 1880, Breuer, un médecin viennois, soigna une jeune hystérique paralysée, connue sous le nom d'Anna O., de manière tout à fait originale. La malade était hypnotisée, mais Breuer n'utilisait pas la suggestion : c'est la jeune fille elle-même qui retrouvait des souvenirs anciens, et lorsque ceux-ci correspondaient à l'origine ou à l'explication de ses troubles, les symptômes disparaissaient. Breuer conclut que l'hystérie s'accompagnait de la « rétention » de certains souvenirs, qu'à chaque symptôme correspondait un souvenir « retenu » et que l'on pouvait faire disparaître ces troubles en amenant chacun de ces souvenirs à la conscience. Mais ce n'est qu'en 1893 que ces résultats furent publiés par Breuer et Freud dans leur « Etudes sur l'hystérie ».

◆ J. Laplanche et J.B. Pontalis: *Vocabulaire de la psychanalyse* (Paris, P.U.F., 1967).

Freud était alors à la recherche d'une théorie qui impliquerait ces faits — il y parviendra au cours de ses premières expériences analytiques — et d'une technique thérapeutique moins aléatoire que celles qui étaient pratiquées jusqu'alors. Sur ces points, une certaine compétition s'installa entre Janet et Freud. Cependant, Janet a présenté l'hystérie, nous l'avons vu, comme étant un déficit de la « tension psychique », et son étude descriptive ne pouvait l'amener à la découverte de ce dont Freud avait lui-même une vague intuition. Et Freud, dans une lettre à son ami Fliess (1898), raconte : « J'ai ouvert le nouveau livre de Janet » (il s'agit de « Névroses et idées fixes ») avec des battements de cœur. » En le refermant, j'avais retrouvé mon pouls normal : il n'a aucune idée » de la solution. » Pourtant, Janet avait dit lui-même, en 1892 : « Nous » sommes contents de trouver (...) que M. Breuer et Freud ont récem- » ment vérifié notre interprétation, déjà quelque peu ancienne, des » idées fixes subconscientes des hystériques◆. » Il est vrai que Janet avait exposé la méthode cathartique dans « l'Automatisme psychologique » en 1889, et qu'il fut un novateur également dans ce domaine, qu'il approfondit par des expériences différentes de celles de Freud.

◆ P. Janet: *l'Etat mental des hystériques* (Paris, 1852).

La réminiscence est peut-être une méthode thérapeutique

Janet avait connaissance des travaux de deux médecins français, Bourru et Burot, qui avaient traité une malade, Mme de M., à l'aide d'une technique très proche de la méthode cathartique. Mme de M. présentait plusieurs symptômes hystériques : paralysies, contractures, troubles de la vue, somnanbulisme alternant... Les deux médecins rapportent qu'au cours de la première séance d'hypnose, « il se produisit une hallucina- » tion qui faisait revivre [un] épisode de sa vie et cette hallucination

» était accompagnée de secousses convulsives dans les membres ». L'état de Mme de M. s'en trouva nettement amélioré, mais passagèrement. Plus tard, les médecins suggérèrent à la patiente, sous hypnose, de revenir à cette période de sa vie et provoquèrent ainsi cette réminiscence hallucinatoire. Mme de M. ne tarda pas à guérir. Bourru et Burot comprirent qu'ils venaient de réaliser un traitement en profondeur et non seulement la suppression des symptômes qui résulte de la suggestion directe (au cours de laquelle on suggère simplement la disparition des troubles).
Cependant, ces médecins n'ont jamais tenté de développer une théorie explicative des effets du traitement. C'est Janet qui, particulièrement intéressé par cette observation, a employé dans ses traitements la réminiscence des « souvenirs éteints » dont il parle dans « l'Automatisme psychologique ». Mais il se défendait de dépasser les limites de la psychologie des conduites et ne put aller plus loin dans sa découverte. Jean Delay rapporte et commente ainsi l'observation d'une malade de Janet, Irène : « M. Janet fait à ce sujet une remarque dont l'importance » est extrême : "Depuis le moment où Irène fut capable de penser volon- » tairement à sa mère, elle cessa d'y penser involontairement. Depuis » qu'il n'y avait plus d'amnésie, il n'y eut plus d'hyperamnésie. Les » crises hystériques cessèrent complètement, les hallucinations, toutes » les terreurs subites d'origine subconsciente disparurent absolument." » M. Janet a vu qu'Irène était guérie puisqu'elle était capable de faire » le récit de la mort de sa mère ; il n'a pas conclu qu'elle était guérie » parce qu'elle en était capable. Il s'en est fallu d'un adverbe qu'il n'ait » découvert la psychanalyse◆. » Dans cet adverbe se cache autre chose qu'un accident : la différence radicale de perspective entre la psychologie de la conduite et la psychanalyse.

◆ J. Delay: *les Dissolutions de la mémoire* (Paris, P.U.F., 1942).

De Pierre Janet à Sigmund Freud

Il est remarquable que l'aspect génétique de l'œuvre de Janet élude toute psychologie de l'enfant. Janet considère l'évolution des groupes sociaux, explique comment l'humanité a pu passer par une succession de stades, mais ne fait aucune étude systématique de l'évolution de l'individu. Sans doute, la description des différentes conduites, des plus primaires aux plus élaborées, implique-t-elle des comparaisons avec les progrès de l'enfant, depuis les mouvements réflexes jusqu'aux actions complexes ; mais cela reste toujours plus ou moins implicite chez Janet. Freud, au contraire, comme on le sait, s'est surtout appliqué à décrire l'histoire de l'enfant qui n'est pas, chez Freud, une « évolution » ou une « maturation », mais un devenir qui est fonction d'un champ culturel très précis, un champ de langage et d'interdits : la famille.

Cette divergence entre Janet et Freud apparaît également lorsqu'on considère les théories énergétiques qu'ils ont respectivement établies. Pour le premier, les concepts de force et de tension psychologiques sont les éléments de base de la présentation des différentes conduites et de l'explication des maladies mentales. Pour Freud, au contraire, cette distinction est en rapport non seulement avec la symptomatologie, mais également avec l'étiologie qui relève de mauvaises résolutions de conflits internes. Autrement dit, cette force psychique, qui pour Janet est tout à fait informe et représente une masse d'énergie dont l'origine lui importe peu, constitue justement l'aspect de l'individu que Freud a analysé, ce qui a abouti à la théorie des instincts, des désirs, de l'organisation de l'inconscient, etc.

De plus, la conscience et l'inconscient sont, pour Janet, en étroite liaison avec le niveau de tension psychologique, la première correspondant aux tensions importantes, le second étant observable, en cas de faible tension. On voit la distance qui sépare l'inconscient pour Janet et l'inconscient analysé par Freud, un inconscient qui est, une autre structure du psychisme, ayant ses lois (condensation, déplacement), son énergie et ses effets propres.

Il est fort probable que Janet n'aurait pas aimé cette mise en parallèle de ses travaux et de ceux de Freud. Nous avons parlé de la mésentente entre les deux hommes. En 1923, Janet évoque les travaux qui ont eu « une brillante destinée », et il écrit : « La recherche de souvenirs » subconscients traumatiques tirée des études sur le somnambulisme » a donné naissance aux diverses sectes de la psycho-analyse. Il y a là, » dit-il, un développement considérable d'une pratique psychothéra- » pique qui rappelle les enthousiasmes suscités par le mesmérisme◆. » Il poursuit : « J'ai été l'un des premiers à décrire cet aspect que » peuvent prendre certains faits psychologiques et à présenter cette » notion de subconscience. Je n'ai pas toujours été flatté en voyant le » développement qu'elle a pris et sa trop belle destinée. Elle est devan- » cée par les psycho-analystes, le principe de toutes les névroses, le » "Deus ex machina" auquel on fait appel pour tout expliquer (...). Ce » qu'il faut éviter, c'est la subconscience que l'on ne voit jamais et que » l'on se borne à construire à sa fantaisie◆. » Ainsi Janet ne vit-il jamais dans la psychanalyse qu'un mysticisme et un charlatanisme. La postérité lui a fait payer cher son aveuglement, en faisant de l'œuvre de son ennemi une œuvre de premier plan. Mais si Janet s'est trompé quant à la valeur de la psychanalyse, peut-on nier que celle-ci aujourd'hui — en s'éloignant du message de Freud, il est vrai — semble tout faire pour devenir cette pratique ésotérique et magique que Janet dénonçait ? L'histoire a des ruses...

J. H.

◆ *Mesmer*, médecin allemand qui, à la fin du XVIIIe siècle, soignait ses malades à l'aide d'un fer aimanté. D'après sa théorie, le mesmérisme, il existe un principe naturel qui agit sur les nerfs par l'intermédiaire de l'aimant et grâce au « magnétisme animal », propriété des corps vivants qui les rend susceptibles de subir une influence.

◆ P. Janet : *la Médecine psychologique* (Paris, Flammarion, 1923).

Quiz

Connaissez-vous Pierre Janet ?

1
Où naquit Pierre Janet ?
- ☐ Genève
- ☐ Rennes
- ☐ **Paris**

2
Quel événement politique marqua Janet lorsqu'il avait 11 ans ?
- ☐ Le siège de Paris en 1870
- ☐ L'affaire Dreyfus
- ☐ La visite à Paris de la reine Victoria

3
Pierre Janet était-il d'une famille
- ☐ bourgeoise ?
- ☐ modeste ?
- ☐ universitaire ?

4
Quelle était la religion de Pierre Janet ?
- ☐ protestant
- ☐ catholique
- ☐ athée

5
A l'âge de 15 ans, Pierre Janet dut interrompre ses études momentanément à cause d'une maladie ; il s'agissait de
- ☐ tuberculose
- ☐ dépression
- ☐ méningite

6
Quelle était la première destination de Pierre Janet ?
- ☐ médecin
- ☐ biologiste
- ☐ professeur de philosophie

7
Quel fut le maître de Janet ?
- ☐ Kraeplin
- ☐ Charcot
- ☐ Freud

8
Quel fut le premier ouvrage de Pierre Janet ?
- ☐ « la Médecine psychologique »
- ☐ « l'Automatisme psychologique »
- ☐ « l'Etat mental des hystériques »

9
Quel était le violon d'Ingre de Pierre Janet ?
- ☐ la zoologie
- ☐ la musique
- ☐ la botanique

10
Comment Janet définit-il la psychologie ?
- ☐ étude du psychisme humain
- ☐ science de l'action humaine
- ☐ branche de la philosophie

11
Janet s'intéressa à l'hystérie et à l'hypnose sous l'influence
- ☐ de Charcot
- ☐ de Bernheim
- ☐ du Dr Gilbert, du Havre

12
Pour Janet, l'inconscient était
- ☐ une façon de parler
- ☐ une instance du psychisme
- ☐ un ensemble de représentations refoulées

13
Qu'entendait Pierre Janet par le terme de « tension psychologique » ?
- ☐ l'énergie dont un individu dispose
- ☐ le degré d'activation de l'énergie disponible
- ☐ les conflits non résolus

14
En quelle année eut lieu le Congrès international sur l'hypnose expérimentale et thérapeutique ?

☐ 1889
☐ 1892
☐ 1903

15
Les phénomènes d'automatisme décrits par Janet étaient-ils présents
☐ uniquement chez le malade mental
☐ uniquement chez l'homme normal
☐ chez les deux

16
A quel phénomène Janet imputait-il les maladies mentales ?
☐ à l'existence de conflits non résolus
☐ à une désagrégation psychologique
☐ à des causes organiques

17
Janet définit un trouble mental dont les caractéristiques étaient : l'angoisse, la phobie, l'obsession ; il s'agissait de
☐ la paranoïa
☐ l'hystérie
☐ la psychasthénie

18
Qu'est-ce que la force psychologique selon Janet ?
☐ la capacité de résister aux émotions
☐ l'énergie organique de l'individu
☐ la libido

19
Janet a établi une « hiérarchie des actes » ; cette hiérarchie repose sur
☐ la valeur morale des actions
☐ la quantité d'énergie investie dans l'action
☐ le degré de synthèse et de conscience mis à l'œuvre dans une action

20
Quelle était la position de Janet sur l'inconscient et la psychanalyse ?
☐ il s'opposa violemment à l'idée d'inconscient
☐ il suivit avec intérêt les découvertes de la psychanalyse
☐ il ne s'exprima jamais officiellement sur cette question

21
En 1902, Janet obtint le poste de professeur titulaire de psychologie au Collège de France. Avec quel autre grand psychologue se trouvait-il en concurrence pour ce poste ?
☐ Ribot
☐ Binet
☐ Piéron

22
Le frère de Pierre Janet, Jules Janet, fut toujours lié avec Pierre dont il publia une biographie. Il était
☐ biologiste
☐ médecin
☐ botaniste

23
La fille de Pierre Janet, Hélène Janet, épousa un psychanalyste. Il s'agit de
☐ Edouard Pichon
☐ Théodore Flournoy
☐ Auguste Forel

24
Qu'est-ce que la « fonction du réel » dans la terminologie janetienne ?
☐ la fonction qui se développe chez l'individu au contact de la réalité et l'oblige à renoncer à une partie de ses désirs profonds.
☐ L'utilisation de l'énergie psychologique dans la perception du monde extérieur et dans l'action sur celui-ci
☐ les régulations organiques qui permettent à l'individu de s'adapter au monde extérieur

25
En quelle année fut fondé, par Janet, l'Institut psychologique international ?
☐ 1900
☐ 1915
☐ 1925

26
Dans sa manière d'observer les faits, Janet était-il
☐ porté à tirer une signification globale
☐ très rapide, saisissant immédiatement les points importants
☐ scrupuleux jusqu'à la méticulosité

27
La psychologie de la conduite de Pierre Janet s'opposait à la psychologie qui avait eu cours auparavant ; il s'agissait de
☐ la psychologie des profondeurs
☐ la psychologie pathologique
☐ la psychologie clinique

28
Quelle place donnait-il, dans ses observations, à l'enfance des sujets examinés ?
☐ il estimait que c'était dans l'enfance que se trouvait la cause des affections mentales
☐ il ne prêtait aucune attention à l'enfance de ses sujets
☐ il étudiait l'histoire de l'enfance de ses sujets comme un élément d'information

29
Comment s'appelle la méthode thérapeutique qui consiste en une décharge émotionnelle du sujet touchant des éléments traumatiques de son passé ?
☐ méthode hypnotique
☐ méthode cathartique
☐ méthode du rêve éveillé

30
La psychasthénie, à laquelle le nom de Janet reste attachée, se rapproche de ce que Freud a désigné par le terme
☐ de névrose obsessionnelle
☐ d'hystérie d'angoisse
☐ de névrose phobique

31
De quel terme précis Janet désignait-il la qualité des actes élémentaires ou automatiques qui échappaient au contrôle de la conscience ?
☐ inconscients
☐ subconscients
☐ préconscients

32
L'un des ouvrages de Janet lui valut l'hostilité des autorités catholiques. Il s'agit de :
☐ *la Force et la faiblesse psychologiques*
☐ *De l'angoisse à l'extase*
☐ *la Pensée intérieure et ses troubles*

33
La position de Janet sur l'hypnose a évolué au cours de sa vie. Quel rôle lui attribua-t-il en définitive ?
☐ aucun, la suggestion sous hypnose ne pouvant traiter efficacement les symptômes
☐ un rôle de rééducation psychologique ayant sa place en psychothérapie
☐ un rôle restreint au traitement des hystériques qui seuls sont suggestibles

34
Comment Janet caractérise-t-il l'hystérie ?
☐ comme un produit du refoulement
☐ comme une faiblesse psychologique
☐ comme un déficit de la tension psychique

35
A la fin de sa vie, Janet jugea qu'il manquait à ses propres recherches un élément important constitué par
☐ les relations du sujet avec l'entourage
☐ l'existence de phénomènes inconscients
☐ l'étude des psychoses

36
En avril 1937, Janet se rendit à Vienne, mais il ne rencontra pas Freud ; pour quelle raison ?
☐ Freud était alors hospitalisé
☐ Freud venait d'émigrer en Angleterre
☐ Freud refusa de le voir

37
En quelle année Janet prit-il sa retraite d'enseignant ?
☐ 1930
☐ 1934
☐ 1940

38
Après sa retraite,
☐ l'activité qu'il mena fut plutôt restreinte, le poids de l'âge se faisant sentir
☐ il se consacra uniquement à la botanique
☐ il continua à donner des cours et à entreprendre des recherches

39
En quelle année mourut Pierre Janet ?
☐ 1930
☐ 1939
☐ 1947

40
L'année de la mort de Janet, un important événement psychiatrique était en préparation, il s'agissait de
☐ la parution d'une nouvelle revue psychiatrique
☐ un Congrès mondial de psychiatrie
☐ la célébration du centenaire de Kraeplin

Quiz

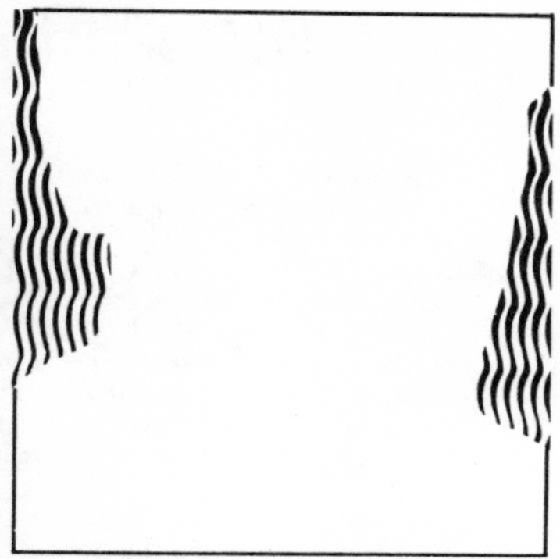

Réponses

1 Paris.
Il naquit en 1859, sous le règne de Napoléon III et, à part quelques années qu'il passa en province en tant qu'enseignant, il resta sa vie entière à Paris.

2 Le siège de Paris.
Pierre Janet subit avec sa famille le siège de Paris, la famine et les bombardements. Sa famille fut très affectée de l'occupation, puis de l'annexion par l'Allemagne de Strasbourg, ville natale de la mère de Janet.

3 Universitaire.
La famille de Pierre Janet produisit un grand nombre d'universitaires et d'hommes de loi. Son oncle, Paul Janet, était un philosophe connu. Le jeune Pierre côtoya de bonne heure les intellectuels et savants de son temps.

4 Catholique.
Sa mère, Fanny Hummel Janet, appartenait à une famille très catholique. Sa propre sœur, Marie Hummel, se fit d'ailleurs nonne dans l'ordre de l'Assomption. Cette influence poursuivit longtemps Pierre Janet chez qui se manifestait une contradiction entre ses penchants scientifiques et naturalistes, d'une part, et ses penchants religieux de l'autre.

5 Une dépression.
A l'âge de 15 ans, Janet traversa une crise de dépression qui dura plusieurs mois. A cette crise venaient s'adjoindre des problèmes d'ordre religieux. Finalement, Pierre Janet put surmonter cette dépression et retrouver l'équilibre ; il devint un étudiant brillant et décida de se consacrer à la philosophie.

6 Professeur de philosophie.
Pierre Janet se destinait à être professeur de philosophie ; il entra, en 1879, à l'Ecole normale supérieure et exerça cette profession jusqu'au moment où, intéressé par la psychologie pathologique, il commença des études de médecine.

7 Charcot.
Janet fut l'élève de Charcot. Il obtint son doctorat en médecine en 1893 et, après la mort de Charcot il fut nommé chef de laboratoire de psychologie à la Salpêtrière.

8 L'automatisme psychologique.
« L'Automatisme psychologique » parut en 1889 comme thèse de doctorat de philosophie. L'étude de Janet dans cet ouvrage, portait sur les phénomènes d'automatisme chez les hystériques. Il montra dans ce livre combien les phénomènes de la psychologie pathologique diffèrent peu de ceux de la psychologie normale.

9 La botanique.
Janet avait la passion de la botanique : il se disait un « jardinier manqué ». Dans une pièce, à côté de son bureau de travail, il avait consacré un mur entier à son herbier.

10 Science de l'action humaine.
« *La psychologie est la science de la conduite et une thérapeutique psychologique est une thérapeutique qui utilise des conduites, c'est-à-dire des actions, des fonctionnements d'organes* » (« la Médecine psychologique » Janet — cité par Piéron in « Bulletin de psychologie », nov. 1960).

11 Le Dr Gilbert, du Havre.
Janet fit avec le Dr Gilbert des expériences sur le « sommeil provoqué ». Ces expériences portèrent surtout sur un médium, Léonie, qui avait des capacités particulières à entrer en état second. A patrir de là, Janet se pencha sur l'hystérie. Il entra ensuite en contact avec Charcot et participa à ses cours.

12 Une façon de parler.
L'inconscient, pour Janet, n'avait pas du tout le même sens que pour Freud. Jamais il n'y attacha l'importance du maître

viennois ; l'inconscient de Janet n'était qu'un état inférieur de conscience qu'il appelait plus volontiers subconscient. C'était une « façon de parler » dans la mesure où il ne voulait pas le considérer comme une réalité matérielle indépendante.

13 Le degré d'activation de l'énergie disponible.
« *La force psychologique, c'est-à-dire la puissance, le nombre, la durée des mouvements, ne doit pas être confondue avec la tension psychologique caractérisée par le degré d'activation et le degré hiérarchique des actes* [...] *: dans la conduite normale chez les individus bien équilibrés, une certaine relation doit être maintenue entre la force disponible et la tension* » (Janet : « Médications psychologiques », cité par H. Ey, in « Bulletin de psychologie », nov. 1960).

14 1889.
Ce congrès eut lieu du 8 au 12 août 1899. Janet faisait partie du comité qui prépara ce congrès, avec Liébault, Bernheim, Déjérine et Forel. Le congrès groupa 300 participants dont un certain nombre de célébrités de l'époque. Freud, qui était alors neurologue à Vienne, participa à ce congrès.

15 Chez les deux.
Les phénomènes d'automatisme présents chez l'homme normal sont marqués par la présence de facultés supérieures. Chez le malade, les facultés supérieures ont disparu et il ne reste que les automatismes.

16 Une désagrégation psychologique.
Janet fait l'hypothèse que les affections psychopathologiques sont dues à des dissolutions psychologiques, le sujet n'étant plus capable d'effectuer les opérations de synthèse.

17 La psychasthénie.
Le psychasthénique, selon Janet, manque d'énergie mentale ; il est toujours fatigué et est incapable de percevoir la réalité de manière synthétique.

18 L'énergie organique de l'individu.
L'énergie qui est à la base de l'action est l'énergie organique des tendances de l'individu.

19 Degré de synthèse et de conscience mis à l'œuvre dans cette action.
L'activité supérieure, nécessitant un haut niveau de tension psychologique, est une activité automatique. Dans la maladie mentale, c'est la forme d'activité élémentaire, seule, qui est conservée.

20 Il s'opposa violemment à l'idée d'inconscient.
« *J'ai été l'un des premiers à décrire cet aspect que peuvent prendre certains faits psychologiques et à présenter cette notion de subconscience. Je n'ai pas toujours été flatté en voyant le développement qu'elle a pris et sa trop belle destinée* [...]. *Elle est devenue, pour les psycho-analystes, le principe de toutes les névroses, le* deus ex machina *auquel on fait appel pour tout expliquer* [...]. *Ce qu'il faut éviter, c'est la subconscience qu'on ne voit jamais et que l'on se borne à construire à sa fantaisie* » (P. Janet : « la Médecine psychologique », cité par Piéron, in « Bulletin de psychologie », nov. 1960, p. 150).

21 Binet.
Théodule Ribot, qui était auparavant titulaire de ce poste, partit en 1902, le laissant vacant. La candidature de Janet fut défendue par Bergson, alors que celle de Binet le fut par le physiologiste Marey. Le ministre de l'Education opta finalement pour Janet.

22 Médecin.
Spécialiste en urologie, il portait également un grand intérêt à la psychologie et collabora avec son frère dans les études sur l'hypnose.

23 Edouard Pichon.
Paradoxalement, alors que Janet avait été toute sa vie farouchement antifreudien et avait empêché la diffusion en France des idées de la psychanalyse, Edouard Pichon fut de ceux qui contribuèrent le plus à la pénétration en France des œuvres du maître viennois.

24 L'utilisation de l'énergie psychologique dans la perception du monde extérieur et dans l'action sur celui-ci.
Or le malade, même s'il dispose d'une certaine énergie, ne peut l'utiliser pour l'accomplissement d'actes supérieurs car la fonction du réel est perdue. Il investira alors son énergie dans des comportements automatiques peu élaborés.

25 1900.
Janet fonda à Paris, l'Institut psychologique international pour remplacer la Société de psychologie qui n'avait pas survécu à la mort de Charcot.

26 Scrupuleux jusqu'à la méticulosité.
Janet faisait preuve d'un grand acharnement dans ses observations, sa grande méticulosité, allant jusqu'à l'obsession, fut interprétée par certains comme un symptôme de trouble psychasthénique.

27 La psychologie des fonctions.
En effet, en redonnant à l'individu sa totalité en tant que sujet engagé dans une action, Janet rompait avec l'ancienne conception de l'homme, qui faisait de celui-ci une somme de fonctions différentes et sans lien entre elles (l'affectivité, l'intelligence, la volonté, etc.).

28 Il ne prêtait aucune attention à l'enfance de ses sujets.

Contrairement à Freud, il ne rechercha pas dans l'enfance les causes des désordres psychologiques. Janet s'intéressa cependant au point de vue historique en tendant de trouver dans l'histoire des maladies la logique de leur évolution.

29 La méthode cathartique.
Cette méthode, utilisée par Janet, Bleuler et Freud, permettait au malade, sous hypnose ou non, de revivre certains éléments de son passé auxquels se rattachaient ses symptômes présents. Le résultat était la disparition des symptômes.

30 La névrose obsessionnelle.
Mais si les caractères cliniques sont les mêmes, les causes sont différentes pour Freud et Janet. L'un (Freud) attribue le manque d'efficacité à des conflits qui mobilisent l'énergie, l'autre (Janet), à un état déficitaire.

31 Subconscients.
C'est Janet qui employa le premier ce terme ; son contenu est tout à fait différent de ce qu'entendait Freud par conscient et préconscient.

32 De l'angoisse à l'extase.

33 Un rôle de rééducation psychologique ayant sa place en psychothérapie.
Défendant, au départ, la thèse de Charcot selon laquelle la suggestibilité était un caractère anormal et que, par conséquent, l'hypnose ne pouvait être pratiquée que chez les hystériques, Janet se rallia ensuite aux thèses de l'école de Nancy qui utilisait l'hypnose comme méthode thérapeutique.

34 Comme un déficit de la tension psychique.
Cette conception ne permit pas à Janet d'aller plus loin dans la recherche de l'origine de l'hystérie et de découvrir ce que Freud devait mettre en évidence : l'importance du refoulement dans la production de symptômes hystériques.

35 La relation du sujet avec l'entourage.
L'objet de la psychologie n'étant pas la conscience mais la conduite, il est nécessaire de tenir compte, dans l'étude de cette conduite, des relations du sujet avec son entourage.

36 Freud refusa de le voir.
L'inimitié entre les deux savants ne cessa jamais ; Janet, qui avait accusé Freud de « pillage intellectuel », s'opposa toujours à la psychanalyse qu'il qualifiait de système métaphysique. Freud ne pardonna pas à Janet cette attitude.

37 1934.

38 Il continua à donner des cours et à entreprendre des recherches.
En effet, Janet semblait infatigable, son esprit était celui d'un éternel étudiant. Il continua à donner des cours à Sainte-Anne et, à près de 80 ans, entreprit des recherches sur les persécutés.

39 1947.
Il mourut à l'âge de 87 ans après avoir subi l'occupation de la France par les Allemands, puis la libération. Il fut très éprouvé par la guerre au cours de laquelle il perdit presque toute sa famille.

40 Un congrès mondial de psychiatrie.
En 1947, se préparait le premier Congrès mondial de psychatrie qui eut lieu en 1950. C'est Janet qui devait présider ce congrès, et sa mort endeuilla la psychiatrie française.

»Citations«

Les phobies du langage se rattachent le plus souvent à des sentiments de mécontentement, de timidité, de honte, à des sentiments d'infériorité par rapport à tout le monde. Ces sentiments troublent beaucoup d'actions, en particulier celles qui doivent être effectuées devant les autres hommes et principalement le langage qui est le type des phénomènes sociaux. Cette impuissance à agir devant les hommes, cette aboulie sociale constituent l'essentiel de la timidité. Ce trouble joue un rôle considérable chez presque tous les malades psychasthéniques ; il en est bien peu qui, à un moment de leur existence et quelquefois pendant toute leur vie, n'aient pas été rendus impuissants et surtout muets par la timidité. Ne pas pouvoir jouer du piano devant les témoins, ne pas pouvor écrire si on vous regarde et surtout ne plus pouvoir parler devant quelqu'un, avoir la voix rauque, aiguë ou rester aphone, ne plus trouver une seule pensée à exprimer quand on savait si bien auparavant ce qu'il fallait dire, c'est le sort commun de toutes ces personnes, c'est l'histoire banale qu'ils racontent tous. « Quand je veux jouer un » morceau de piano devant quelqu'un ou quand je veux dire quelque » chose à quelqu'un, il me semble que l'action est difficile, qu'il y a des » gênes énormes, et, si je veux les surmonter, c'est un effort extraordi» naire ; j'ai chaud à la tête, je me sens perdue et je voudrais que la » terre s'ouvre pour m'engloutir. » Cat..., un homme de trente ans, se sauve dès qu'il entend quelqu'un entrer ; il doit renoncer à son métier de professeur, car il ne peut plus faire sa classe devant les élèves : « Je » ferais si bien ma classe si j'étais tout seul, s'il n'y avait pas d'élèves, » si je parlais à des chaises... » Tous répètent comme Si... : « Je serais » parfaite, je ferais tout et surtout je parlerais très bien si je pouvais » être tout à fait seule, comme une sauvage, dans une île déserte : la » société est faite pour empêcher les gens d'agir et de parler ; j'ai de la » volonté et du pouvoir pour tout cela, mais je n'ai cette volonté que si » je suis seule. »
On admet d'ordinaire que ces troubles de la timidité sont des phénomènes émotionnels. Qu'il y ait des troubles émotionnels, des angoisses chez les timides, j'en suis convaincu. Il y a aussi chez eux de l'agitation motrice, des tics et même de la rumination mentale dont on ne parle pas assez ; mais il ne faut pas oublier qu'il y a surtout chez eux de l'impuissance volontaire. Amiel, dans son « Journal intime », le remarque très bien : « J'ai peur de la vie objective et je recule devant » toute surprise, demande ou promesse qui me réalise ; j'ai la terreur de » l'action et ne me sens à l'aise que dans la vie impersonnelle, désinté» ressée, subjective de la pensée. Pourquoi cela ? par timidité. » Pourquoi hésite-t-on à expliquer par cette impuissance d'action l'essentiel de la timidité ? On est frappé de ce fait que les timides, incapables de faire une action en public, la font très bien quand ils sont seuls. Nadia

joue du piano et parle tout haut quand elle se croit seule. Cat... ferait très bien sa classe s'il n'avait pas d'élèves ; on en conclut qu'ils ne sont pas impuissants à faire l'acte et qu'il faut faire appel à un trouble extérieur à l'acte pour expliquer sa disparition dans la société.

Les Névroses *(Paris, Flammarion, 1909).*

Le groupe des névroses, malgré les diverses aventures qu'il a traversées, n'est pas absolument arbitraire et inutile. Sans doute le progrès de la science en modifiera souvent la composition et lui rattachera ou lui enlèvera tour à tour divers symptômes ; mais il restera un groupe de phénomènes qui conservera une unité particulière et qui formera longtemps encore soit une maladie unique, soit des maladies voisines les unes des autres. Les névroses sont des maladies portant sur les diverses fonctions de l'organisme, caractérisées par une altération des parties supérieures de ces fonctions, arrêtées dans leur évolution, dans leur adaptation au moment présent, à l'état présent du monde extérieur et de l'individu et par l'absence de détérioration des parties anciennes de ces mêmes fonctions qui pourraient encore très bien s'exercer d'une manière abstraite, indépendamment des circonstances présentes. En résumé, les névroses sont des troubles des diverses fonctions de l'organisme, caractérisés par l'arrêt du développement sans détérioration de la fonction elle-même.
Ces notions générales sur l'ensemble des névroses sont plus philosophiques que médicales ; dès qu'il s'agit de diagnostiquer et de traiter un symptôme névropathique précis, il est nécessaire de revenir à son analyse psychologique. Il me semble seulement indispensable de ne pas se laisser égarer par ces caractères psychologiques qui deviennent essentiels dans telle ou telle névrose particulière jusqu'à faire de ces maladies des rêveries et des caprices du sujet et jusqu'à oublier leur véritable aspect pathologique. Les névroses sont avant tout des maladies de tout l'organisme arrêté dans son évolution vitale ; c'est ce que le médecin ne doit jamais méconnaître.

Les Névroses *(Paris, Flammarion, 1909).*

Condillac, lorsqu'il entreprit d'analyser l'esprit humain, imagina une méthode ingénieuse pour éclaircir et simplifier un peu les phénomènes si complexes qui se présentent à la conscience. Il supposa une statue animée capable d'éprouver toutes les émotions et de comprendre toutes les pensées, mais n'en ayant aucune au début, et, dans cet esprit absolument vide, il voulut introduire chaque sensation l'une après l'autre et isolément. C'était une excellente méthode scientifique. La multiplicité des phénomènes qui s'entrecroisent dans l'univers nous empêche de discerner leurs relations, leurs dépendances ; par un coup de baguette

magique, supprimons tous ces phénomènes et, dans ce vide absolu, reproduisons isolément un seul fait. Rien ne sera plus facile alors que de voir le rôle et les conséquences de ce phénomène ; elles se développeront devant nous sans confusion. Voilà la méthode idéale des sciences ; Condillac espérait l'appliquer à l'esprit. Malheureusement cette méthode, théoriquement si belle, était complètement impraticable, car le philosophe ne possédait pas la statue dont il parlait et ne savait pas réduire une conscience à ses phénomènes élémentaires. Aussi fit-il son expérience en imagination, au lieu d'interroger la nature et d'attendre la réponse, il fit lui-même les questions et les réponses, et, à l'analyse qu'il se vantait de faire, il substitua une construction tout à fait artificielle.

Eh bien, l'expérience que rêvait Condillac et qu'il ne pouvait essayer, il nous est possible aujourd'hui de la réaliser presque complètement. Nous pouvons avoir devant les yeux de véritables statues vivantes dont l'esprit soit vide de pensées et, dans cette conscience, nous pouvons introduire isolément le phénomène dont nous voulons étudier le développement psychologique. C'est grâce à un état maladif connu depuis longtemps par les médecins, mais peu examiné par les philosophes, que nous trouverons cette statue. C'est la maladie nerveuse désignée le plus souvent sous le nom de catalepsie qui nous procurera ces suppressions brusques et complètes, puis ces restaurations graduelles de la conscience dont nous voulons profiter pour nos expériences.

L'Automatisme psychologique *(Paris, Alcan, 1900)*.

Bibliographie

Ouvrages principaux :
Les Obsessions et la psychasthénie (*Paris, Alcan, 1903*).

Névroses et idées fixes (*Paris, Alcan, 1904-1908*).

Les Névroses (*Paris, Flammarion, 1909*).

L'Automatisme psychologique (*Paris, Alcan, 1910*).

L'Etat mental des hystériques (*Paris, Alcan, 1911*).

La Médecine psychologique (*Paris, Flammarion, 1923*).

Les Médications psychologiques (*Paris, Alcan, 1925*).

La Pensée intérieure et ses troubles (*Paris, Chahine, 1926*).

De l'angoisse à l'extase. Etudes sur les croyances et les sentiments (*Paris, Alcan, 1928*).

L'Evolution de la mémoire et de la notion de temps (*Paris, Chahine, 1928*).

L'Evolution psychologique de la personnalité (*Paris, Chahine, 1929*).

La Force et la faiblesse psychologiques (*Paris, Maloine, 1932*).

L'Amour et la haine (*Paris, Maloine, 1932*).

L'Individualité (*Paris, 1933*).

Les Débuts de l'intelligence (*Paris, Flammarion, 1935*).

L'Intelligence avant le langage (*Paris, Flammarion, 1936*).

Philosophie du bonheur (*S.I.s.d.*).

Ouvrages de référence :
Barraud (H.J.) : Freud et Janet, étude comparée (*Toulouse, Privat, 1971*).

Delay (J.) : Pierre Janet, *in Presse médicale, n° 49, p. 561.*

Schwartz (L.) : les Névroses et la psychologie dynamique de Pierre Janet (*Paris, P.U.F., 1955*).

Le Senne (R.) : Notice sur la vie et les travaux de Pierre Janet (*Paris, Firmin-Didot, 1953*).

Numéro spécial de *l'Evolution psychiatrique, juillet-septembre 1950.*

Numéro spécial du *Bulletin de psychologie, novembre 1960.*

SIGMUND FREUD

Roger Viollet

Biographie

6 mai 1856
Naissance de Sigismund (il se fera plus tard appeler Sigmund) Freud à Freiberg (Moravie), dans une famille juive ; son père est négociant en laines.

1860
La famille Freud, ruinée par la crise économique, s'installe à Vienne.

1865
Freud entre au lycée classique Sperl.

1873
Il entreprend des études de médecine.

1874
Il suit les cours de Brentano.

1876-1878
Il entre au laboratoire de Brücke.

1881
Freud est docteur en médecine de l'université de Vienne.

1882-1885
Il a un poste à l'hôpital de Vienne.

1885
Il est nommé Privatdozent, et chargé de cours de neuropathologie. Il obtient une bourse pour un voyage d'études.

Octobre 1885-février 1886
Séjour à Paris ; il suit les cours de Charcot à la Salpêtrière et s'oriente vers la psychopathologie.

1886
En avril, il présente son mémoire, et ouvre à Vienne un cabinet pour les maladies nerveuses.
En septembre, il épouse Martha Bernays, qui lui donnera six enfants.

1889
Voyage à Nancy : Freud rend visite à Bernheim.

1890
Il commence à utiliser la méthode cathartique.

1895
Naissance de sa fille Anna.

1896
Pour la première fois, dans un article, il emploie le terme « psychanalyse » au lieu de « méthode cathartique ».

Août 1897
Début d'auto-analyse.
Il prend conscience de la sexualité infantile.

Octobre 1902
Un groupe commence à se former autour de lui, et se réunit chaque mercredi soir.

1905
Trois essais sur la sexualité.

1906-1913
Association avec Jung.

1908
Les réunions du mercredi soir constituent la Société viennoise de psychanalyse.
En avril, Ier Congrès international de psychanalyse, à Salzbourg.

1909
Freud analyse le cas du petit Hans.
En septembre, voyage en Amérique avec Jung et Ferenczi ; à l'université Clark (Worcester, Mass.), Freud prononce cinq conférences.

1910
Fondation de la Société internationale de psychanalyse, dont Jung est nommé président.

1911
Démission d'Adler.

1913
Rupture avec Jung.
Totem et tabou.

1914
De février à juin, Freud soigne l'« homme aux loups ».

1923
Le Moi et le Ça.

Avril 1923
Première opération d'un cancer à la mâchoire.

1930
Freud reçoit le prix Goethe.

Mai 1933
Les livres de Freud sont brûlés par les nazis à Berlin.

Mai 1936
Freud fête ses 80 ans.
Il est nommé membre correspondant de la Royal Society.

1938
Au moment de l'Anschluss, Roosevelt et Mussolini interviennent en sa faveur.
En juin, il part pour Londres.

1939
Moïse et le monothéisme.
Le 23 septembre, Freud meurt.

Sigmund Freud : la science de l'inconscient

Quel que soit le jugement qu'on porte sur son œuvre, qu'on y voie une œuvre scientifique ou une pure fiction, on ne peut nier que Freud est le penseur le plus important de notre temps. Le critère d'un tel jugement est simple : plus personne après lui n'écrit ni ne pense comme on le faisait avant. Son passage marque une véritable coupure, et il est peu d'auteurs dont on puisse dire la même chose : Platon, Kant en philosophie, Copernic et Galilée en physique, Marx en sciences humaines... Freud, au-delà du domaine qu'il a revendiqué, la science de l'inconscient, est le père d'un nouveau type d'approche qu'on voit s'imposer dans des lieux extrêmement divers.

Mais il faut savoir aborder Freud en dehors des mythologies qui risquent de le dissimuler, en dehors aussi des luttes — franches ou sournoises — qui opposent entre elles les chapelles psychanalytiques, savoir lire avec ce mélange de naïveté et de distance qui permet en même temps de prendre chacun des textes « à la lettre » et de les traduire en fonction de l'ensemble de l'œuvre et de sa cohérence interne.

S'il fallait définir très brièvement l'œuvre de Freud, on dirait qu'elle est la définition et l'étude de trois objets indissociablement liés : l'inconscient, le désir et la pulsion de mort, le complexe d'Œdipe. Ces trois objets, qui renvoient l'un à l'autre sans aucun cran d'arrêt possible, forment le champ de la psychanalyse et de l'anthropologie freudienne.

La révolution freudienne

Ce n'est pas d'hier — c'est-à-dire de Freud — que date la prise de conscience par l'homme qu'il n'est pas tout à fait le maître de ses pensées et de ses désirs. Dans ce constat se trouve, d'une certaine façon, le départ de l'entreprise philosophique puisque celle-ci s'assigna la tâche — depuis Platon — de montrer à l'homme qu'il ne peut accéder à la dignité de son humanité que par un perpétuel effort contre ce qui — en lui, contre lui — l'attire dans les rets de l'animalité et du désir. Il est intéressant de remarquer que contre cette violence qui à la fois contraint l'homme et le dénature et pour le triomphe du divin en lui, le philosophe fera appel à la raison, dont les lumières dissipent la nuit, et à son instrument, le langage.

Mais, avant Freud, c'est moins de l'inconscient qu'il s'agit — c'est-à-dire d'une instance réelle et dont les effets organisent le conscient lui-même — que d'inconscience, c'est-à-dire d'une sorte d'égarement de la conscience qui est la seule réalité de l'esprit, une sorte d'obscurcissement qui est la marque d'un échec de la volonté et de l'intelligence.

Dans la tradition philosophique et dans la tradition religieuse, l'inconscient, qu'il soit défini comme l'effet du corps et de la matière sur l'âme, qu'il soit défini comme l'ivresse qui embue la raison ou qu'il soit

défini comme l'écho en nous des dieux et des démons messagers d'un autre monde, reste toujours extérieur à notre être. Avec Freud, le renversement sera total. La lumière de la conscience n'est plus qu'une plage étroite du psychisme et une plage où se produit l'illusion de faire prendre la partie pour le tout et le conscient pour le psychisme. La force des désirs n'est plus une force étrangère en nous à laquelle on peut s'arracher : ce que Pascal devinait lorsqu'il rappelait que « qui » veut faire l'ange fait la bête ».

L'inconscient n'est pas l'absence de conscience

Mais surtout, avec Freud, pour la première fois l'inconscient n'est plus une réalité négative (ce qui *n'est pas* la conscience) ; il a sa positivité, son autonomie. Avant Freud, sous la rubrique « inconscient » étaient regroupés en désordre des phénomènes hétéroclites : illusions d'optique, automatismes, habitudes, phénomènes télépathiques, l'arrière-fond de l'héréditaire, etc. Avec Freud, l'inconscient est un « lieu psychique », une « instance », cette partie de nous qui organise notre histoire individuelle et avec laquelle nous devons exister. En paix. Dans « Essais de psychanalyse appliquée◆ », Freud écrit : « Tu te comportes comme un monarque » absolu qui se contente des informations que lui donnent les hauts » dignitaires de la cour et qui ne descend pas vers le peuple pour » entendre sa voix. Rentre en toi-même profondément et apprends » d'abord à te connaître ; alors tu comprendras pourquoi tu vas tomber » malade, et peut-être éviteras-tu de le devenir. »

◆ Paris, Gallimard, 1933.

Le père de la psychanalyse a été profondément conscient de la révolution qu'il apportait dans le monde de la culture. Il aimait à situer sa découverte en homologie avec celle de Copernic qui montrait que la terre, lieu de séjour de l'homme, n'est pas le centre de l'univers, et avec celle de Darwin qui imposa l'humiliation de faire de l'homme un animal parmi les autres animaux. Mais la plus forte blessure au narcissisme, à l'amour-propre de l'homme qui se croyait roi de l'univers n'est-elle pas celle qui lui montre qu'il n'est même pas roi dans le royaume de ses pensées et de ses sentiments ?

La voie royale vers l'inconscient. Les rêves

« Le rêve, nous dit Freud, est la voie royale vers l'inconscient. » Et c'est un fait qu'on peut dater la révolution freudienne de la parution du livre « la Science des rêves◆ » (899). Le projet est clairement exposé : « Je me » propose de montrer, dans les pages qui suivent, qu'il existe une tech» nique psychologique qui permet d'interpréter les rêves ; si l'on applique » cette technique, tout rêve apparaît comme une production psychique

◆ S. Freud : *la Science des rêves* (Paris, P.U.F., 1950).

» qui a une signification et qu'on peut insérer parfaitement dans la suite » des activités mentales de la veille. Je veux, de plus, essayer d'expliquer » les processus qui donnent au rêve son aspect étrange, méconnaissable, » et d'en tirer une conclusion sur la nature des forces psychiques dont » la fusion ou le heurt produisent le rêve. »

Le paradoxe veut que, pour instituer cette science du rêve, Freud soit amené d'abord à s'opposer à toute une tradition scientiste, positiviste, qui ne voyait dans les productions oniriques que des phénomènes insignifiants, produits désordonnés du relâchement de l'esprit et du corps, « anarchie psychique affective et mentale [...], jeu de fonctions livrées à » elles-mêmes et s'exerçant sans contrôle et sans but [...], dans lequel » l'esprit est un automate spirituel◆ ». Et le même paradoxe veut qu'il renoue avec une tradition mystique et ésotérique qui définissait le rêve très précisément comme un message à déchiffrer, s'évertuant à forger des « clefs des songes » pour accéder à son secret.

◆ Dugas : « le Sommeil et la cérébration inconsciente durant le sommeil », in *Revue philosophique*. Paris, 1897.

Pour les scientifiques — avant Freud (et parfois après) — les phénomènes du rêve résultaient d'une excitation irrégulière exercée sur les divers éléments de l'écorce cérébrale par les processus physiologiques qui s'accomplissent pendant le sommeil, et le rêve était ainsi coupé de toute relation avec la vie psychique et la personnalité profonde du rêveur. Et pour ceux qui — mystiques, poètes ou superstitieux — faisaient du rêve un phénomène signifiant, ils en situaient l'émetteur non dans l'homme, mais dans des forces cosmiques (ou magiques) et lisaient dans son texte les secrets que le destin dissimule aux mortels pour mieux les soumettre à ses desseins.

Avec « la Science des rêves », le rêve est à interpréter, mais le sens qu'il contient n'a rien de mystique. Il n'a aucun commerce avec l'au-delà ni avec le futur. Ce sens dit (et dissimule) les désirs inconscients du rêveur. Il manifeste le jeu et la fonction d'une instance : le Ça.

Le langage du rêve

Résumons ce que, en 1900, Freud nous dit du rêve. Ce que nous appelons rêve, cette histoire absurde que ne comprend pas la conscience réveillée qui se hâte de l'oublier, est un texte à décrypter. Ce texte du rêve est appelé « contenu manifeste », indiquant par là qu'il renvoie à un « contenu latent ».

Ce décalage entre le rêve manifeste et son sens (c'est-à-dire son autre texte) s'explique par un conflit intra-psychique (conflit entre des instances dont nous parlerons plus loin) qui engendre les résistances à l'interprétation du rêve et son oubli rapide. C'est que ce qui se dit dans le rêve n'est pas accepté par le « Moi » qui se constitue précisément contre cet ordre caché d'où le rêve jaillit ; ce qui se dit et qui est

toujours, en dernière analyse, un désir qui relève de l'enfance : « Par » le rêve, c'est l'enfant qui continue à vivre dans l'homme, avec ses parti- » cularités et ses désirs, même ceux qui sont devenus inutiles◆. »

◆ S. Freud : *Cinq leçons sur la psychanalyse* (Paris, Payot, 1966).

Le rêve « met en scène » les désirs, interdits mais toujours vivaces, et le fait dans un langage tel que le conscient n'en soit point offusqué ni le rêveur éveillé. Ce dernier point n'est pas le moins important puisque la fonction du rêve est d'être — selon la définition de Freud — le « gar- » dien du sommeil ».

Dans « la Science des rêves », nous voyons donc se dessiner une théorie de l'appareil psychique en termes de « lieux » contraires les uns des autres : un lieu — l'inconscient — où vivent les désirs interdits, un lieu de la conscience et, entre les deux, un barrage, une censure qui ne laisse passer du premier territoire dans l'autre que ce qui montre patte blanche et accepte de parler le langage légal de cet autre.

Le rêve s'organise comme un texte : il a sa syntaxe

On peut aussi présenter les choses différemment : le rêve dit le désir dans un langage qui est celui de l'inconscient, un langage qui n'obéit pas aux règles du langage que notre conscience entend, un langage « fou », qui applique ses structures linguistiques, sa syntaxe, sans aucun ancrage réel, dans un glissement infini, où, en fin de compte, tout peut signifier tout. Ainsi s'explique que, dans le rêve, tout fonctionne comme signifiant : mots, images, souvenirs de la veille, etc. Et le travail de l'interprétation, celui de l'analyse, apparaît sous un autre jour que celui d'une recherche d'un message caché (et dont, il faut le souligner, la pauvreté est le caractère le plus constant puisqu'un rêve se contente de broder sur le complexe d'Œdipe, ses avatars, ses échecs, son ratage, etc.). Interpréter un rêve sera moins en révéler le contenu secret (et la preuve en est que si le psychanalyste disait abruptement au patient le sens de son rêve celui-ci n'y adhérerait que d'une façon intellectuelle et n'en ferait pas sa « vérité » et la chose ne serait pas suivie d'effets) que dérouler la longue chaîne des associations, l'ensemble des réseaux par lesquels le rêve se forme et le désir se dit et s'égare.

La syntaxe du rêve est donc celle de l'inconscient, celle que Freud appelle le « processus primaire » et dont les deux mécanismes sont la condensation et le déplacement.

La *condensation*, c'est le fait, pour une représentation, d'être à l'intersection de plusieurs chaînes associatives, d'unir en elles des significations latentes multiples et d'être investie des énergies attachées à chacune d'elles.

Le *déplacement*, c'est le fait, pour une représentation originellement peu intense, de recevoir l'intensité d'énergie d'une autre représentation.

Le système de l'inconscient

Dans « Métapsychologie◆ », Freud écrit : « Un acte psychique, en général, passe par deux phases, deux états entre lesquels est intercalée une » sorte de censure. Dans la première phase, il est inconscient et appartient au "système inconscient" ; s'il est écarté par l'épreuve que lui » fait subir la censure, le passage à la deuxième phase lui est refusé : » il est dit alors "refoulé" et doit nécessairement rester inconscient. » Mais s'il réussit dans cette épreuve, alors il entre dans la deuxième » phase et appartient désormais au deuxième système que nous décidons » d'appeler le "système conscient". »

◆ Paris, Gallimard, 1952.

Ainsi donc, nous avons deux systèmes qui sont deux territoires autonomes, avec leur régime et leur économie propre. Ce dédoublement doit être pris au sens fort et c'est pour cela que Freud utilise des termes et des métaphores qui évoquent des lieux, des espaces séparés. On comprend alors combien l'inconscient freudien est éloigné de ce que parfois on a pu croire : une obscurité qu'on peut éclairer et dissiper jusqu'à son intégration dans le champ de la conscience. L'inconscient est un Autre, un Absolument autre en moi : « On doit juger tous les actes et manifestations que je ne puis relier au reste de ma vie psychique comme » appartenant à une autre personne. »

Quant au système conscient (appelé aussi système préconscient-conscient), la conscience n'est pas le caractère de tous ses phénomènes, mais seulement d'une partie d'entre eux, tant il est vrai que, chez Freud, l'essentiel n'est pas dans la différence de qualité des processus psychiques (conscient-inconscient), mais dans leur inscription dans des systèmes différents.

A partir de 1920, Freud modifie sa description de l'appareil psychique et présente un nouveau modèle qu'on a appelé « deuxième topique ». Cette modification a pour objet principal de souligner l'importance de l'instance refoulante (la censure) en en faisant plus qu'une simple frontière douanière entre deux régions, une instance à part entière. Désormais, à la dualité inconscient-conscient se substitue un jeu de trois formations : le Ça, le Sur-moi, le Moi. Qu'on ne s'y trompe cependant pas. Le système repose toujours sur la dualité de territoires : le Ça et le Moi. Le Sur-moi est inscrit dans le territoire du Moi. L'essentiel reste ceci : qu'on ait affaire à la première ou à la seconde topique, jamais l'inconscient n'est défini comme le simple lieu où séjourneraient les rejets du conscient. L'inconscient n'est pas le produit du refoulement, par le sujet, des idées ou des affects incompatibles avec l'image qu'il se fait de lui et à laquelle veille le Sur-moi. Il a sa propre consistance et oblige Freud à bâtir une théorie complexe du refoulement. La chose est exigée par la logique même d'un système qui répudie radicalement ce qu'on pourrait appeler l'« illusion philosophique du sujet ».

La première notion du refoulement est celle que le psychanalyste rencontre dans sa pratique : à savoir, le rejet par le Sur-moi des souvenirs et des fantasmes que le Moi ne pourrait supporter. Si nous en restions à cette seule conception du refoulement, l'essentiel du système freudien reposerait sur le Sur-moi — et, indirectement, sur le Moi —, l'inconscient n'étant plus qu'un « débarras ». Mais, et précisément pour éviter cela, Freud va distinguer deux refoulements : un refoulement originaire et un refoulement secondaire ou refoulement proprement dit.

Le refoulement primaire (originaire) consiste en ce que « le représentant » psychique de la pulsion se voit refuser la prise en charge dans le » conscient ». L'inconscient comprend ainsi un ensemble primaire qui n'aura jamais été conscient et que le psychanalyste ne pourra que reconstruire par hypothèses et déductions. Ce refoulé (qui n'est pas à proprement parler un refoulé puisqu'il se fixe directement hors du conscient) forme un système, un réseau psychique qui est le linéament de l'inconscient, sa structure-origine. Ce refoulé premier est le résultat de la rencontre entre l'ordre biologique (l'ordre des pulsions) et l'ordre du monde et de la culture, dans les tout débuts de la vie, avec, vraisemblablement, le poids de l'histoire propre à l'espèce.

Le refoulement secondaire, du fait de l'existence d'un refoulement primaire, articulera deux mécanismes : d'une part, le rejet par le Sur-moi d'une représentation refusée ; d'autre part, l'attraction par le Ça des représentations qui s'associent au refoulé primaire.

Le complexe d'Œdipe

Notre approche systématique de l'appareil psychique reste incomplète si nous la séparons de l'approche historique qu'en fait Freud et qui s'ordonne autour du complexe d'Œdipe.

A l'origine, il y a le désir. Il nous faut distinguer entre besoin et désir. On peut satisfaire le besoin de telle sorte que soit retrouvé le silence des organes. On ne peut satisfaire jamais le désir de telle sorte qu'il se taise. Le désir de l'homme est tel qu'il n'est pas d'objet qui soit adéquat. Non pas que le désir de l'homme soit désir« trop grand », mais parce que sa nature fait que tout objet pour lui fonctionne comme le substitut, le remplaçant d'un autre, et ainsi à l'infini. Disons que tout se passe comme si le désir était désir d'un objet perdu et toujours cherché, dans une quête qui sera la dynamique même de la vie.

De cet objet perdu, de cette faille qui constitue l'homme comme sujet, Freud veut rendre compte par un retour aux origines — l'enfance — et dans le premier de tous les rapports au monde, le rapport à la mère. L'enfant, dès sa naissance, sous la dépendance absolue de celle qui lui donne le lait et les caresses et qui rythme son existence par l'alternance de sa présence et de son absence, fait l'expérience de la vie et de la mort, du plein et du vide, du néant de la satisfaction au néant de la détresse. Son monde, alors même qu'il ne s'en saisit pas séparé — car la conscience d'être un moi est tardive — se résume à la présence et à l'absence de sa mère, et la loi de ce monde au désir de la mère. Par un simple effet topologique et sans qu'il soit nécessaire de puiser dans le lyrisme de la religion et de la poésie, l'enfant va chercher à occuper la place qu'inconsciemment la mère lui désigne comme étant la sienne « s'il veut être son enfant chéri ». Ainsi l'enfant, tout à l'ombre d'une mère dont il n'est pas séparé, se promeut en objet symbolique. Etre, pour lui, c'est être objet du désir de la mère.

Qu'est-ce qu'être l'objet du désir de la mère ? De quoi manque la mère que l'enfant a charge de combler ou, plutôt, dont l'enfant doit être le substitut ? L'enfant, qui reçoit son être du dehors (du désir de celle qu'il désire), se perd dans l'énigme de ce qu'il représente pour la mère. Cette énigme, Freud la traduit ainsi : le manque de la mère est le manque de phallus et l'enfant est le substitut du phallus dont la mère est privée.

La première structure est donc en apparence à deux termes (l'enfant et la mère), en réalité à trois termes (l'enfant, la mère, et la série où s'agrafe le désir de la mère : père, mari, etc.).

Le père incarne la loi qui sépare l'enfant et la mère

Alors qu'à ce stade (préœdipien) l'enfant est noyé dans la relation à la mère (le père n'existant que dans le désir de la mère), au stade suivant (œdipien) le père intervient dans le champ, se révèle comme le partenaire-propriétaire de la mère et oblige l'enfant à prendre acte de son exclusion, de sa séparation, de son « autonomie ».

La situation œdipienne, en général résumée comme la rivalité de l'enfant avec un de ses parents pour la possession de l'autre, en même temps que les angoisses et les renoncements qui s'y attachent, peut être définie d'une façon plus large et qui explique pourquoi Freud a toujours maintenu le principe de l'universalité de l'œdipe.

L'œdipe, c'est d'abord la séparation de l'enfant et de la mère, séparation organisée par l'institution qui règle les lois de la parenté et la prohibition de l'inceste. Le père, incarnation de la loi contre la nature (l'amour), chasse l'enfant du premier paradis et l'oblige, avec le grand renoncement, à devenir un « sujet ». « Tout être humain se voit imposer la tâche de » maîtriser le complexe d'Œdipe ; s'il faillit à cette tâche, il sera névrosé. » La psychanalyse nous a appris à apprécier de plus en plus l'importance » fondamentale du complexe d'Œdipe, et nous pouvons dire que ce qui » sépare adversaires et partisans de la psychanalyse, c'est l'importance » que les derniers attachent à ce fait◆. »

◆ S. Freud : *Trois Essais sur la théorie de la sexualité* (Paris, Gallimard, 1962).

Psychanalyse et société

Le complexe d'Œdipe met en évidence la fonction des structures sociales (familiales) dans la constitution d'un être humain à partir d'un animal faible, aveugle et inconscient : le petit de l'homme à sa naissance. Mais la psychanalyse n'est pas une théorie culturaliste. Elle n'explique pas l'homme par le social. C'est le sens de l'affirmation de l'universalité de l'œdipe. Derrière les variétés et les variations du social, il y a des permanences qui sont — en quelque sorte — l'essence de toute société et qui obligent à penser le rapport du social au biologique. C'est un des traits les plus importants de la pensée freudienne : affirmer la dualité en l'homme et en même temps affirmer que tout est nature (pas de transcendance), que tout relève de lois naturelles et, donc, qu'en dernière instance le social renvoie au biologique (mais à un biologique sans rapport avec l'état où en est cette science encore aujourd'hui).

La psychanalyse n'est pas une « psychologie », c'est-à-dire une étude de l'individu. Elle est (elle prétend être) la science de l'inconscient. Qu'est-ce que cela implique exactement ? Quand Freud analyse un rêve (ou une névrose), il se trouve aux prises avec des discours ou des bribes de discours et des symptômes dont il déclare qu'ils signifient autre chose que leur signification apparente et qu'on doit les comprendre à partir de la machinerie qui les produit et de la fonction qu'ils remplissent. Par là, il élabore une théorie des productions symboliques. Ce n'est donc pas par usurpation que Freud étend la psychanalyse à ces autres productions symboliques qui constituent le tissu social. Des œuvres comme « Totem et Tabou », « Malaise dans la civilisation », « l'Avenir d'une illusion », « Psychologie collective et analyse du Moi », « Moïse et le monothéisme »◆, etc., font légitimement partie du champ des sciences sociales sans quitter pour cela le champ de la psychanalyse dont elles sont les éléments théoriques essentiels.

◆ S. Freud: *Totem et Tabou* (Paris, Payot, 1965); *Malaise dans la civilisation* (Paris, Denoël et Steele, 1934); *l'Avenir d'une illusion* (Paris, Gallimard, 1933); *Psychologie collective et analyse du Moi* (Paris, Payot, 1962); *Moïse et le monothéisme* (Paris, Gallimard, 1948).

Le bonheur de l'homme n'est pas le but de la civilisation

Deux grands thèmes d'inspiration dominent : la fonction (et l'universalité) de l'œdipe, l'antagonisme indépassable entre le monde des désirs et le monde social : toute culture est répressive. Précisons cependant que l'analyse « pessimiste » de la condition humaine ne débouche pas inéluctablement sur une acceptation résignée de toute forme de société. Freud ne manque pas de souligner qu'il y a des degrés dans la répressivité des sociétés (nos sociétés étant parmi les plus malheureuses).

Pourquoi l'homme échoue-t-il à être heureux ? Pourquoi, dans nos sociétés où chaque jour s'affirme le pouvoir sur la nature, le bonheur ne saurait-il être une fin souhaitée et possible ?

Freud donne une réponse à la question dans « Malaise dans la civilisation » : « L'homme n'est point cet être débonnaire, au cœur assoiffé » d'amour, dont on dit qu'il se défend quand on l'attaque, mais un être, » au contraire, qui doit porter au compte de ses données instinctives une » bonne somme d'agressivité [...]. Cette tendance à l'agression, que nous » pouvons déceler en nous-même et dont nous supposons à bon droit » l'existence chez autrui, constitue le facteur principal de perturbation » dans nos rapports avec notre prochain ; c'est elle qui impose à la » civilisation tant d'efforts [...]. La civilisation doit tout mettre en œuvre » pour limiter l'agressivité humaine et pour en réduire les manifestations » à l'aide de réactions psychiques d'ordre éthique. De là, cette mobili- » sation de méthodes incitant les hommes à des identifications et à des » relations d'amour inhibées quant au but ; de là, cette restriction de » la vie sexuelle, de là, aussi, cet idéal imposé d'aimer son prochain » comme soi-même, idéal dont la justification véritable est précisément » que rien n'est plus contraire à la nature humaine primitive. »
Cette agressivité, c'est une erreur de croire qu'elle découle de telle ou telle forme de société et donc qu'un changement de celle-ci en permettrait l'élimination totale. Quelle que soit la voie choisie par la civilisation, la nature agressive de l'homme l'habite, indestructible, parce qu'elle procède de quelque chose de profond : la pulsion de mort. Contre l'agressivité, la civilisation a inventé un étrange détour : « L'agression » est introjectée, intériorisée, mais aussi, à vrai dire, renvoyée au point » même d'où elle était partie : en d'autres termes, retournée contre le » propre Moi. Là, elle sera reprise par une partie de ce Moi, laquelle, en » tant que Sur-moi, se mettra en opposition avec l'autre partie. Alors, » en qualité de conscience morale, elle manifestera à l'égard du Moi la » même agressivité rigoureuse que le Moi eût aimé satisfaire contre des » individus étrangers. » L'arme de la civilisation, une arme dont l'effet est chaque jour plus dur, c'est le sentiment de culpabilité.
« L'histoire de toute société est l'histoire de la lutte de classes », écrivait Marx dans le « Manifeste communiste ». A cela, Freud objecte que l'histoire est la lutte d'Eros contre la pulsion de mort : « Désormais la signi- » fication de l'évolution de la civilisation cesse d'être obscure : elle doit » nous montrer la lutte entre l'Eros et la mort, entre l'instinct de vie » et l'instinct de destruction, telle qu'elle se déroule dans l'espèce » humaine. » Et la leçon de Freud (son « pessimisme »), c'est de refuser les utopies consolantes pour rechercher quel équilibre est possible entre la nécessité où nous sommes de vivre ensemble, et son impossibilité.

La cure psychanalytique

La cure psychanalytique repose tout entière sur du langage. Un patient,

parce qu'il expérimente l'impossibilité où il est d'intégrer l'ensemble de ses conduites dans le cours de sa vie, parce qu'il trébuche sur des incohérences qui l'angoissent, accepte de rencontrer quelqu'un à qui il attribuera la capacité de dénouer la situation et de la dénouer par le seul effet de son écoute et de sa parole. Car il ne passe rien d'autre dans une psychanalyse, que des mots.
Le psychanalyste n'est détenteur d'aucun savoir concernant le patient, si ce n'est celui qui lui sera livré par le discours de ce dernier et ses silences. Il n'intervient donc pas à la façon d'un médecin qui, armé de sa science, dépiste, à travers des symptômes, un mal qu'il connaît et dicte une ordonnance. Il n'intervient pas non plus comme le policier qui, interrogeant un suspect, cherche à travers les méandres de son témoignage et de ses contradictions ce qu'il dissimule (et peut-être se dissimule à lui-même) : le souvenir du crime. Il n'est pas non plus le confesseur qui écoute la plainte du pécheur et l'aide à se délivrer du poids de la faute par le paiement de la dette à Dieu : la prière. Peut-être le rapprochement le moins erroné est-il celui qu'on fait avec le dialogue socratique : la maïeutique. En effet, Socrate, qui sait qu'il ne sait rien, se contente, par l'exigence têtue de ses questions, d'obliger son interlocuteur à prendre au sérieux les lois du discours, à ne pas dire n'importe quoi ni parler pour ne rien dire et à remettre sans cesse sur le métier sa parole jusqu'à ce qu'elle devienne consistante, c'est-à-dire jusqu'à ce qu'elle dise le vrai qui, silencieux, ignoré, était présent en elle. Seulement la maïeutique socratique n'est pas le chemin de la libération d'un sujet encombré de sa subjectivité. Elle est un chemin pour la connaissance des idées et la conquête de la vérité de toutes choses.
La cure psychanalytique, si on accepte de ne pas y voir l'effet magique et incompréhensible de la rencontre entre deux âmes, une âme malade et une belle et bonne âme, doit trouver son statut dans l'analyse du langage et de sa fonction dans l'avènement d'un sujet humain. Et ceci, très tôt Freud en eut le sentiment, lui qui rejeta les techniques de l'hypnose et qui, dès 1890, écrivait, dans un article pour une encyclopédie médicale populaire, à l'article « Traitement psychique »◆ : « ... Les mots » sont l'instrument essentiel du traitement psychique. Un profane trou» vera sans aucun doute qu'il est difficile de comprendre comment des » troubles pathologiques du corps et de l'âme peuvent être éliminés par » de simples mots. Il aura l'impression qu'on lui demande de croire à » la magie. Et il n'aura d'ailleurs pas tout à fait tort, car les mots que » nous utilisons dans notre langage de tous les jours ne sont rien d'autre » que la magie édulcorée. Mais il nous faudra suivre un chemin détourné » afin d'expliquer comment la science entreprend de restaurer les mots » pour leur rendre au moins une partie de leur ancien pouvoir magique. »

A. A.

◆ Voir *Freud :* Standard Edition, tome VII (Londres Twyarth Press, 1953).

Quiz

Connaissez-vous Sigmund Freud ?

1
La psychanalyse est
☐ une méthode d'investigation des processus mentaux
☐ une méthode thérapeutique fondée sur cette investigation
☐ un ensemble de théories psychologiques et psychopathologiques élaboré à partir des deux précédentes méthodes

2
Les « Etudes sur l'hystérie » furent écrites et publiées par Freud en collaboration avec
☐ Bernheim
☐ Breuer
☐ Janet

3
Qui fut le premier rédacteur en chef du « Journal de recherches psychopathologiques et psychanalytiques » ?
☐ Jung
☐ Rank
☐ Jones

4
De ces trois rêves, lequel fut le premier entièrement analysé par Freud ?
☐ une réunion à la table d'hôte
☐ Non vixit
☐ l'injection faite à Irma

5
Wilhelm Fliess, ami et confident de Freud, était
☐ oto-rhino-laryngologiste
☐ psychiatre
☐ neurologue

6
« L'Interprétation du rêve » fut publiée en
☐ 1897
☐ 1899
☐ 1903

7
Le premier Congrès international de psychanalyse se tint à
☐ Vienne
☐ Zurich
☐ Salzbourg

8
Parmi les héros des « Cinq psychanalyses », lesquels furent traités directement par Freud ?
☐ l'homme aux loups
☐ l'homme aux rats
☐ Dora
☐ le petit Hans
☐ le président Schreber

9
Le créateur de la Société de psychanalyse libre est
☐ Stekel
☐ Jung
☐ Adler

10
Le premier enfant traité par la psychanalyse est
☐ Dora
☐ le petit Hans
☐ Arpàd, le petit homme coq

11
A quelle période se situe l'auto-analyse de Freud ?
☐ entre 1889 et 1891
☐ entre 1890 et 1894
☐ entre 1896 et 1900

12
Quelles sont les trois instances de l'appareil psychique finalement retenue par Freud ?
☐ inconscient
☐ moi
☐ ça
☐ subconscient
☐ sur-moi
☐ préconscient

L'inconscient de la vie psychique n'est autre chose que la phase infantile de cette vie.

13
De ces trois ouvrages, lequel est signé Sigmund Freud ?
☐ « le Traumatisme de la naissance »
☐ « Une névrose démoniaque au XVIIe siècle »
☐ « la Psychanalyse des enfants »

14
Qui mena la seconde analyse de l'homme aux loups ?
☐ Ida Macalpine
☐ Karen Horney
☐ Ruth Mack Brunswick

15
La dernière œuvre de Freud s'intitule
☐ « Ma vie et la psychanalyse »
☐ « Moïse et le monothéisme »
☐ « Malaise dans la civilisation »

16
Quel peintre fascina Freud au point qu'il entreprit l'étude psychanalytique de son œuvre ?
☐ Léonard de Vinci
☐ Botticelli
☐ Albert Dürer

17
Les 284 lettres de Freud à Fliess furent sauvées grâce à
☐ Ernest Jones
☐ Anna Freud
☐ Marie Bonaparte

18
Les cinq conférences de Freud à la Clark University eurent lieu en
☐ 1909
☐ 1911
☐ 1915

19
L'autre invité officiel de M. Stanley Hall qui accompagna Freud aux Etats-Unis était
☐ Breuer
☐ Ferenczi
☐ Jung

20
Le fondateur de la revue « Imago » est
☐ Jones
☐ Rank
☐ Sachs

21
La rupture définitive entre Freud et Jung intervint en
☐ 1907
☐ 1910
☐ 1914

22
Parmi ces ouvrages de Freud, lesquels abordent directement le thème de la psychologie religieuse ?
☐ « Au-delà du principe du plaisir »
☐ « Totem et tabou »
☐ « Moïse et le monothéisme »
☐ « Considérations actuelles sur la guerre et la mort »
☐ « l'Avenir d'une illusion »

23
Le premier article consacré en France à la psychanalyse fut rédigé par
☐ Morichau-Beauchant
☐ Romain Rolland
☐ André Breton

24
A qui Freud attribue-t-il la « théorie des complexes » ?
☐ à Bleuler
☐ à Eitington
☐ à Jung

25
Le collaborateur dont Freud a écrit : « Il vaut à lui seul toute une société » est
☐ Ferenczi

☐ Stekel
☐ Brill

26
L'auteur qu'il désigne du nom de « poète de la psychanalyse » est
☐ Anaïs Nin
☐ Lou Andréas-Salomé
☐ Marie Bonaparte

27
Comment s'appelait la fiancée de Freud ?
☐ Martha Bernays
☐ Minna Bernays
☐ Gisèle Fluss

28
Jung a parlé de « l'événement le plus important de ma vie ». Il s'agit de
☐ sa première rencontre avec Freud
☐ l'édification de la tour de Bollingen
☐ son voyage chez les Indiens Pueblos

29
La clinique de thérapeutique infantile de Hampstead à Londres fut fondée par
☐ Hélène Deutsch
☐ Mélanie Klein
☐ Anna Freud

30
Le terme « das Es » — « le ça » — fut emprunté à Freud par
☐ Groddeck
☐ Havelock-Ellis
☐ Charcot

31
Au cours des six années qui suivirent la parution de « l'Interprétation des rêves », l'éditeur de Freud vendit
☐ 350 exemplaires
☐ 5 500 exemplaires
☐ 11 000 exemplaires

32
Quels sont les trois points de vue qui caractérisent la métapsychologie ?
☐ dynamique
☐ génétique
☐ dialectique
☐ économique
☐ topique

33
L'Association internationale de psychanalyse eut pour premier président
☐ Jung
☐ Adler
☐ Stekel

34
La première société de psychanalyse groupée autour de Freud s'appelait
☐ Société psychologique viennoise
☐ Les amis de Sigmund Freud
☐ Société psychologique du mercredi

35
Elle devient Société psychanalytique de Vienne en
☐ 1905
☐ 1908
☐ 1911

36
Le terme « sadisme » fut proposé par
☐ Bleuler
☐ Krafft-Ebing
☐ Havelock Ellis

37
Le premier psychanalyste lui-même soumis à une analyse didactique pratiquée par Freud fut :
☐ Erik Erikson
☐ Otto Fénichel
☐ René Spitz

38
Restituez à chaque auteur le

Le Moi est d'abord et avant tout un Moi corporel.

couple d'opposés qu'il a conçu et utilisé :
a) Jung
b) Klein
c) Freud
1. Eros et Thanatos
2. Animus et Anima
3. Bon sein et mauvais sein

39
Au dire même de Freud, de quel ordre étaient ses aspirations de jeunesse ?
☐ religieux
☐ scientifique
☐ philosophique

40
Sigmund Freud est mort en 1939 à
☐ Budapest
☐ Vienne
☐ Londres

41
La « règle fondamentale » d'une cure psychanalytique consiste à
☐ révéler tout ce qui se passe par l'esprit pendant la séance
☐ retrouver intégralement l'histoire de son enfance
☐ analyser tous ses rêves

42
Indiquez dans quel ordre se succèdent les « Trois essais sur la théorie de la sexualité »
☐ la sexualité infantile
☐ les transformations de la puberté
☐ les aberrations sexuelles

43
A l'occasion du 75e anniversaire de Freud, un écrivain publie un hommage à Freud dans un journal berlinois. Il s'agit de
☐ Robert Muzil
☐ Stefan Zweig
☐ Thomas Mann

44
La « Psychopathologie de la vie quotidienne » débute par l'étude
☐ des lapsus
☐ des erreurs d'écriture
☐ de l'oubli des noms propres

45
Le terme « narcissique » fut créé au départ
☐ pour expliquer la fixation ou la régression de la libido
☐ pour expliquer l'auto-érotisme
☐ pour rendre compte du choix d'objet chez les homosexuels

46
Le texte de Freud : « Pourquoi la guerre » ? fut écrit avec
☐ Bergson
☐ Breton
☐ Einstein

47
Dans quel chapitre de « Totem et tabou » se trouve exposée la théorie du meurtre du père ?
☐ La peur de l'inceste
☐ Animisme, magie et toute puissance des idées
☐ Le retour infantile du totémisme
☐ Le tabou et l'ambivalence des sentiments

48
Quelle est, d'après Freud, « la voie royale qui amène à l'inconscient ? »
☐ l'acte manqué
☐ le rêve
☐ l'expérience d'associations

49
A quel écrivain russe Freud a-t-il consacré un essai ?
☐ Tolstoï
☐ Gogol
☐ Dostoïevski

50
L'important concept de libido désigne, chez Freud
☐ l'énergie psychique en général
☐ l'élan vital
☐ l'énergie sexuelle

Quiz

Réponses

1 Les trois.
La psychanalyse, discipline fondée par Freud, englobe ces trois concepts. Freud lui-même parlera successivement d'analyse psychique, d'analyse psychologique et d'analyse hypnotique, avant d'adopter définitivement le terme « psychoanalyse » qui figure dans deux écrits datant de 1896, l'un en allemand, l'autre publié en français.

2 Breuer.
Le Dr Josef Breuer, ami et confrère de Freud, avait soigné avec quelque succès une jeune hystérique, Bertha Pappenheim. L'histoire de cette cure cathartique est relatée dans les « Etudes sur l'hystérie ».

3 Jung.
La fondation de ce journal avait été décidée en 1908 pendant le congrès de Salzbourg. Le journal parut pour la première fois en 1909, sous la direction de Bleuler et de Freud, avec Jung comme rédacteur en chef.

4 L'injection faite à Irma.
Son analyse complète date du 24 juillet 1895 ; elle est reproduite dans « l'Interprétation du rêve ».

5 Oto-rhino-laryngologiste.
Fliess exerçait à Berlin auprès d'une importante clientèle. Freud entretint avec lui, durant douze ans, des liens d'amitié intenses.

6 1899.
Le livre fut mis en librairie le 4 novembre 1899. Mais l'éditeur l'avait daté de 1900.

7 Salzbourg.
Ernest Jones raconte : « *Cette rencontre était vraiment internationale, comme le montrent les faits suivants : il y eut neuf communications, dont quatre autrichiennes, deux suisses, une anglaise, une allemande et une hongroise. Quarante-deux membres participèrent à ce congrès et la moitié d'entre eux étaient déjà ou devinrent psychanalystes.* »

8 Dora, l'homme aux loups et l'homme aux rats.
Le petit Hans fut analysé par son père, grâce aux directives et sous le contrôle de Freud. L'étude sur le président Schreber fut écrite par Freud à partir du récit autobiographique du président, intitulé « Mémoires d'un névropathe » et des expertises des médecins qui l'avaient soigné.

9 Adler.
En 1911, Alfred Adler se sépara de Freud. Il est le premier grand dissident. Suivront Stekel, Jung et Rank.

10 Le petit Hans.
L'enfant fut traité par son père ; Freud nous dit : « *Aucune autre personne, je pense, ne serait parvenue à obtenir de tels aveux* [...]. *Seule la réunion de l'autorité paternelle et de l'autorité médicale en une seule personne, et la rencontre, en celle-ci, d'un intérêt dicté par la tendresse et un intérêt d'ordre scientifique permirent en ce cas, de faire de la méthode une application à laquelle sans cela elle n'eût pas été apte.* »

11 Entre 1896 et 1900.
On en trouve la preuve et le reflet dans les lettres de Freud à Fliess et dans « l'Interprétation des rêves ».

12 Ça, moi et sur-moi.
On parle couramment de deux topiques freudiennes. La première comprenait : inconscient, préconscient et conscient. À partir de 1920, Freud élabore une autre conception de la personnalité. Au départ est le ça, dont se différencient successivement le moi et le sur-moi.

13 « Une névrose démoniaque au XVIIe siècle ».
« Le Traumatisme de la

naissance » est l'œuvre d'Otto Rank ; « la Psychanalyse des enfants » fut écrite par Mélanie Klein.

14 Ruth Mack Brunswick.
Son terrible patient la rêvait portant bottes et culottes, juchée sur un traîneau qu'elle conduisait avec une grande maîtrise, tout en déclamant des vers russes.

15 « Moïse et le monothéisme ».
La publication date d'août 1938, mais, dès son premier voyage à Rome, en 1901, Freud est fasciné par la statue de « Moïse » par Michel-Ange.

16 Léonard de Vinci.
« *En écrivant sur Léonard de Vinci, Freud, à mi-voix, parle encore de lui-même ; il confie au lecteur cette insatiable curiosité intellectuelle qu'il avait en commun avec le peintre et dont, fondateur d'une nouvelle science, il se sentait tenu de retrouver les causes profondes* » (Marthe Robert : « la Révolution psychanalytique »).

17 Marie Bonaparte.
Elle racheta ces lettres, au prix de cent livres sterling, à un libraire berlinois, lequel les tenait de Mme Fliess qui les lui avait vendues après la mort de son mari. Marie Bonaparte les sauva ensuite de Freud qui voulait les lui racheter afin de les détruire. Elle les mit en sûreté tout au long de la guerre.

18 1909.
Freud commente : « *Nous constatâmes, à notre grand étonnement, que les membres de cette petite mais respectable université philosophico-pédagogique étaient des hommes sans préjugés, au courant des travaux psychanalytiques dont ils avaient entretenu leurs élèves dans leurs cours. Dans cette Amérique si prude, on pouvait du moins parler librement et traiter scientifiquement dans les cercles académiques de ce qui passait pour répréhensible dans la vie courante* » (Freud : « Contribution à l'histoire du mouvement psychanalytique »).

19 Jung.
Jung raconte : « *Nous étions tous les jours ensemble et analysions nos rêves. J'en eus à cette époque quelques-uns d'importants ; Freud, pourtant, n'en put rien tirer* [...]. *Notre relation m'était précieuse par-dessus tout. Je voyais en Freud la personnalité plus âgée, plus mûre, plus expérimentée et, en moi, son fils* » (C.G. Jung : « Ma vie »). Ferenczi accompagnait Freud à titre privé.

20 Hans Sachs.
Le nom de cette revue est le titre d'un roman de l'auteur suisse Carl Spitteler. Non médecin, Hans Sachs ne pratiqua que tardivement la psychanalyse ; il était passionné de littérature. « *Nous trouvions en lui,* écrit Jones, *un compagnon amusant, doué d'un esprit des plus divertissants et possédant un stock inépuisable des meilleures histoires juives* » (Ernest Jones : « la Vie et l'œuvre de Sigmund Freud »).

21 1914.
Jung explique : « *Lors de mon travail sur les "Métamorphoses et symboles de la libido", vers la fin, je savais par avance que le chapitre sur le sacrifice me coûterait l'amitié de Freud. Je devais y exposer ma propre conception de l'inceste, de la métamorphose décisive du concept de libido et d'autres idées encore, par lesquelles je me séparais de Freud* [...]. *Après la rupture avec Freud, tous mes amis et connaissances s'éloignèrent de moi. On déclara que mon livre était de la pacotille. Je passai pour un mystique et mon compte était ainsi réglé* » (C.G. Jung : « Ma vie »).

22 « Totem et tabou », « l'Avenir d'une illusion » et « Moïse et le monothéisme ».

23 Morichau-Beauchant.
Cet article parut le 14 novembre 1911 dans la « Gazette des hôpitaux ». André Breton fit connaître la psychanalyse dans les cercles surréalistes et Freud entretint avec Romain Rolland une correspondance cordiale. Il écrit néanmoins : « *De tous les pays européens, c'est la France qui, jusqu'à présent, s'est montrée la plus réfractaire à la psychanalyse* » (Freud : « Contribution à l'histoire du mouvement psychanalytique »).

24 A Jung.
« *Il est une troisième contribution de l'école suisse, contribution qu'il faut peut-être mettre uniquement sur le compte de Jung et qui ne possède pas, à mon avis, la valeur que lui attribuent les personnes étrangères à la psychanalyse. Il s'agit de la théorie des complexes* » (Freud : « Contribution à l'histoire du mouvement psychanalytique ».) Freud lui-même n'utilise pratiquement ce terme que dans les expressions « complexe d'Œdipe » et « complexe de castration ».

25 Ferenczi.
Il fonda d'ailleurs, en mai 1913, la Société psychanalytique de Budapest. De tous les disciples de Freud, il était sans doute le plus aimé. Freud l'emmenait avec lui dans ses voyages. Il aurait voulu qu'il épousât sa fille.

26 Lou Andréas-Salomé.
Freud lui écrivait, le 10 novembre 1912 : « *Vous m'avez manqué hier soir à la séance et je suis heureux d'apprendre que votre visite dans le camp de la protestation masculine est étrangère à votre absence. J'ai pris la mauvaise habitude de*

toujours adresser ma conférence à une certaine personne de mon cercle d'auditeurs et ne cessais, hier, de fixer, comme fasciné, la place vide que l'on vous avait réservée.»

27 Martha Bernays.
Elle épousa Freud en 1886. Il lui écrivait : « *Ce qu'il m'importe de dire, c'est le charme de ta personne qui se révèle dans ton maintien, dans ton corps, dans la façon dont s'expriment ta douceur, ta générosité de cœur, ta raison.* »

28 Sa première rencontre avec Freud.
Jung l'évoque en ces termes : « *Nous nous rencontrâmes à une heure de l'après-midi et, treize heures durant, nous parlâmes pour ainsi dire sans arrêt. Freud était la première personnalité vraiment importante que je rencontrais. Nul autre parmi mes relations ne pouvait se mesurer à lui. Dans son attitude, il n'y avait rien de trivial. Je le trouvai extraordinairement intelligent, pénétrant, remarquable à tous points de vue. Et pourtant, les premières impressions que je reçus de lui restèrent vagues et en partie incomprises* » (Jung : « Ma vie »).

29 Anna Freud.
Jusqu'en 1919, Anna Freud fut la collaboratrice, le porte-parole et l'infirmière de son père atteint d'un cancer de la mâchoire. En 1933, elle ouvrit à Londres la clinique de thérapeutique infantile de Hampstead et développa la psychanalyse des enfants. De sérieuses controverses l'opposèrent à Mélanie Klein.

30 Groddeck.
Georg Groddeck publia en 1923 « Das Buch von Es » dont la traduction française s'intitule « Au fond de l'homme, cela ». La préface de Laurence Durrell à cette édition débute ainsi : « *Ce livre extraordinaire a, aujourd'hui, un double titre à notre attention, car ce n'est pas seulement une œuvre triomphante de l'art littéraire : c'est aussi un compte rendu de première main, par le père de la médecine psychosomatique, du développement de ses idées concernant la santé et la maladie.* »

31 350 exemplaires.
Mais la préface de Freud à la troisième édition commence en ces termes : « *Neuf années séparaient la première édition de ce livre de la seconde ; mais à peine plus d'un an s'est écoulé que le besoin d'une troisième édition se fait sentir.* » Et, lors de la huitième édition, en 1929, Freud mentionne les traductions française, suédoise et espagnole qui viennent de paraître, tandis que tarde la parution de la traduction hongroise prévue dès 1918.

32 Dynamique, topique et économique.
Le terme « métapsychologie » présente une analogie volontaire avec celui de « métaphysique ». « *La connaissance obscure des facteurs psychiques et de ce qui se passe dans l'inconscient se reflète dans la construction d'une réalité supra-sensible qui doit être transformée, par la science, en psychologie de l'inconscient. On pourrait se faire fort de convertir la métaphysique en métapsychologie* » (Freud : « Psychopathologie de la vie quotidienne »).

33 Jung.
Freud explicite longuement les raisons diplomatiques générales de ce choix. Il poursuit : « *Jung avait à son actif des dons de premier ordre, les contributions qu'il avait déjà fournies à la psychanalyse, sa situation indépendante et une énergie affirmée qui s'imposait à tous ceux qui l'approchaient* » (Freud : Contribution à l'histoire du mouvement psychanalytique »).

34 Société psychologique du mercredi.
Pour la simple raison que les disciples, les étudiants et amis de Freud intéressés par la psychanalyse se réunissaient, le mercredi soir, dans son salon d'attente, au 19 de la Berggasse.
Le 22 juin 1971, le chancelier Bruno Kreisky inaugurait un petit musée dans son appartement, mais le conseil municipal de Vienne a refusé de donner à la Berggasse le nom de Sigmund Freud.

35 1908.
Voici le début de la circulaire adressée par Freud aux membres de la Société psychologique du mercredi pour leur annoncer ce changement : « *Je désire vous faire savoir que je me propose, dès le début de cette année de travail, de dissoudre la petite société qui avait coutume de se réunir chez moi tous les mercredis pour, immédiatement après, la reformer. Un simple mot, adressé avant le 1er octobre à notre secrétaire Otto Rank, suffira au renouvellement de votre carte de membre. Sans réponse de vous à cette date, nous estimerons que vous ne désirez plus faire partie de ce groupe. Je n'ai pas besoin de vous dire combien je serais heureux de vous voir rester parmi nous.* »

36 Krafft-Ebing.
Par référence à l'œuvre du marquis de Sade : « *Le*

sadisme est une perversion sexuelle dans laquelle la satisfaction est liée à la souffrance ou à l'humiliation infligée à autrui » (J. Laplanche et J.-B. Pontalis : « Vocabulaire de la psychanalyse »).

37 René Spitz.
Hongrois d'origine, René Spitz fut présenté à Freud par Ferenczi qui sut le convaincre de procéder à l'analyse du jeune médecin. Spitz fut le premier étudiant à subir une analyse didactique.
En 1922, au Congrès de l'Association internationale de Berlin, l'exigence de l'analyse didactique pour tout candidat fut posée.

38
Freud : Eros et Thanatos ;
Jung : Animus et anima ;
Klein : Bon sein et mauvais sein.

39 Philosophique.
« *Je n'ai aspiré, dans mes années de jeunesse, qu'à la connaissance philosophique, et maintenant je suis sur le point d'accomplir ce vœu en passant de la médecine à la psychologie* » (Lettre de Freud à Wilhelm Fliess).

40 Londres.
Sous la menace des nazis, Freud quitte Vienne le 4 juin 1938. Après un séjour à Paris, il arrive à Londres, grâce à M. Bonaparte et E. Jones.

41 Révéler tout ce qui passe par l'esprit pendant la séance.
La règle de libre association apparut progressivement à Freud comme fondamentale. Ses patients l'aidèrent à la dégager : ceux qui repoussaient de leur propre chef l'hypnose ; ceux qui le priaient impatiemment de ne pas les interrompre par ses questions et ses exigences ; ceux, enfin, qui intercalaient spontanément le récit de leurs rêves au cours des séances.

42
1. Les aberrations sexuelles ;
2. la sexualité infantile ;
3. les transformations de la puberté.

43 Thomas Mann.
L'hommage débute ainsi :
« *L'admiration la plus sincère pour le grand chercheur de l'humain et pour sa chevalerie de la vérité a toujours fait partie de mon fonds personnel.* »

44 L'oubli des noms propres.
Le premier nom oublié et analysé dans cet ouvrage est celui du peintre Signorelli.

45 Rendre compte du choix d'objet chez les homosexuels.
Le terme « narcissisme » est utilisé pour la première fois en 1910. Parlant des homosexuels, Freud explique :
« *Ils se prennent eux-mêmes comme objet sexuel ; ils partent du narcissisme et recherchent des jeunes gens qui leur ressemblent, qu'ils puissent aimer comme leur mère les a aimés eux-mêmes.* »

46 Einstein.
En 1932, Freud « *écrit, en collaboration avec Einstein, "Pourquoi la guerre ?", texte commandé par la Société des Nations, où il oppose au pacifisme de son illustre confrère ses propres vues sur la nature humaine, dont le vrai fond, selon lui, est toujours la guerre et la haine* » (Marthe Robert : « la Révolution psychanalytique »).

47 Le retour infantile du totémisme.
L'hypothèse du meurtre du père élaborée par Freud s'appuie sur les théories de Darwin et d'Atkinson (la horde primitive) et sur celle de Robertson Smith (le sacrifice).

48 Le rêve.
L'analyse permet, en effet, de percer le mystère du rêve. Au-delà du contenu manifeste — la forme sous laquelle le rêve apparaît au rêveur qui en fait le récit ou se le remémore —, l'analyse pénètre son contenu latent, somme des idées et des désirs inconscients du rêveur.

49 Dostoïevski.
Dans une lettre à Théodor Reik, Freud exprime l'ambivalence de ses relations à l'égard du romancier :
« *Vous avez raison en supposant que, malgré toute mon admiration pour la supériorité et l'intensité de son œuvre, en réalité je n'aime pas Dostoïevski. Cela vient de ce que ma patience envers les natures pathologiques s'épuise entièrement dans l'analyse.* »

50 L'énergie sexuelle.
Parlant de la « petite guerre » qui couvait au sein du mouvement psychanalytique, M. Robert écrit : « *Tout tournait autour du concept de "libido", à quoi Freud voulait absolument garder son sens strict d'énergie sexuelle, alors qu'Adler en faisait une force au service de la vie sociale, et que Jung l'étendait si démesurément qu'elle devenait l'énergie en soi* » (M. Robert : « la Révolution psychanalytique »).

» Citations «

Maintenant qu'un nombre considérable de personnes pratiquent la psychanalyse et échangent entre elles leurs observations, nous avons remarqué qu'aucun psychanalyste ne va plus loin que le lui permettent ses propres complexes et résistances intérieures ; par conséquent, nous exigeons qu'il inaugure son activité par une auto-analyse et l'approfondisse constamment, tout en effectuant ses observations sur ses patients. Toute personne incapable d'obtenir des résultats dans une auto-analyse de ce genre ferait mieux de renoncer immédiatement à toute idée de traiter des patients par l'analyse.
Que veut le psychanalyste ?... Ramener à la surface de la conscience tout ce qui a été refoulé. Or chacun de nous a refoulé trop de choses que nous maintenons peut-être avec peine dans notre inconscient. La psychanalyse provoque donc, chez ceux qui en entendent parler, la même résistance qu'elle provoque chez les malades. C'est de là sans doute que vient l'opposition si vive, si instinctive que notre discipline a le don d'exciter. Cette résistance, d'ailleurs, prend le masque de l'opposition intellectuelle et enfante des arguments analogues à ceux que nous écartons chez nos malades au moyen de la règle psychanalytique fondamentale. Tout comme chez eux, nous pouvons aussi constater, chez nos adversaires, que leur jugement se laisse fréquemment influencer par des motifs affectifs, d'où leur tendance à la sévérité. La vanité de la conscience, qui repousse si dédaigneusement le rêve, par exemple, est un des obstacles les plus forts de la pénétration des complexes inconscients : c'est pourquoi il est si difficile de persuader les hommes de la réalité de l'inconscient et de leur enseigner une nouveauté qui contredit les notions dont s'est accommodée leur conscience.

Cinq leçons sur la psychanalyse (*Paris, P.U.F., 1971*).

La psychanalyse voit dans l'identification la première manifestation d'un attachement affectif à une autre personne. Cette identification joue un rôle important dans le complexe d'Œdipe aux premières phases de sa formation. Le petit garçon manifeste un grand intérêt pour son père : il voudrait devenir et être ce qu'il est, le remplacer à tous égards [...]. *Il fait de son père son idéal. Cette attitude à l'égard du père (ou de tout autre homme en général) n'a rien de passif ni de féminin : elle est essentiellement masculine...*
Simultanément avec cette identification avec le père ou un peu plus tard, le petit garçon a commencé à diriger vers sa mère ses désirs libidineux. Il manifeste alors deux sortes d'attachements, psychologiquement différents : un attachement pour sa mère, comme objet purement sexuel, une identification avec le père qu'il considère comme un modèle à imiter. Ces deux sentiments demeurent quelque temps côte à côte, sans influer l'un sur l'autre, sans se troubler réciproquement. Mais à

mesure que la vie psychique tend à l'unification, ces sentiments se rapprochent l'un de l'autre, finissent par se rencontrer, et c'est de cette rencontre que résulte le complexe d'Œdipe normal. Le petit garçon s'aperçoit que le père lui barre le chemin vers la mère ; son identification avec le père prend, de ce fait, une teinte hostile et finit par se confondre avec le désir de remplacer le père, même auprès de la mère. L'identification est d'ailleurs ambivalente, dès le début ; elle peut être orientée aussi bien vers l'expression de la tendresse que vers le désir de suppression. Elle se comporte comme un produit de la première phase, la phase orale de l'organisation de la libido, phase pendant laquelle on s'incorporait l'objet désiré ou apprécié en le mangeant, c'est-à-dire en le supprimant.

Essais de psychanalyse (*Paris, Payot, 1969*).

Si, dès les premiers mots qu'il prononce, le président déclare qu'il clôt la séance alors qu'il voulait la déclarer ouverte, nous sommes enclins, nous qui connaissons les circonstances dans lesquelles s'est produit ce lapsus, à trouver un sens à cet acte manqué : le président n'attend rien de bon de la séance et ne serait pas fâché de pouvoir l'interrompre. Nous pouvons sans aucune difficulté découvrir le sens, comprendre la signification du lapsus en question. Lorsqu'une dame connue pour son énergie raconte : « Mon mari a consulté un médecin au sujet du régime » qu'il devait suivre ; le médecin lui a dit qu'il n'avait pas besoin de » régime, qu'il pouvait boire et manger ce que je voulais », *il y a là un lapsus, certes, mais qui apparaît comme l'expression irrécusable d'un programme bien arrêté.*

Introduction à la psychanalyse (*Paris, Payot, 1961*)

L'enfant a, dès le début, une vie sexuelle très riche, qui diffère sous plusieurs rapports de la vie sexuelle ultérieure, considérée comme normale. Ce que nous qualifions de pervers dans la vie de l'adulte s'écarte de l'être normal par les particularités suivantes : méconnaissance des barrières spécifiques (de l'abîme qui sépare l'homme de la bête), de la barrière opposée par le sentiment de dégoût, de la barrière constituée par l'inceste (c'est-à-dire par la défense de chercher à satisfaire les besoins sexuels sur des personnes auxquelles on est lié par des liens consanguins), homosexualité et, enfin, transfert du rôle génital à d'autres organes et parties du corps. Toutes ces barrières, loin d'exister dès le début, sont édifiées peu à peu au cours du développement et de l'éducation progressive de l'humanité. Le petit enfant ne les connaît pas. Il ignore qu'il existe entre l'homme et la bête un abîme infranchissable ; la fierté avec laquelle l'homme s'oppose à la bête ne lui vient que plus tard. Il ne manifeste au début aucun dégoût pour ce qui est excrémen-

tiel : ce dégoût ne lui vient que peu à peu, sous l'influence de l'éducation. Loin de soupçonner les différences sexuelles, il croit, au début, à l'identité des organes sexuels ; ses premiers désirs sexuels et sa première curiosité se portent sur les personnes qui lui sont les plus proches, les plus chères : parents, frères, sœurs, personnes chargées de lui donner des soins ; en dernier lieu se manifeste chez lui un fait qu'on retrouve au paroxysme des relations amoureuses, à savoir que ce n'est pas seulement dans les organes génitaux qu'il place la source du plaisir qu'il attend, mais que d'autres parties du corps prétendent chez lui à la même sensibilité, fournissent des sensations de plaisir analogues et peuvent ainsi jouer le rôle d'organes génitaux. L'enfant peut donc présenter ce que nous appellerons une « perversité polymorphe », et, si toutes ces tendances ne se manifestent chez lui qu'à l'état de traces, cela tient, d'une part, à leur intensité moindre, en comparaison de ce qu'elle est à un âge plus avancé, et, d'autre part, à ce que l'éducation supprime avec énergie, au fur et à mesure de leur manifestation, toutes les tendances sexuelles de l'enfant.

Introduction à la psychanalyse (*Paris, Payot, 1961*).

Mes adversaires scientifiques ne m'ont épargné aucun outrage, ils ont blessé aussi bien la logique que les bienséances et le bon goût. Au Moyen Age, le malfaiteur, ou simplement l'ennemi politique, était mis au pilori et exposé aux injures de la populace ; telle fut aussi ma situation. Vous ne vous figurez sans doute pas tout ce dont est capable, à notre époque, la haine populaire, ni à quels excès peuvent se porter les hommes quand, faisant partie d'une foule, ils ne sentent plus peser sur eux de responsabilité personnelle. Au début de cette période de mon existence, je me trouvais assez isolé ; je m'aperçus bientôt qu'il était tout aussi vain d'engager une polémique que de récriminer ou d'en appeler au jugement de meilleurs esprits. En effet, à quel tribunal aurais-je eu recours ? J'empruntai alors une autre voie ; j'en vins à considérer le comportement de la foule comme l'une des manifestations de cette même résistance que j'avais à vaincre chez mes divers patients, et ce fut là ma première utilisation de la psychanalyse. Dès lors, je m'abstins de toute polémique et persuadai mes partisans, dont le nombre augmentait peu à peu, d'adopter la même attitude. Le procédé ne tarda pas à porter ses fruits. L'anathème prononcé contre la psychanalyse a été levé depuis, mais, comme toute foi ancienne survit à l'état de superstition, comme toute théorie abandonnée par la science demeure sous la forme de croyance populaire, le mépris dont la psychanalyse fut autrefois l'objet dans les milieux scientifiques persiste encore chez les profanes, hommes de lettres ou causeurs mondains. Ne vous en étonnez point.

Nouvelles conférences sur la psychanalyse (*Paris, Gallimard, 1971*)

Bibliographie

Ouvrages principaux :
Introduction à la psychanalyse (*Paris, Payot, 1961*).

Trois essais sur la théorie de la sexualité (*Paris, Gallimard, 1962*).

Totem et tabou (*Paris, Payot, 1965*).

Correspondance, 1873-1939 (*Paris, Gallimard, 1966*).

Abrégé de psychanalyse (*Paris, P.U.F., 1967*).

Cinq psychanalyses (*Paris, P.U.F., 1967*).

Etudes sur l'hystérie, en collaboration avec J. Breuer, (*Paris, P.U.F., 1967*).

La Technique psychanalytique (Paris, P.U.F., 1967).

Le Président Thomas Woodrow Wilson, *en collaboration avec W.C. Bullit* (*Paris, A. Michel, 1967*).

L'Interprétation des rêves (*Paris, P.U.F., 1967*).

Moïse et le monothéisme (*Paris, Gallimard, 1967*).

Psychopathologie de la vie quotidienne (*Paris, Payot, 1967*).

Inhibition, symptôme et angoisse (*Paris, P.U.F., 1968*).

Ma vie et la psychanalyse, *suivi de* Psychanalyse et médecine (*Paris, Gallimard, 1968*).

Métapsychologie (*Paris, Gallimard, 1968*).

Essais de psychanalyse. (Le Moi et le Ça, *suivi de* Psychologie collective et analyse du moi) (*Paris, Payot, 1969*).

Le Mot d'esprit dans ses rapports avec l'inconscient (*Paris, Gallimard, 1969*).

Naissance de la psychanalyse (*Paris, P.U.F., 1969*).

Le Rêve et son interprétation (*Paris, Gallimard, 1969*).

Cinq leçons sur la psychanalyse (*Paris, Payot, 1971*).

Délire et rêve dans la « Gravida » de Jensens (*Paris, Gallimard, 1971*).

Introduction à la psychanalyse (*Paris, Payot, 1971*).

L'Avenir d'une illusion (*Paris, P.U.F., 1971*).

Malaise dans la civilisation (*Paris, P.U.F., 1971*).

Nouvelles conférences sur la psychanalyse (*Paris, Gallimard, 1971*).

Ouvrages de référence :
Bayen (J.-F.) : Freud (*Paris, Editions Universitaires, collection « Classiques du XXe siècle », 1964*).

Brown (J.A.C.) : Freud and the Post Freudians (*London, Penguin Books, 1965*).

Clancier (P.) : Freud (*Paris, Editions Universitaires, collection « Psychothèque », 1972*).

Clark (D.S.) : Ce que Freud a vraiment dit (*Paris, Stock, 1965*).

Hesnard (A.) : l'Œuvre de Freud et son importance pour le monde moderne (*Paris, Payot, 1960*).

Jones (E.) : Sigmund Freud, vie et œuvre (*Paris, P.U.F., 1961, 3 vol.*).

Lauzun (G.) : Sigmund Freud (*Paris, Seghers, 1962*).

Mannoni (O.) : Freud (*Paris, Le Seuil, 1968*).

Reich parle de Freud (*Paris, Payot, 1972*).

Robert (M.) : la Révolution psychanalytique (*Paris, Payot, 1964*).

Wollheim (R.) : Freud (*Paris, Seghers, 1971*).

ALFRED ADLER

Keystone

Biographie

7 février 1870
Naissance, à Penzig, faubourg de Vienne, d'Alfred Adler, second des six enfants d'un commerçant.
Enfant délicat et rachitique, il contracte une pneumonie et décide, très jeune, de devenir médecin pour « lutter contre la mort ».

1895
Il est promu docteur en médecine de la faculté de Vienne ; il travaille à l'hôpital et à la policlinique de cette ville.

1898
Il se spécialise en ophtalmologie, puis dans les maladies internes et commence à pratiquer en clientèle privée.

1899
Grâce à l'enseignement de Krafft-Ebing, il s'oriente vers la neurologie et, par ailleurs, s'intéresse de plus en plus aux sciences sociales.
Mariage avec Raïssa Epstein. Vers cette époque, il rencontre Freud qu'il défend publiquement.

1902
Adler fréquente le cercle freudien, mais des divergences apparaissent vite.

1907
Studie über Minderwertigkeit von Organen (*Etude de la compensation psychique de l'état d'infériorité des organes*), critiquée par Freud. Cet ouvrage constitue le fondement biologique et physiologique de la nouvelle « connaissance scientifique de l'homme » élaborée par Adler.

1908
Au Congrès de psychanalyse de Salzbourg, les divergences deviennent manifestes.

1911
Rupture avec Freud lors du Congrès de Nuremberg, après la *Critique de la théorie sexuelle freudienne de la vie psychique*. Adler, avec sept autres disciples, fonde la « Société pour la psychanalyse libre ».

1912
Le groupement est rebaptisé « Société de psychologie individuelle ».
Parution de *Ueber den nervösen Charakter* (*le Tempérament nerveux*).
Adler est chargé de cours à l'Institut pédagogique de Vienne et crée les premières consultations psychopédagogiques.

1914
Il fonde la *Revue internationale de psychologie individuelle*. L'université de Vienne étant un bastion freudien, Adler doit enseigner comme professeur libre à domicile, à l'université populaire de Vienne, et comme invité de sociétés scientifiques et d'universités d'Europe et d'Amérique.

1918
Praxis und Theorie der Individualpsychologie (*Pratique et théorie de la psychologie individuelle*).

1921
Menschenkenntnis (*Connaissance de l'homme*).

1924
Il est agréé à l'Institut de pédagogie de Vienne.

1926
Il expose ses théories à la Sorbonne.

1927
Adler est chargé de cours de psychologie médicale.

1930
The Pattern of Life (*le Sens de la vie*).

1931
Adler est nommé professeur au Long Island Medical College.

1933
En collaboration avec E. Jahn, *Religion und individual Psychologie. Eine Auseinandersetzung* (*Religion et psychologie individuelle comparée*).

1935
Adler s'installe définitivement à New York.

1937
Au cours d'un voyage en France, il expose ses théories au Cercle Laënnec dirigé par le R.P. Riquet.

28 mai 1937
Il meurt d'une crise cardiaque à Aberdeen où il était venu faire une conférence.

1938
Edition posthume de *l'Intérêt social : un défi à l'humanité*, paru en anglais.

Alfred Adler : en quête de l'animal social

On a commémoré en 1970 dans les différentes universités et sociétés de psychologie, le centenaire de la naissance d'Alfred Adler, un des pionniers de la psychologie des profondeurs. Né le 7 février 1870, dans un faubourg de Vienne, fils d'un commerçant, il est le second d'une famille de six enfants. S'il est vrai, comme l'enseigne Adler, que les impressions de la petite enfance d'un être sont déterminantes pour la formation de sa personnalité, celles que nous connaissons à son sujet semblent décisives. Très tôt, le jeune Adler se trouve confronté avec le fardeau de la maladie et l'horreur de la mort. C'est en effet un enfant chétif, atteint de rachitisme et de crises de spasmes de la glotte. A l'âge de quatre ans, il contracte une pneumonie et entend le médecin déclarer à son père — nous sommes à une époque qui ne connaissait ni les sulfamides ni les antibiotiques — qu'il fallait abandonner tout espoir de le sauver. Une année auparavant, une nuit, il avait vu mourir son frère à ses côtés. Tous ces événements le marquent profondément et suscitent son intérêt pour la médecine. Le choix ultérieur de la profession médicale est déterminé en partie par ces réminiscences.

Habitant la banlieue de Vienne, où s'étendaient alors de larges espaces verts, Adler avait l'occasion de participer aux jeux des enfants et de développer ainsi dans le groupe son sentiment de la camaraderie, son esprit communautaire et son courage social. Un épisode de sa vie scolaire n'est pas moins significatif. Mauvais en calcul au cours de ses études primaires, il doit redoubler une classe ; le maître conseille même au père de retirer l'enfant de l'école et de lui faire apprendre un métier manuel. Aiguillonné par cet échec, l'enfant travaille intensément cette matière et, au bout de quelques temps, devient le meilleur élève de sa classe en mathématiques. Cette constatation fait naître dans son esprit l'idée qu'on peut surmonter les difficultés et que les déficiences intellectuelles sont loin d'être rigidement déterminées et irrémédiablement établies. C'était remettre en question la notion du « don ».

Adler introduit la notion de l'être social

En 1895 Adler est promu docteur en médecine de la faculté de Vienne. Ses premiers travaux témoignent de son intérêt pour les questions sociales. En 1898, il publie une brochure : « Règles d'hygiène pour la profession de tailleur », dans laquelle il étudie l'individu non pas comme sujet isolé, mais en tant que produit social. Deux études, publiées au tournant du siècle : « l'Apparition de forces sociales en médecine » et « le Médecin en tant qu'éducateur », suivent cette orientation.

C'est l'époque où Adler commence à fréquenter le cercle freudien, dont il devient, au bout de quelques années, un collaborateur important. Mais Adler ne pouvait suivre Freud sur la voie du pansexualisme et,

dès la publication de son ouvrage « la Compensation psychique de l'état d'infériorité des organes », il s'éloigne de son aîné. En 1908, au congrès de psychanalyse de Salzbourg, les différences de principe entre Freud et Adler devinrent manifestes. En 1911, au Congrès de Nuremberg, la séparation s'imposa. Le thème exposé par Adler : « Critique de la théorie sexuelle freudienne de la vie psychique » ne permettait pas une plus longue collaboration des deux chercheurs. Adler crée alors sa propre école de psychologie individuelle et comparée, avec sa société et son périodique.

Le terme de psychologie individuelle et comparée, choisi par Adler, exprime une double intention : d'une part, souligner le caractère indivisible de la personnalité humaine dans ses aspects conscient et inconscient, psychique et physiologique (« individuum » : indivisible), formant un tout, compréhensible et saisissable uniquement dans sa totalité ; d'autre part, rapporter à une norme sociale la personnalité avec ses problèmes et ses difficultés, la comparer à une référence idéale, procédé qui permet une meilleure compréhension du sujet.

Cette même année 1912, Adler est chargé de cours à l'Institut pédagogique de Vienne et il crée les premières consultations psychopédagogiques qui connaissent très vite une large audience auprès des médecins, enseignants, psychologues et parents d'enfants « difficiles ».

Au cours de sa propre carrière médicale, Adler a vu se confirmer l'amère vérité de ce dicton : « Nul n'est prophète dans son pays ». En effet, la faculté de Vienne restait indifférente à ses idées. Sans se décourager, il continua toutefois l'enseignement de sa doctrine dans sa société, dans des cercles privés et dans les centres psychopédagogiques dont le nombre augmentait rapidement (trente pour la seule ville de Vienne). Son enseignement ne resta pourtant pas ignoré et suscita un intérêt grandissant aux Etats-Unis. Dès 1927, Adler est chargé d'un cours de psychologie médicale à la Columbia University de New York, puis nommé professeur au Long Island Medical College. En 1935, il s'installe définitivement dans cette ville. Il garde toutefois le contact avec les sociétés nationales qui se créent dans différents pays européens et revient fréquemment en Europe. Au cours d'une série de conférences l'ayant mené en Ecosse, il meurt brusquement dans une rue d'Aberdeen, le 28 mai 1937, terrassé par une crise cardiaque.

Les quatre recherches d'Adler

L'œuvre d'Adler peut être schématiquement étudiée sous quatre aspects : la théorie de la personnalité, la conception des névroses et de la santé mentale, la psychothérapie, l'enseignement et la pratique de la psychopédagogie.

A la base de la théorie de la personnalité se trouve son « Etude sur la compensation psychique de l'état d'infériorité des organes », parue en 1907. Elle systématise d'abord quelques notions courantes et bien connues par la médecine et la biologie de son temps.

Les différents organes et appareils du corps humain sont d'inégale valeur. Exposé aux attaques du monde extérieur, l'organisme réagit en fonction du seuil de tolérance, de la résistance de ses différents organes. Lorsque le seuil est dépassé, apparaissent des symptômes morbides. Trois sujets exposés à un froid intense peuvent présenter respectivement, suivant l'état d'infériorité de leurs organes, le premier une congestion pulmonaire (faiblesse de l'appareil respiratoire), le second une entérite (moindre résistance des intestins), le troisième une otite (vulnérabilité de l'appareil auditif). Une attaque microbienne se porte principalement sur l'organe en état d'infériorité et elle épargne les autres. L'infériorité organique prépare le terrain pour l'éclosion de la maladie.

L'état d'infériorité provient soit d'une tendance familiale, héréditaire, soit d'une déficience individuelle. Dans le premier cas, toute une série de membres de la famille souffrent de troubles localisés sur un seul et même organe. L'enquête médicale révèle alors, par exemple, un cancer du rein chez le grand-père, une lithiase◆ rénale chez le père, une atteinte tuberculeuse chez son frère et une énurésie◆ chez le fils.

Il n'est pas rare de trouver chez un même sujet l'atteinte d'un même appareil avec manifestations morbides successives ou simultanées. En ce qui concerne, par exemple, l'appareil digestif, on peut constater une appendicite, un ulcère de l'estomac, une colite spasmodique. Au-delà de l'organe et de l'appareil, l'infériorité peut atteindre tout un hémicorps ou un segment metamérique◆. Elle peut, par ailleurs, toucher plusieurs organes ou appareils à la fois.

◆ *lithiase:* formation de calculs dans les canaux excréteurs des glandes.

◆ *énurésie:* émission involontaire d'urine.

◆ *métamère:* segment résultant de la divisio[n] primitive de la corde dorsale et des tissus environnants de l'embryon.

Adler démontre le rôle du psychisme dans la compensation

Avant Adler, on savait que les organes faibles cherchent à compenser leurs déficiences. Ainsi, en cas d'insuffisance valvulaire, l'hypertrophie du cœur est constante. Après ablation chirurgicale d'un rein, son homologue assume le travail des deux organes. En cas de tuberculose pulmonaire, le collapsus◆ du poumon malade provoqué par le pneumothorax — tel qu'il se pratiquait avant l'utilisation des antibiotiques — obligeait le poumon sain à prendre en charge toute l'oxygénation de l'organisme.

Cette fonction vicariante◆ n'est qu'un des exemples de la loi de réparation que nous trouvons dans la nature. Là où existe une déficience, un processus de compensation tend à rétablir l'équilibre. La loi du

◆ *collapsus:* diminuti[on] de l'apport sanguin

◆ *vicariant:* se dit de l'organe qui supplé[e] à l'insuffisance d'un autre organe.

processus de compensation est valable pour le monde organique tout entier. Tout ce qui se trouve en état d'infériorité tend vers la supériorité et s'efforce de réagir avec une vigueur particulière aux sollicitations et aux stimuli qui l'assaillent. Si, dans certains cas, cette compensation se fait au niveau de l'organe ou grâce à l'interaction d'autres organes — jeu des glandes endocrines notamment —, Adler souligne le fait que la fonction déficiente d'un organe peut être rééquilibrée grâce à sa superstructure psychique. L'insuffisance de l'organe fait alors converger tout le psychisme dans le sens de la déficience, lui impose un axe d'intérêt, une dominante.

On peut affirmer que les organes, dans leur état d'infériorité, aspirent non seulement à un équilibre, atteint grâce à la compensation, mais mieux encore à une augmentation notable de leur rendement, à la surcompensation. Ce processus peut échouer ou réussir et, dans les cas privilégiés, mener à des résultats brillants. La plus-value compensatrice peut être parfaite et les relations accrues, psychiques et physiques, ainsi que leurs associations, façonnent tout le psychisme et lui donnent son aspect particulier.

L'exemple de Démosthène, bègue, qui, grâce à un entraînement persévérant, arriva à surmonter sa déficience d'élocution et devint le meilleur orateur de la Grèce antique, est bien connu. Non moins connus sont les cas des compositeurs Beethoven et Smetana, atteints d'hypoacousie◆, sans oublier Mozart dont une oreille présentait des signes de dégénérescence. Les peintres Meissonier (myope), Carrière (daltonien), Greco (astigmate) fournissent d'autres exemples.

◆ ***hypoacousie:*** **diminution de l'acuité auditive.**

La médecine et la psychopathologie s'étaient surtout intéressées aux processus de dégénérescence et de transmission héréditaire des maladies. Adler attire l'attention sur un autre mécanisme non moins présent dans la vie biologique et psychique, celui de la compensation réparatrice.

Le sentiment d'infériorité domine la vie psychique

Une fois admise l'existence de l'infériorité organique et de son corollaire psychique, le sentiment d'infériorité, Adler se met à approfondir et à élargir sa signification. Car il se rend compte très vite que ce sentiment ne se trouve pas seulement en liaison avec un état d'infériorité organique, mais que l'on rencontre également en cas d'infériorité sociale, réelle ou alléguée. L'analyse du contexte familial et social représente une nouvelle étape de la recherche adlérienne. C'est ainsi que la place occupée par l'enfant dans la lignée des frères et sœurs influence considérablement sa structure caractérielle.

Une étude de la caractérologie individuelle doit tenir compte du substratum organique, de la situation familiale et du contexte social dans lequel évolue l'individu. L'appartenance à des minorités raciales, religieuses, ethniques, les conditions économiques, en particulier une très grande indigence, favorisent l'accentuation de ce sentiment d'infériorité, voire de ce complexe d'infériorité qu'Adler considère comme le complexe central de toute névrose.

Le sentiment d'infériorité, quelle que soit son origine, est un phénomène psychologique naturel. « Etre homme, c'est se sentir inférieur », dit Adler. Mais si ce sentiment envahit tout le psychisme, s'il s'y installe de façon permanente, rendant toute entreprise impossible, tout projet irréalisable, convaincant son porteur de l'inutilité de tout essai de réussite et le condamnant à de perpétuels échecs, nous avons affaire à un complexe d'infériorité. Il se trouve à la base de toute névrose. Il est le fondement de tout un édifice d'indécisions, d'hésitations, de doutes, de craintes et d'épouvantes. Il est certain que les mêmes événements, les mêmes traumatismes, les mêmes situations et problèmes de la vie — dans la mesure où il peut exister une similitude entre eux — se répercutent différemment dans le psychisme de l'individu, tantôt de façon éphémère, tantôt en se fixant pour une durée plus ou moins longue.

Le sentiment et le complexe d'infériorité sont compensés dans certains cas par un complexe de supériorité qui se dessine nettement dans l'attitude, les traits de caractère et l'opinion de l'individu persuadé de sa propre valeur et de ses capacités supérieures à la moyenne de ses semblables. Il peut se révéler par des exigences exagérées envers soi-même et envers les autres, par la vanité, la coquetterie en ce qui concerne l'apparence extérieure, une manière d'être trop masculine chez la femme ou trop féminine chez l'homme, l'arrogance et l'exubérance, le snobisme, la fanfaronnade, une conduite tyrannique envers son entourage. La tendance à la dépréciation des autres est également une caractéristique de ce complexe. On constate souvent dans pareil cas un culte exagéré des héros, un besoin de se lier à des personnalités importantes, de commander les faibles, des malades, des personnes subalternes. Parfois, s'y ajoute l'abus d'idées insolites, précieuses, pédantes, l'adhésion à des courants d'idées servant à la dévalorisation d'autrui.

Le rôle de la famille dans la formation du caractère

La constellation familiale, l'attitude des parents envers l'enfant interviennent — on le sait mieux depuis Adler — dans la formation de son caractère. L'enfant gâté grandit comme dans l'atmosphère chaude d'une

serre. Il n'a pas de difficultés à affronter, car les parents les éloignent soigneusement de sa route. Il est, de ce fait, mal préparé pour une vie d'adulte qui rencontrera forcément des obstacles sur son chemin. Dans le royaume fictif de son cercle familial, il n'apprend pas à établir de bons rapports avec les autres.
L'enfant détesté, non désiré, ressent très tôt la vie comme hostile. Dès les premières années de son existence, il subit les critiques permanentes de son entourage, de ses parents, si ce ne sont les coups, les attaques de ceux qui le rendent responsable de sa venue au monde. L'enfant délaissé, abandonné à lui-même, ne saura s'exercer dans un dialogue affectif, et, plus tard, rationnel et verbal indispensable pour le développement et l'épanouissement de sa personnalité. L'absence effective ou par carence d'un de ses parents, l'ambiance familiale marquent de leur empreinte sa structure psychique.
La place occupée par l'enfant dans la famille influence aussi grandement les caractéristiques de son individualité et lui imprime des traits précis. L'aîné, enfant unique pendant un certain temps, se trouve par la suite lésé, détrôné par la naissance de son cadet. Il en résulte, chez l'aîné, une certaine inquiétude nerveuse et, souvent, des essais pour attirer, par tous les moyens, l'attention des parents. Plus tard, ces sujets vivent dans la crainte perpétuelle de perdre leur situation. Conscient de ses responsabilités, l'aîné s'installe dans une position privilégiée, s'efforçant de rester un personnage important de la famille. Habitué à être écouté par les autres membres de son entourage immédiat, il supporte mal qu'il n'en soit pas de même dans la vie. Là où il se heurte à des contradictions, il abandonne vite la partie, change donc souvent de situation, arrête ce qu'il entreprend et impute la responsabilité de son attitude à son entourage. Toutefois, l'aîné poursuit souvent une activité constructive et efficace. Investi de la pleine confiance de son entourage, se sachant parfois destiné à remplacer un jour le père comme le maître du foyer (à la ferme, par exemple) il développe une tournure d'esprit qu'on peut résumer par l'idée « Tu es le plus grand, le plus fort, le plus âgé de la famille, il te faut donc être plus avisé que les autres. » Il a tendance à se considérer comme le gardien de l'ordre établi.

Le cadet entre en compétition avec l'aîné

Le cadet, au contraire, vit comme sous pression. Il se sent fortement aiguillonné par la présence de l'aîné qui le devance et il veut se faire valoir. En perpétuelle compétition avec lui, il désire l'égaler. Dans l'éternelle crainte d'être oublié ou mis à l'arrière-plan, il veille jalousement sur ses droits et prérogatives et il appréhende d'être sous-estimé.

Son besoin de se mesurer avec l'aîné est sans limites. Dans sa vie professionnelle, une ambition trop tendue gêne parfois son intégration dans le groupe. S'il apprend à s'adapter et s'il utilise son ambition dans le sens social, il peut poursuivre une belle carrière. Dans des cas moins heureux, le cadet renonce plus ou moins vite à cette compétition et manifeste la relative indifférence des désillusionnés. Dans les cas graves apparaît la névrose.
Le benjamin réalise très vite que ses frères et sœurs plus âgés le dépassent de loin. Même s'il se développe à un rythme satisfaisant, il est toujours en retard par rapport à eux. Il bénéficie d'un traitement spécial de la part des parents et des autres membres de la famille. Il est le plus petit, le plus faible, celui à qui l'on reconnaît peu de capacités, à qui on ne doit laisser aucune initiative. Son besoin de s'affirmer et son aspiration à la valorisation se trouvent de ce fait considérablement renforcés. Les contes, légendes, et histoires bibliques l'ont décrit comme animé d'un extraordinaire dynamisme ; il fonce dans la vie comme le Petit Poucet avec ses bottes de sept lieues. Mais il trouve en même temps les moyens pour éviter d'être comparé aux autres sujets de la fratrie. Si les plus âgés suivent une carrière scientifique, le benjamin se dirige vers une activité artistique ou inversement. Il n'hésite pas à s'attaquer à des problèmes très difficiles. Parfois, l'évolution du benjamin est moins heureuse. En face d'un échec ou d'une suite de déceptions, il se décourage, son élan se ralentit, il devient poltron, plaintif, hésitant, trouve des échappatoires pour esquiver ses tâches, cherche à satisfaire son ambition sur un terrain autre que celui de l'activité sociale et dévie vers le côté inutile, négatif de la vie. Le travail utile l'excède. Bien souvent, le benjamin se comporte comme un être humilié et porte en lui un pesant sentiment d'infériorité. Dernier de la famille, il est excessivement gâté. Ce n'est pas volontiers que la mère lui accorde cette autonomie indispensable à l'épanouissement de la personnalité humaine. Le benjamin grandit dans ces conditions comme un être dispensé de responsabilités, et on retrouve ce trait même à un âge avancé, comme s'il se croyait encore sous la tutelle maternelle.

L'enfant unique ressemble à l'aîné, se croit dans une position privilégiée, certain que le monde entier doit s'occuper de lui. Devenu adulte, il a du mal à considérer les autres comme ses égaux, attitude qui crée souvent des conflits dans sa vie conjugale. Le mariage est un problème à deux et l'enfant unique est mal préparé pour une pareille situation. Objet de la sollicitude attentive de son milieu familial, il éprouve très vite le sentiment de sa valeur particulière. Les parents l'ayant choyé, lui ayant aplani sa voie, il redoute les difficultés qui l'attendent ; il

grandit dans l'angoisse de l'avenir, n'ayant pas développé sa spontanéité et son esprit d'initiative.

La société met la femme en état d'infériorité

Très diverses sont les combinaisons possibles résultant de la présence simultanée de plusieurs frères et sœurs dans un foyer, qu'il n'y ait que des frères, que des sœurs ou que les deux sexes soient représentés. Une fille unique parmi plusieurs garçons a du mal à s'affirmer. Elle se conduit souvent comme les garçons, rivalise avec eux dans leurs jeux. Plus tard, devenant consciente de son rôle sexuel, elle accentue sa féminité en insistant sur les égards qui lui sont dus.

La théorie adlérienne en contradiction avec celle de Freud

Vivre, c'est se mouvoir, et tout mouvement exige une direction. Le dynamisme psychique se définit lui aussi par une direction, un sens menant le sujet d'une situation d'infériorité vers une situation de supériorité. Cette démarche dialectique de la fonction psychique est sans fin car la situation de supériorité une fois atteinte représente un nouveau départ. Contrairement à la conception causale et déterministe qui règne dans les sciences de la nature, l'école adlérienne s'interroge, en face d'une manifestation psychique normale ou pathologique, sur le but, le sens de son apparition, en un mot sa finalité. « S'il est vrai, » dit Adler, qu'au point de vue organique l'individu représente un » ensemble unifié dont toutes les parties coopèrent en vue d'un but » commun, et s'il est également vrai que les diverses aptitudes et » les divers penchants de l'organisme se réunissent pour produire » une personnalité unifiée, rationnellement orientée, nous pouvons voir » le lien de convergence du passé, du présent et de l'avenir, régis par » une idée directrice◆. » Nous arrivons ainsi à la conviction que chaque trait de la vie psychique est pénétré d'un dynamisme finaliste.

◆ A. Adler: *le Tempérament nerveux* (Paris, Payot, 1970).

La psychologie individuelle et comparée voit dans chaque fait psychique l'empreinte, la traduction d'une structure spécifique de la personnalité présentant une orientation précise, apparaissant avec une netteté particulière dans la névrose et certaines psychoses. La doctrine adlérienne souligne le caractère final de la fonction psychique. Comme d'ailleurs la vie elle-même, le psychisme est dirigé vers un but et ne peut être compris qu'à partir de ce but. L'âme n'est pas une donnée métaphysique tombée des sphères célestes pour animer une forme humaine, elle est un aspect de la donnée vitale, une fonction d'attaque et de défense, de sécurité et d'adaptation. L'organisme humain qui se meut

dans le milieu matériel et social, exposé à des dangers et des situations imprévisibles, a besoin de cette fonction lui permettant de s'orienter, de s'adapter, voire d'aspirer à une supériorité.
L'unité de la personnalité a été soulignée par Adler, dès le début de ses recherches. L'ensemble détermine la caractéristique de ses éléments, le tout prime sur ses composants. L'examen des différentes manifestations psychiques — souvenirs, rêves, projets d'avenir — traduit le reflet de la structure de l'ensemble.

Le pouvoir créateur de chaque individu détermine son style de vie

Dès les premières années de la vie, utilisant son équipement constitutionnel, et sous l'influence des impressions lui venant du monde extérieur — milieu culturel, familial, éducatif —, la force créatrice de l'enfant élabore un schéma actionnel et réactionnel qui détermine sa façon de se comporter. Ce style de vie est spécifique pour chaque personnalité. La notion classique de caractère définit certes bien les particularités d'une conduite humaine. Mais elle ne saurait s'imaginer dans le vide, et elle ne peut se concevoir que dans le milieu social ; c'est le rapport d'un individu avec ses semblables. Or ce terme de caractère est lié à une notion de transmission héréditaire et donc de fatalité. Ce style de vie, en revanche, admet l'intervention de la force créatrice du sujet, manifeste dès sa première enfance, à un moment où la pensée logique n'existe pas. Elle admet d'autre part une finalité, construction d'un but fictif, placé dans l'abstrait, qui confère à la personnalité sa structure spécifique singulière, originale et unique. Une fois la structure élaborée, elle échappe plus ou moins à la conscience du sujet. Inconsciente ou incomprise, elle règle le comportement de l'individu, en grande partie à son insu. Tout le devenir de la personnalité humaine se fait en fonction de cette « programmation » dont le sujet est, dès sa première enfance, l'auteur et l'artisan. Vie consciente et inconsciente, pensées, états affectifs, projets d'avenir, mémoire, rêves et souvenirs se trouvent sous l'emprise de ce but et s'agencent en fonction d'un projet. Le style de vie se présente alors comme une organisation d'ensemble de la personnalité qui donne aux différentes manifestations des fonctions psychiques, y compris les signes psychopathologiques, leur sens et leur raison d'être. Acquis par le jeu de l'essai et de l'erreur, le style de vie, une fois structuré, élaboré, impose sa spécificité à la personnalité humaine pendant toute son existence, même là où il s'avère par la suite préjudiciable, façonnant ainsi en quelque sorte son destin. Seule, une prise de conscience de ce « montage », grâce à une psychothérapie, une action psychopéda-

gogique ou par des entretiens explicatifs, saurait le changer. « N'oublions » pas le fait essentiel, dit Adler : ni l'hérédité ni le milieu ne sont » déterminants pour la formation de la personnalité, ils fournissent » seulement le cadre et le matériau que le pouvoir créateur de l'individu » utilise dans l'élaboration de son style de vie◆. » Il est clair que cette façon d'envisager le psychisme ouvre de vastes possibilités thérapeutiques et pédagogiques.

◆ Notes d'A. Adler, inédites en français.

L'inconscient n'entrave pas la personnalité : il la sert

Dans cette optique, la conception d'une antithèse conscient-inconscient et, par conséquent, celle d'un conflit intrapersonnel, perdent de leur importance. Pour Adler, l'inconscient sert de projet du style de vie aussi fidèlement que le conscient. Ce ne sont pas deux moitiés antagonistes d'une même personnalité ; d'où sa conception unitaire de la personnalité. Les fonctions organiques sont aussi bien subordonnées au style de vie que les fonctions psychiques, car les deux sont à l'origine responsables de sa structuration. Certains tableaux de la physiopathologie traduisent également les desseins du style de vie grâce à un langage spécifique — Adler l'appelle le jargon des organes — dont le déchiffrage nous informe des intentions de la totalité individuelle.
Les rêves et les premiers souvenirs d'enfance sont étudiés par Adler dans une perspective semblable. Le contenu manifeste des rêves est l'expression métaphorique d'un contenu latent par lequel le sujet s'explique avec un problème présent ou futur. Adler renonce, dans l'interprétation du rêve, à un symbole rigide et préétabli. Les données du rêve sont rapportées d'une part à la personnalité, au style de vie et à sa finalité, d'autre part aux problèmes de la situation présente, le facteur exogène. Dans ce sens, le rêve a une fonction prospective : inciter le sujet à résoudre son problème (professionnel, amoureux, social) en concordance avec son style de vie et bien souvent en opposition avec la logique de la vie communautaire.

Il y a des rêves types qui reviennent souvent et dont Adler a fourni les interprétations. Les rêves angoissants reflètent la peur d'une défaite, la sensation de doute traduit la crainte de perdre le sentiment de sa valeur. Rêver qu'on plane dans l'air traduit chez des sujets ambitieux leurs efforts pour atteindre un niveau supérieur. Manquer le train dessine un trait caractériel défini par une attitude hésitante ; elle marque l'intention de se soustraire à une défaite menaçante en arrivant en retard ou en laissant échapper une occasion. Le rêve d'être mal habillé ou nu et le sentiment de frayeur qui l'accompagne révèlent la peur de voir ses défauts démasqués. Les états affectifs de la vengeance ou de la colère peuvent, dans le rêve, se manifester par des actes de cruauté.

La psychologie adlérienne insiste sur les relations avec autrui

Le sentiment social joue dans la conception adlérienne un rôle capital. Semblable aux différentes fonctions psychiques qui ne peuvent être considérées en dehors du contexte de la personnalité individuelle, l'être humain doit être observé dans ses rapports sociaux. Une grande partie de ce que nous sommes, avant tout le langage, est un produit social. Ainsi, la psychologie adlérienne devient-elle une psychologie de la relation interpersonnelle. Due au sentiment social, elle débute par la relation avec la mère, ensuite le père et d'autres membres du cercle familial pour s'élargir au moment de la fréquentation scolaire grâce à la camaraderie et aux relations amicales avec d'autres enfants. La vie professionnelle et amoureuse nous fournit d'autres occasions pour un développement normal de ce sentiment. Dans d'autres circonstances, il ne se développe pas — enfants gâtés, détestés, ayant grandi dans des conditions sociales difficiles, souffrant d'infériorités organiques et donc repliés sur eux-mêmes — et une existence dans la rêverie, ou au contraire le désir de domination des autres, le besoin de les utiliser s'installent à sa place. La volonté de puissance empêche dans ces conditions un épanouissement du sentiment social et un développement harmonieux de la personnalité. La vie communautaire impose à l'être humain certaines « règles de jeu », règles que les hommes se sont données. La nature humaine dispose de cette faculté de participer à l'effort social commun. Le sentiment social existe en puissance dans chaque être humain, et il demande à être cultivé et amplifié par l'éducation.

Afin de mieux nous retrouver dans le dédale d'une existence humaine, il est utile de l'envisager sous un triple point de vue : 1. profession ; 2. amitié et attitude envers nos semblables ; 3. vie amoureuse où se reflètent les lignes directrices de la personnalité guidée tantôt par le sens social, tantôt par les visées égocentriques du désir de domination.

Le choix de la profession se fait parfois très tôt chez l'enfant ou l'adolescent. L'identification avec le père ou tout autre membre de la famille joue souvent un rôle important. Le complexe d'infériorité, les difficultés de la relation avec autrui, l'impossibilité de supporter l'autorité d'un chef d'équipe ou tout autre supérieur compliquent parfois le problème professionnel. Ainsi, les accidents du travail, accidents à répétition, ne se produisent pas sous l'effet du hasard, mais demandent une analyse pathologique en profondeur. Elle révèle en général que le sujet est mécontent de la profession qui lui a été imposée par des parents ou les circonstances, d'autres fois une ambition excessive qui incite le sujet

à travailler plus vite que les autres, au mépris des règles de sécurité. C'est dans l'amitié que la relation interpersonnelle trouve sa plus noble expression. La relation familiale est imposée, la relation professionnelle inévitable. Dans le choix et dans la pratique de l'amitié se réalise au mieux et de la façon la plus authentique cet échange interpersonnel auquel Adler attachait une grande importance.
La vie sexuelle n'échappe pas à la suprématie du style de vie et à sa finalité. C'est un problème uniquement soluble dans la dualité. La sexualité n'est pas le moteur essentiel de notre vie psychique. Au cours d'une conférence, ayant remis la sexualité à la place qui lui revient, Adler se vit interpellé par une dame âgée : « Aimez-vous beaucoup, Dr Adler, » l'activité sexuelle ? » « Dans ma psychologie, répondit Adler, cette » fonction joue le même rôle que les autres. » Et il ajouta : « Je dois » admettre, toutefois, que ce n'est pas ma fonction favorite. »

La névrose : une tentative pour se soustraire aux contraintes sociales

La référence sociale de l'enseignement adlérien ouvre la voie à une conception précise des névroses et à une définition de la santé mentale. Chaque névrose peut être considérée comme une tentative pour se libérer d'un sentiment d'infériorité et acquérir un sentiment de supériorité. L'évolution de la névrose ne mène pas sur la voie d'une activité sociale, ne vise pas la solution des problèmes vitaux, mais aboutit à l'isolement du malade dans le cercle restreint de la famille.
Le vaste domaine de la société humaine se trouve ainsi délaissé grâce à l'arrangement d'une hypersensibilité et de l'intolérance envers ses semblables. Il ne persiste qu'un cercle vital tout à fait réduit où le malade exerce ses stratagèmes de domination dans leurs différentes modalités. De cette façon se réalise pour lui la sécurité de la retraite en face des exigences de la société.
Détourné de la réalité, le névrosé mène son existence dans l'imagination et la fantaisie, en se servant d'une série de ruses qui lui permettent d'éviter les problèmes réels de la vie et de diriger ses aspirations vers une situation imaginaire, le déchargeant parfois de tout rendement social et de toute responsabilité. Cette décharge et le privilège de la maladie, de la souffrance, remplacent le but essentiel, mais risqué, d'une affirmation réelle.
Il faut donc comprendre la névrose et le psychisme du névrosé comme une tentative pour se soustraire à toute contrainte que nous impose la société, grâce à une contre-contrainte. Cette dernière est élaborée de façon à pouvoir s'opposer efficacement à la particularité du milieu et de ses exigences.

La contre-contrainte a un caractère de révolte contre la société. Elle puise son matériel dans des expériences affectives appropriées ou à partir d'expériences vécues, mais aussi de banalités, aptes à détourner de ses problèmes fondamentaux le regard et l'attention du sujet. Suivant les besoins de la situation se réalisent des états d'angoisse ou obsessionnels, l'insomnie, des tendances syncopales, des états affectifs pathologiques, des complexes psychasthéniques et hypocondriaques et certains tableaux psychotiques avec leurs hallucinations, mettant le malade à l'abri des obligations de la vie sociale.
La logique, le sens esthétique, l'amour, les sentiments humanitaires, la coopération, le langage sont un produit de la vie humaine collective.

L'attitude du névrosé, dans sa recherche de sécurité, d'affirmation personnelle, souvent avide de puissance, se réfugiant dans l'isolement, se dirige automatiquement contre ces valeurs. Toute la volonté et toutes les tendances du névrosé sont soumises à la dictature de sa politique de prestige, toujours prête à avancer des prétextes afin de ne pas résoudre ses problèmes vitaux, se dirigeant automatiquement contre le développement du sentiment social.

Le suicide ou le recours à la drogue sont les conséquences d'un échec

L'idée du suicide apparaît dans les mêmes conditions que la névrose ou certaines psychoses ; problème présent exigeant une solution pressante, déception ou humiliation. L'acte suicidaire est l'expression d'un dialogue, dialogue par lequel le sujet veut blesser, heurter, accuser les autres, ceux de son entourage ou l'humanité tout entière, les punir de l'injustice qui lui a été faite. La très grande agressivité se dirige dans ce cas contre soi-même, mais n'oublie pas l'effet produit sur les autres. D'autre fois, ce geste traduit un appel au secours.
La structure du toxicomane est à peu près analogue, avec une agressivité moindre. Il s'agit souvent d'anciens enfants choyés, mal préparés pour la vie, ne sachant pas affronter leurs difficultés ni supporter les échecs et essayant de remplacer le paradis perdu de leur enfance par les paradis artificiels de la drogue. Phénomène de pathologie sociale, la toxicomanie ne peut se comprendre que par l'étude du cas individuel, dans ses aspects conscients et inconscients.
Cette analyse de la névrose permet une définition de la santé mentale. La névrose n'est pas une maladie mais une attitude dans la vie définissable par le terme d'« échec ». Elle est l'aboutissant d'une technique existentielle erronée. La santé mentale se révèle alors comme une attitude dans la vie qui se soumet aux exigences de la société — société

comme postulat idéal, bien entendu — respectant les règles de jeu de la vie sociale. Le degré d'utilité et d'intégration sociales d'une existence est le critère de sa santé mentale. A la base de son comportement, nous retrouvons le sentiment social, une spontanéité créatrice, de la loyauté envers les autres, de la responsabilité envers les problèmes sociaux.

La psychothérapie permet au sujet de réviser son échelle des valeurs

Le dialogue psychothérapique adlérien a pour but d'aider le sujet à prendre conscience de ses structures psychiques. Le « connais-toi toi-même » de Socrate garde ici toute sa valeur, élargie par la notion d'un inconscient qui sous-tend notre comportement. L'analyse de ce matériel inconscient, les rêves nocturnes et diurnes, les produits de l'imagination, les événements de la vie journalière affectivement chargée, sont interprétés en fonction du style de vie et de sa finalité. La découverte et l'analyse du sentiment et du complexe d'infériorité datant de l'enfance du sujet, ayant déterminé la structure spécifique de sa personnalité et sa confrontation avec la situation exogène actuelle, permettent la compréhension de ses difficultés. Il s'agit dans certains cas de ramener à des proportions plus réalistes le niveau souvent surtendu de ses aspirations. Il faut d'autre part redonner courage et confiance à des sujets qui, du fait d'échecs répétés, n'osent plus avancer dans la vie.

L'estimation des valeurs se place chez le névrosé généralement du côté inutile de la vie ; une révision de son échelle des valeurs s'impose alors. En faisant appel au bon sens, au sens commun, et en élargissant la conscience du sujet par l'apport de la référence sociale et l'amplification du sentiment social — tout cela en analysant le matériel conscient du sujet au cours des entretiens — il se réalise progressivement une trans-finalisation des buts du sujet.

Contrairement à certains procédés psychothérapiques frustrants ou autoritaires, Adler donnait à ses entretiens une tonalité aimable, sachant réduire au minimum la tension du névrosé et évitant de blesser sa susceptibilité toujours très vive. L'affabilité, la courtoisie d'Adler étaient bien connues. Des exemples empruntés à la littérature, à l'histoire, à la mythologie, des anecdotes se rapportant à la situation et à la structure psychologique du sujet facilitent le contact social thérapeute-malade et favorisent chez ce dernier la prise de conscience de certaines de ses particularités caractérielles.

La compréhension de la finalité spécifique permet une vue globale sur le psychisme d'un sujet, y compris ses manifestations psychopatholo-

giques. Voici comment Adler s'exprime à ce sujet dans un de ses ouvrages : « Par quelque côté qu'on aborde l'analyse des états morbides » psychogènes, on ne tarde pas à se trouver en présence du phénomène » suivant : tout le tableau de la névrose, tous ses symptômes appa- » raissent comme influencés par un but final...
» Essayons de comprendre le sens et la direction des phénomènes mor- » bides, sans tenir compte de ce but final, et nous nous trouverons aussi- » tôt en présence d'une multitude chaotique de tendances, d'impulsions, » de faiblesses et d'anomalies faites pour décourager les uns et pour » susciter chez les autres le désir téméraire de percer coûte que coûte » les ténèbres au risque d'en revenir les mains vides ou avec un butin » illusoire. Si, au contraire, on admet l'hypothèse du but final ou d'une » finalité causale, cachée derrière les phénomènes, on voit aussitôt les » ténèbres se dissiper et nous lisons dans l'âme du malade comme dans » un livre ouvert◆. »

◆ A. Adler: *le Tempérament nerveux* (Paris, Payot, 1970).

Adler est amené à se pencher sur la psychopédagogie enfantine

A la lumière de l'enseignement adlérien, les défauts d'enfants, leurs particularités caractérielles, apparemment incompréhensibles, dévoilent un sens caché et deviennent sensibles à une notion psychopédagogique. Toute analyse d'un cas de névrose chez l'adulte nous ramène aux premières années de son existence où se structure son style de vie . C'est là que se découvrent les racines de ses difficultés actuelles . Connaissant les circonstances qui engendrent le complexe d'infériorité, il est possible de détecter son apparition dès les premières années de la vie de l'enfant. Les parents ne sont pas toujours en état de le faire. Mais l'école qui, dans notre monde occidental, groupe tous les enfants, représente un excellent terrain d'observation. L'enseignant, formé dans ce sens, saura remarquer dans la population scolaire, chez l'enfant timide, coléreux, dominateur, agressif, opposant, les marques d'un complexe d'infériorité. Suivant la modalité, l'enfant sera « traité » sur place ou signalé aux parents et adressé au psychologue ou au psychothérapeute. L'amplification du sens social et l'encouragement par des entretiens explicatifs présentent, pour ces cas, dans l'optique adlérienne, la meilleure mesure de prophylaxie mentale. La pédagogie a trouvé dans la doctrine d'Adler une nouvelle impulsion et une nouvelle orientation.
Adler s'est exprimé en termes clairs et simples, s'efforçant d'être compris par tous. Il voyait dans l'enseignement de la connaissance de l'homme et du sens de la vie, au-delà de toute tentative thérapeutique, un moyen de rapprochement entre les êtres.

H.S.

Quiz

L'homme sait beaucoup plus qu'il ne comprend.

Connaissez-vous Alfred Adler ?

1
Alfred Adler est né le 7 février 1870 dans un faubourg de
☐ Vienne
☐ Berlin
☐ Munich

2
En 1937, au cours d'une tournée de conférences, il meurt d'une crise cardiaque dans les rues de
☐ Chicago
☐ Aberdeen
☐ Amsterdam

3
L'enfance d'Adler est profondément marquée par
☐ la faillite financière de son père
☐ sa faible constitution physique
☐ la mésentente des ses parents

4
Au cours de sa scolarité, il redouble une classe à cause de
☐ sa faiblesse en mathématiques
☐ sa santé chancelante
☐ sa paresse intellectuelle jointe à l'indiscipline

5
Sa vocation de médecin
☐ s'éveille précocement
☐ lui est imposée par son entourage
☐ s'affirme après de pénibles tâtonnements

6
Avant de devenir psychothérapeute, il s'était spécialisé en
☐ gynécologie
☐ neurologie
☐ ophtalmologie

7
Adler s'initie à la neurologie grâce à l'enseignement de
☐ Krafft-Ebing
☐ Havelock Ellis
☐ Steinbruch

8
La femme d'Adler, Raïssa Epstein, était d'origine
☐ polonaise
☐ tchécoslovaque
☐ russe

9
Les premiers ouvrages publiés par Adler ont trait à
☐ l'ophtalmologie
☐ la neuropsychiatrie
☐ la médecine sociale et la médecine du travail

10
De 1902 à 1911, Adler participe aux travaux du cercle freudien. Mais, dès 1907, il commence à exprimer ses divergences d'opinions dans un ouvrage intitulé
☐ « le Tempérament nerveux »
☐ « la Psychologie de l'enfant difficile »
☐ « la Compensation psychique de l'état d'infériorité des organes »

11
Entraînant avec lui sept autres disciples de Freud, Adler fonde en 1911 sa propre école à laquelle il donne le nom de
☐ Société pour la psychanalyse libre
☐ Société viennoise de psychologie individuelle
☐ Ecole viennoise de psychologie comparée

12
Le point théorique sur

lequel Adler s'oppose formellement à la psychanalyse freudienne et qui a été une des causes de sa rupture avec Freud est
☐ la théorie de la sexualité
☐ le transfert
☐ l'interprétation des rêves

13
Le point de départ de la psychologie individuelle est
☐ la volonté de puissance
☐ le style de vie
☐ l'état d'infériorité des organes

14
« Les névroses sont-elles héréditaires ? » A cette question Adler répond
☐ par la négative
☐ par l'affirmative
☐ qu'il étudie le problème

15
Quelles sont, d'après Adler, les trois sources du complexe d'infériorité ?
☐ l'infériorité des organes
☐ les gâteries de la part des parents
☐ la situation malencontreuse de l'enfant dans la constellation familiale

16
Adler classe les enfants difficiles en actifs et passifs. Pouvez-vous attribuer les caractéristiques énumérées ci-dessous aux deux catégories d'enfants ? (Mettez un A dans les cases correspondant, à votre avis, aux actifs, et un P dans les cases correspondant aux passifs)
☐ turbulence
☐ paresse
☐ autorité
☐ timidité
☐ mensonge
☐ vantardise
☐ cruauté
☐ anxiété
☐ impatience
☐ indolence

17
L'attitude psychique appelée par Adler « protestation virile » se rencontre
☐ exclusivement chez les femmes
☐ exclusivement chez les hommes
☐ indifféremment chez les uns et les autres

18
Selon la psychologie individuelle, la place de l'enfant dans la famille joue un rôle capital dans la formation de son caractère. Ainsi, devant la loi et l'autorité, l'enfant le plus respectueux sera :
☐ le benjamin
☐ le cadet
☐ l'aîné

19
D'après Adler, les trois problèmes fondamentaux auxquels tout homme doit obligatoirement faire face sont
☐ l'attitude envers autrui
☐ la réalisation de soi
☐ la profession
☐ l'amour et le mariage
☐ l'acceptation de la mort

20
La façon dont l'homme aborde et résout ces trois problèmes dépend exclusivement de
☐ son sentiment de supériorité
☐ son esprit social
☐ son style de vie

21
Pour Adler, toute névrose trouve son origine au niveau
☐ de l'œdipe
☐ d'un complexe d'infériorité
☐ d'une excessive frustration au cours de la petite enfance

22
Quelles sont, pour la psychologie individuelle, les trois principales voies d'accès à la vie mentale ?
☐ les premiers souvenirs
☐ les batteries de tests
☐ les fantasmes
☐ les rêves
☐ la place de l'individu dans le cadre familial
☐ les lapsus

23
La méthode psychothérapique développée par Adler porte le nom de
☐ conseil
☐ analyse
☐ thérapie individuelle

24
Lors d'un traitement adlérien, l'usage du divan est
☐ obligatoire
☐ formellement proscrit
☐ il dépend du libre choix du patient

25
Dans son ouvrage « le Problème de l'homosexualité », Adler défend la thèse selon laquelle l'homosexualité serait
☐ innée et héréditaire
☐ due à l'absence d'esprit social et à un style de vie erroné
☐ provoquée par la fixation d'un traumatisme sexuel précoce

26
Pour lui, le suicide représente
☐ un acte de vengeance contre la vie
☐ un ultime et désespéré chantage du sentiment
☐ la rupture de tout lien objectal

27
Au philosophe Nietzsche, Adler emprunte un concept qu'il intègre à sa propre doctrine ; il s'agit de
☐ l'éternel retour
☐ le surhomme
☐ la volonté de puissance

28
En 1927, Adler quitte Vienne pour s'installer à
☐ Londres
☐ New York
☐ Berlin

29
Qu'est-ce que le rêve pour Adler ?
☐ l'expression d'un désir inconscient
☐ une mise en condition psychique
☐ l'avertissement d'un dysfonctionnement organique

30
« Un homme rêve qu'il vole dans les airs. » Parmi les interprétations proposées, quelle est celle qui relève de la psychologie adlérienne ?
☐ le rêveur exprime son désir de satisfaction sexuelle
☐ le rêveur révèle son ambition, sa soif de réussite
☐ le rêveur est tourmenté par l'idée de la mort

31
Dans l'éducation de l'enfant, Adler attribue une importance prépondérante
☐ au père
☐ à la mère
☐ il leur reconnaît des rôles équivalents

32
Pour un jeune enfant, l'événement le plus susceptible de conséquences fâcheuses sur son développement psychique est
☐ un traumatisme d'ordre sexuel
☐ la naissance d'un cadet
☐ la disparition prématurée de l'un de ses parents

33
Quel est, de ces concepts freudiens, le seul qu Adler ait retenu
☐ pulsion de mort
☐ résistance
☐ transfert

34
Les premières applications pratiques de la psychologie individuelle s'exercèrent sur
☐ les écoliers
☐ les prisonniers de droit commun
☐ les aliénés des hôpitaux psychiatriques

35
Pour Adler, l'œdipe est
☐ un complexe psychique que l'on rencontre à la racine de toute névrose
☐ une construction théorique utile, mais peu maniable au plan de la thérapie
☐ une fiction du patient qui rencontre la complaisance du thérapeute

36
Les attitudes prises pendant le sommeil sont révélatrices du caractère, observe Adler. Pouvez-vous attribuer à chacune de ces postures sa signification adlérienne
a) dormir sur le dos, étendu de tout son long
b) dormir recroquevillé comme un hérisson, le drap rejeté sur la tête
c) dormir sur l'estomac
d) dormir accroupi comme les animaux, en reposant sur les coudes et les genoux
e) s'endormir normalement et se réveiller la tête au pied du lit.
☐ entêtement et négativisme
☐ forte opposition au monde
☐ besoin excessif de maintenir le contact avec autrui
☐ manque de courage et d'esprit d'entreprise

37
La force de la volonté de puissance chez un individu est fonction de
☐ l'ambition des parents projetée sur l'enfant
☐ du sentiment d'infériorité organique qu'éprouve l'enfant

38
Quel était le sport favori d'Adler ?
☐ le tennis
☐ l'équitation
☐ le golf

39
En guise de délassement Adler
☐ peignait
☐ bricolait
☐ jardinait

Quiz

Réponses

1 Vienne.
Son père, Léopold Adler, était commerçant. Alfred, le second de ses six enfants, était son favori, celui sur lequel il fondait les plus grands espoirs et qu'il ne cessa d'encourager. Sa mère, au dire même d'Adler, « *était une femme simple et douce, s'intéressant uniquement à ses six enfants, active et sérieuse ; elle était d'une humeur assez égale et était très franche, très bonne* ».

2 Aberdeen.
Plus encore que sur ses ouvrages, Adler comptait sur l'enseignement et la démonstration directs pour propager ses idées. Après qu'il se fut fixé aux Etats-Unis, il continua de venir régulièrement en Europe. Son dernier voyage comprenait un lourd programme : cinquante-six conférences en l'espace d'un mois et dans quatre pays différents : France, Belgique, Hollande et Angleterre.

3 Sa faible constitution physique.
« *Tout jeune, Adler était un enfant délicat et rachitique, ce qui le rendit lourdaud et maladroit. Il souffrait, d'autre part, de spasmes de la glotte et, dès qu'il pleurait ou qu'il criait, on craignait de le voir s'étouffer. Ces crises l'effrayèrent de telle manière qu'à trois ans il décida de ne plus pleurer ni crier ; ses crises ne tardèrent pas alors à disparaître* » (H. Orgler : « Alfred Adler et son œuvre »).

4 Sa faiblesse en mathématiques.
Le jeune Adler semble si peu doué que son maître conseille à son père de le mettre en apprentissage chez un cordonnier. « *Si mon père avait suivi ce conseil et m'avait laissé devenir un cordonnier,* disait souvent Adler, *j'aurais vraisemblablement fait du bon travail, mais j'aurais cru, toute ma vie, que certaines gens ont vraiment le "don" des mathématiques.* » Cet élève « non doué » devint rapidement le meilleur mathématicien de sa classe.

5 S'éveille précocement.
« *Adler fut mis très jeune en présence de la mort. Il avait trois ans, lorsque son frère cadet mourut* [...]. *Un an plus tard, il eut une pneumonie et fut lui-même gravement malade. Ce fut cette maladie qui fit germer en lui l'idée d'être médecin. Il avait entendu le docteur, parlant de lui, dire à son père : "Il est perdu". Il pensa alors : "Puisque l'idée de vie est si précaire, j'aimerais devenir moi-même médecin pour voir de quoi il s'agit." Rien ne put modifier sa décision* » (H. Orgler : « Alfred Adler et son œuvre »).

6 Ophtalmologie.
En 1898, Adler commence à pratiquer en clientèle privée en tant qu'ophtalmologiste ; très rapidement il passe ensuite à la médecine générale.
L'impuissance de la médecine de l'époque devant les jeunes diabétiques le consterne au point qu'il change de nouveau d'orientation et se tourne vers la neurologie. Les désordres mentaux et tous les troubles du comportement social et sexuel (délinquance, crimes, perversions) accaparent désormais son intérêt.

7 Krafft-Ebing.
Le médecin allemand Richard von Krafft-Ebing (1840-1902) était alors l'une des sommités du monde médical et président de la Société viennoise de neurologie. Il est l'auteur de travaux sur les psychopathies sexuelles.

8 Russe.
« *Adler venait d'un milieu intellectuel où dominaient les préoccupations politiques. Sa femme, d'origine russe, était très liée avec Trotski et les chefs révolutionnaires émigrés. Lui-même animait un petit groupe de psychanalystes socialistes* [...]. *Il est certain que sa "psychologie individuelle", fondée sur la primauté du moi et du conscient, reflétait bien ses convictions politiques, tout comme la théorie nietzschéeenne de la puissance qu'il finit par installer dans son édifice* » (Marthe Robert : « la Révolution psychanalytique »).

9 La médecine sociale et du travail.
Les premières études qu'il publie s'intitulent : « Règles d'hygiène pour la profession de tailleur », « L'apparition de forces sociales en médecine », et « Le Médecin en tant qu'éducateur ». Dans la préface à la première, il écrit : « *Je me suis efforcé, dans cet ouvrage, de montrer le rapport étroit entre la situation économique et les maladies d'une profession, ainsi que les dangers pour la santé populaire qui viennent d'un standard de vie diminué. Aucun médecin ne peut plus se dérober à des recherches qui considèrent l'homme non pas comme un individu en soi, mais comme un produit social.* »

10 « La compensation psychique de l'état d'infériorité des organes ».
Dans l'avant-propos de cet ouvrage, Adler déclare : « *Le développement de la psychologie individuelle comparée a établi des bases tout à fait nouvelles. Elle n'est la fille d'aucune autre science et se trouve à tel point éloignée de toute plate théorie de "psychologie profonde" qu'elle ne peut renoncer à sa possibilité d'indépendance.* »

11 Société pour la psychanalyse libre, qui devint, l'année suivante, Société de psychologie individuelle, le mot psychanalyse étant désormais exclu de la terminologie adlérienne. En fait, les rapports entre Adler et Freud avaient toujours été tendus et difficiles. Herta Orgler, la biographe d'Adler, va jusqu'à dire : « *Adler n'a jamais été un disciple de Freud comme on l'a dit souvent à tort. Il n'a jamais suivi ses cours et n'a jamais été psychanalysé* [...]. *Dès le début de leurs relations, il fut en désaccord avec Freud sur de nombreux points et précisa toujours ces points très clairement.* » Néanmoins Adler s'était vu confier par Freud et avait accepté la présidence de la Société psychanalytique de Vienne et le poste de rédacteur en chef du « Zentralblatt für Psycho-analyse ». Quant à Freud, il rapporte ce propos que lui avait publiquement adressé Adler : « *Croyez-vous donc que ce soit un si grand plaisir pour moi de passer ma vie entière dans votre ombre ?* »

12 La théorie de la sexualité.
Avant de donner sa démission de la Société psychanalytique de Vienne, Adler prononça quatre conférences pour préciser la nature de son désaccord. Puis il publie « Critique de la théorie sexuelle freudienne de la vie psychique », dans laquelle il exprime son refus « *d'accepter la doctrine des impulsions sexuelles comme base de la vie psychique d'un individu névrosé ou normal. Elles ne sont jamais des causes, mais forment un matériel élaboré et un instrument du dynamisme personnel de l'individu* ».

13 L'état d'infériorité des organes.
« *Être homme, c'est se sentir inférieur* », affirme Adler qui constate chez les hommes l'existence d'organes imparfaits et la tentative de ces organes de compenser leur déficience par un certain effort : l'ablation d'un rein conduit le rein sain à exercer les fonctions des deux organes. Mais la compensation n'est pas un phénomène purement mécanique et biologique : elle est également psychique. Le bégaiement de Démosthène, la surdité de Beethoven et de Smetana, la cécité d'Homère et de Milton, infériorités des organes, ont incité ces hommes à surcompenser jusqu'à produire les chefs-d'œuvre que nous connaissons.

14 Par la négative.
« *La psychologie individuelle n'admet pas l'hérédité des névroses et des psychoses. Le fait que l'infériorité organique et le sentiment d'infériorité qui est sa suite psychique peuvent se transmettre héréditairement n'entraîne nullement la transmission héréditaire. Il crée tout simplement, dans notre civilisation fondée sur la force et la puissance, une formidable prédisposition aux maladies psychiques.* » (Alfred Adler : « le Tempérament nerveux »).

15 L'infériorité des organes, les gâteries de la part des parents, la négligence de la part des parents.
L'infériorité des organes, donnée biologique à la source du sentiment d'infériorité, ne suffit pas à créer un complexe d'infériorité. Adler y voit au contraire l'occasion d'une compensation et d'une réussite exceptionnelle dans l'existence. Pour que naisse un complexe d'infériorité, il faut en outre que l'enfant ait été abusivement choyé ou au contraire outrageusement négligé par ses parents, et surtout par sa mère.

16 Actifs :
autorité, impatience, turbulence, cruauté, vantardise.
Passifs : paresse, indolence, timidité, anxiété, mensonge.

17 Indifféremment chez les uns et les autres.
« *On identifie toujours plus ou moins le but de supériorité au rôle masculin, à cause des privilèges tant réels qu'imaginaires conférés au mâle dans notre civilisation actuelle. Le sentiment d'infériorité peut augmenter de de façon notoire chez une jeune fille lorsqu'elle se rend compte qu'elle est du sexe féminin et chez un garçon qui doute de sa virilité. Tous deux cherchent une compensation dans l'exagération de ce qu'ils imaginent être le comportement masculin. Cette forme de compensation est ce que j'ai nommé la "protestation virile".* » (A. Adler : « les Névroses »).

18 L'aîné.
« *Les aînés exercent le plus souvent une certaine autorité sur leurs puînés et apprennent ainsi à apprécier les avantages du pouvoir. Ils deviennent fréquemment d'ardents défenseurs de l'autorité légale et veillent toujours à ce que celle-ci soit maintenue ; ils obéissent eux-mêmes à l'autorité paternelle* » (H. Orgler : « Alfred Adler et son œuvre »).

19 L'attitude envers autrui, la profession, l'amour et le mariage.

20 Style de vie.
Adler part du principe que chaque être humain tend vers un but : « *Ce que nous pouvons d'abord saisir des mouvements psychiques, c'est précisément un mouvement même, qui se dirige vers un but* », écrit-il dans « Connaissance de l'homme ». « *Donc la vie de l'âme humaine est déterminée par un but. Aucun homme ne peut penser, sentir, vouloir ou même rêver, sans que tout cela soit déterminé, conditionné, limité, dirigé par un but placé devant lui.* »

21 D'un complexe d'infériorité.
Il s'agit de bien saisir la différence entre le sentiment d'infériorité qui pousse l'être humain à trouver une solution aux trois problèmes essentiels de l'existence (social, professionnel et amoureux) et le complexe d'infériorité qui inhibe et paralyse son action. Adler a défini le complexe d'infériorité de diverses manières avant de s'arrêter à celle-ci : « *croyance d'une personne en son incapacité de résoudre les problèmes de la vie* ». Dès lors qu'il se sent incapable, l'individu se réfugie dans des solutions névrotiques.

22 La place de l'individu dans le cadre familial, les premiers souvenirs, les rêves.

23 Conseil.
Cette méthode se caractérise par sa souplesse. Elle s'adapte selon chaque cas en fonction du style de vie du patient ; elle évite avec soin l'autoritarisme et la frustration. Les quatre tâches essentielles du conseiller sont : 1. établir un bon contact avec le patient ; 2. déceler les erreurs de son style de vie ; 3. l'encourager ; 4. l'aider à développer son esprit social.

24 Il dépend du libre choix du patient.
« *Le conseiller n'indique pas le siège où le patient doit s'asseoir et le laisse choisir. Il peut juger alors de sa facilité d'établir des contacts avec les autres par la distance qu'il établit entre lui et le conseiller. Il n'est soumis à aucune règle au cours de la consultation. En général, il s'assoit, mais, s'il le préfère, il se promène de long en large, il s'étend, il fume, en somme il peut faire ce qu'il veut* » (H. Orgler : « Alfred Adler et son œuvre »).

25 Due à l'absence d'esprit social et à un style de vie erroné.
Adler était d'ailleurs peu optimiste quant aux chances de réussite d'un traitement de l'homosexualité : « *On réalisera très vite les difficultés s'opposant à une guérison lorsqu'on essaiera d'élaguer notre problème et qu'on le réduira, en le simplifiant, à cette question : quelle certitude avons-nous de réussir lorsque nous nous efforçons de transformer un poltron adulte en un sujet courageux, car c'est à cela que se résume, d'une façon générale, le traitement de l'homosexualité* » (Alfred Adler : « le Problème de l'homosexualité »).

26 Un acte de vengeance contre la vie.
« *Le suicide peut être considéré comme un acte de vengeance contre le sort, contre l'entourage, contre le monde entier* », écrit Alder. Dans « le Tempérament nerveux », il a d'ailleurs réaffirmé avec force cette opinion.

27 La volonté de puissance.
Conséquence de la pulsion d'agression, elle apparaît comme l'inévitable contrepoint du sentiment d'infériorité : « *Les défectuosités constitutionnelles et autres états analogues de l'enfance font naître un sentiment d'infériorité qui exige une compensation dans l[e] sens d'une exaltation du sentiment de personnalité. Le sujet se forge un but final, purement fictif, caractérisé pa[r] la volonté de puissance ; but final qui acquiert une importance extraordinaire et attire dans son sillage toutes le[s] forces psychiques* » (Alfred Adler : « le Tempérament nerveux »).

28 New York.
En 1927, Adler est chargé d'un cours de psychologie médicale à la Columbia University de New York avant d'être nommé professeur au Long Island Medical College.

29 Une mise en condition psychique.
Très tôt, Adler a rejeté la théorie de l'inconscient freudien, mais il reconnaît qu'il existe un rapport étroit entre le rêve et la vie émotionnelle du rêveur. Pour lui le rêve suscite des sentiments e[t] des émotions qui éloignent le rêveur des chemins du bon sen[s] et conduit à une sorte d'auto-tromperie. Le but du rêve est « *qu'il ne doit pas être compris* » ; son rôle consiste à « *laisser derrière lui un certai[n] état d'esprit* ». Il est un « *processus de détournement d[e] la réalité et de rapprochemen[t] du but individuel de supériorité* ».

30 Le rêveur révèle son ambition, sa soif de réussite.
Les autres interprétations sont dues à un ouvrage babylonien, Freud, Jung, Steckel

31 A la mère.
« *La mère représente pour l'enfant la plus*

grande expérience d'amour et de communion que celui-ci puisse connaître. Son devoir est d'assumer le développement psychique de l'enfant, comme elle a assumé son développement physique, en inculquant à sa conscience, afin d'en assurer le développement, des notions justes de la société, du travail et de l'amour. De cette façon, elle transforme graduellement l'amour que l'enfant a pour elle et sa dépendance à son égard en une attitude bienveillante, confiante et responsable envers la société et tout son milieu. C'est le double rôle de la maternité de donner à l'enfant l'expérience la plus complète possible de la communion humaine, puis de l'élargir en une attitude générale semblable envers autrui » (Alfred Adler : « les Névroses »).

32 La naissance d'un cadet.
Dans la grande majorité des cas cliniques rapportés par Adler, une importance considérable est accordée à l'ébranlement que provoque chez un enfant, et surtout un aîné, la naissance d'un frère ou d'une sœur. De sa propre enfance, Adler raconte : « *Pendant mes deux premières années, ma mère m'a terriblement gâté, mais, au moment de la naissance de mon frère, elle reporta sur lui toute son attention ; je me sentis alors véritablement "détrôné".* »

33 Pulsion de mort.
Tandis que Freud voit en la pulsion de mort « *une tendance fondamentale de tout être vivant à retourner à l'état inorganique* », Adler la transforme en un « *désir de mort* » fréquent dans l'enfance.

34 Les écoliers.
Son expérience avait démontré à Adler que tous les névrosés et, de façon plus générale, tous les adultes dont l'existence butait sur l'échec, avaient été des enfants difficiles. Il concentra donc ses efforts sur la lutte contre les causes fondamentales de ces difficultés en ouvrant des centres de consultation psychopédagogique et des cliniques pour enfants, dirigées par des psychologues formés à sa propre méthode.

35 Une fiction du patient qui rencontre la complaisance du thérapeute.
« *Ce que Freud désigne sous le nom de "complexe incestieux" est un désigne sous le nom de "complexe incestueux" est un produit artificiel. Les impulsions incestueuses occasionnelles, auxquelles Freud attribue un rôle si important dans la genèse des névroses et des psychoses se révèlent, lorsqu'on les examine à la lumière de la psychologie individuelle, comme autant de constructions et de symboles utiles et secondaires, imaginés par le malade ou par le psychanalyste et dont les matériaux, le plus souvent inoffensifs, sont fournis par le passé infantile du malade et par les dispositifs qui caractérisaient ce passé. En analysant, par exemple, un complexe d'Œdipe qui persiste parfois chez l'adulte, on constate qu'il n'est, au fond, qu'une représentation imagée, le plus souvent dépourvue de toute coloration sexuelle, de l'idée que le sujet se fait de la force masculine, de la supériorité du père sur la mère* » (Alfred Adler : « le Tempérament nerveux »).

36
a) Dormir sur le dos, étendu de tout son long :
désir de paraître aussi grand que possible.
b) Dormir recroquevillé comme un hérisson, le drap rejeté sur la tête :
manque de courage et d'esprit d'entreprise.
c) Dormir sur l'estomac :
entêtement et négativisme ;
d) Dormir accroupi comme les animaux, en reposant sur les coudes et les genoux :
besoin excessif de maintenir le contact avec autrui.
e) S'endormir normalement pour se réveiller la tête au pied du lit et les pieds sur le traversin :
forte opposition au monde.

37 Du sentiment d'infériorité organique qu'éprouve l'enfant.
« *Nous terminerons cet exposé* [...] *en insistant sur la primauté absolue de la volonté de puissance, fiction qui apparaît et se développe d'une façon d'autant plus précoce et brusque que le sentiment d'infériorité organique éprouvé par l'enfant est plus envahissant et plus violent* » (Alfred Adler : « le Tempérament nerveux »).

38 L'équitation.
Adler était de petite taille et le rachitisme dont il avait souffert enfant avait alourdi sa démarche. Il entreprit avec beaucoup de courage de vaincre ses propres difficultés, lutta contre sa maladresse et parvint à prendre grand plaisir aux exercices physiques. Le docteur Maximilian von Rogister, qui chevauchait souvent en compagnie d'Adler sur le Prater, raconte que « *son compagnon abordait des obstacles que d'autres contournaient habituellement* ». Il voyait là l'une des manifestations du « style de vie » d'Alfred Adler.

39 Jardinait.
Sa passion pour les fleurs remonte à sa prime enfance. Plus tard, cet amour s'exprima dans les soins qu'Adler portait à son jardin des environs de Vienne et à sa collection de cactus.

» Citations «

Jamais, peut-on dire, les hommes n'ont vécu aussi isolés que de nos jours. Dès l'enfance, nous n'avons que peu de rapports, de cohésion entre nous. La famille nous isole. Et tout notre genre de vie nous refuse ce contact si intime avec nos semblables qui est pourtant d'une absolue nécessité pour l'élaboration d'un art tel que la caractérologie individuelle. Les deux éléments dépendent l'un de l'autre. Car nous ne pouvons retrouver le contact avec les autres hommes, parce que, faute d'une meilleure compréhension, ils nous donnent l'impression de ce qui nous est on ne peut plus étranger.
La conséquence la plus grave de cette lacune n'est autre que notre renonciation qui se produit presque toujours, quand il s'agit de nous comporter avec nos semblables et de mener avec eux une vie commune. C'est un fait souvent éprouvé et souligné que les hommes passent à côté les uns des autres et se parlent sans pouvoir trouver le point de contact, la cohésion, parce qu'ils se font face en étrangers, non seulement dans les vastes cadres d'une société, mais même au sein du groupe le plus restreint, celui de la famille. Rien ne nous parvient plus fréquemment que les plaintes de parents qui ne comprennent pas leurs enfants, et celles d'enfants qui se disent incompris de leurs parents.
Cependant se trouve bien dans les conditions fondamentales de la vie humaine collective une vive impulsion à se comprendre les uns les autres, car toute notre attitude envers le prochain en dépend. Les hommes mèneraient entre eux une vie bien meilleure si la connaissance de l'homme était plus grande ; en effet, certaines formes perturbatrices de l'existence en commun disparaîtraient, qui sont aujourd'hui possibles uniquement parce que nous ne nous connaissons pas mutuellement, ce qui nous expose au danger de nous laisser abuser par des détails et égarer par les impostures d'autrui.

Connaissance de l'homme *(Paris, Payot, 1966).*

Il est compréhensible que l'homme n'ait pu se maintenir qu'en se plaçant sous des conditions particulièrement favorables. Cela ne lui fut procuré que par la vie en groupes qui se révéla comme une nécessité, parce que seule la vie collective permettait à l'homme, par une sorte de division du travail, d'affronter des tâches où l'individu isolé aurait fatalement succombé. Seule la division du travail était en état de procurer à l'homme des armes offensives et défensives et, d'une manière générale, tous les biens dont il avait besoin pour se maintenir et que nous comprenons aujourd'hui dans la notion de culture. Si l'on considère au milieu de quelles difficultés les enfants viennent au monde, combien de mesures toutes particulières sont alors inévitables, que l'individu isolé n'aurait peut-être pas su satisfaire même au prix des plus grandes peines, quelle surabondance de maladies et d'infirmités menacent l'être

humain surtout lorsqu'il n'est encore qu'un nourrisson — plus que partout ailleurs dans le règne animal —, on se rend à peu près compte de l'énorme quantité de sollicitude qui devait entrer en jeu pour assurer le maintien de la société humaine et l'on ressent clairement la nécessité de cette connexion.

Connaissance de l'homme (*Paris, Payot, 1966*).

»

L'agressivité hostile, que l'infériorité constitutionnelle des enfants entretient et renforce, se confond intimement avec leur désir de devenir aussi grands et aussi forts que les plus grands et les plus forts et fait ressortir avec un relief particulier les tendances qui sont à la base de l'ambition. Toutes les idées et actions ultérieures du névrotique présentent la même structure que ses représentations-désirs infantiles. Et cela s'explique facilement. Le sentiment de son infériorité à l'égard des personnes et des choses, l'insécurité dans laquelle il croit vivre le poussent à renforcer ses lignes d'orientation. Il s'y cramponne toute sa vie durant, dans l'espoir de retrouver ainsi la sécurité qui lui manque ; elles lui procurent la foi et les superstitions qui lui permettent de s'orienter dans le monde, d'échapper au sentiment de son infériorité, de sauver ce qui lui reste de sentiment de personnalité ; bref, il veut avoir un prétexte de se soustraire à l'humiliation, à l'abaissement qu'il redoute le plus au monde. C'est dans l'enfance qu'il a le mieux réussi à atteindre tous ces buts, à réaliser tous ces objectifs. Aussi sa principale fiction, qui le pousse à agir comme s'il était supérieur à tout le monde, prend tout naturellement la forme d'un impératif : agis comme si tu étais encore enfant. C'est ce qu'on observe si souvent chez les incontinents nocturnes, chez les sujets atteints d'agoraphobie, de névroses obsessionnelles, etc. C'est ainsi que les satisfactions infantiles du désir de puissance deviennent des mobiles auxquels se conforme le névrosé adulte et renforcent ses lignes d'orientation.

Le Tempérament nerveux (*Paris, Payot, 1970*).

La névrose et la psychose sont des tentatives de compensation, des formations constructives de l'âme humaine, ayant pour point de départ l'idée directrice renforcée et exaltée de l'enfant frappé d'infériorité. L'incertitude dans laquelle ces enfants demeurent, quant à l'avenir qui les attend et quant à leur réussite possible dans la vie, les pousse à adopter un plan de vie fictif, à l'entourer de toutes sortes de moyens de défense et de sécurité, à s'isoler de la réalité afin d'échapper aux exigences et aux problèmes de la vie de tous les jours. Plus leur idéal est précis et rigide, plus leur impératif individuel est catégorique, et plus ils accentuent le caractère dogmatique de leurs principes et de leurs lignes d'orientation. Ce faisant, ils deviennent de plus en plus prudents

et circonspects ; et, à mesure que leur prudence et leur circonspection augmentent, ils projettent leurs idées de plus en plus loin, dans un avenir de plus en plus reculé et installent, pour ainsi dire, à la périphérie de celui-ci, là où doit se produire leur conflit avec le monde extérieur, des avant-postes psychiques représentés par des traits de caractère appropriés. Doué d'une sensibilité extraordinaire, le caractère nerveux et abstrait s'attaque à la réalité pour se la soumettre ou pour la transformer conformément à l'idéal que l'individu se fait de sa personnalité. Devant la menace d'une défaite, tous les dispositifs et symptômes névrotiques entrent en jeu et entravent l'action.

Le tempérament nerveux
(Paris, Payot, 1970).

S'enquérir d'un sens de la vie n'a de la valeur et de l'importance que si l'on tient compte du système de relation homme-cosmos. Il est facile de comprendre que le cosmos dispose dans cette relation d'une puissance créatrice. Le cosmos est pour ainsi dire le père de toute vie. Et toute vie est constamment en lutte pour suffire aux exigences du cosmos. Pas comme s'il existait là un instinct, qui ultérieurement dans la vie serait capable d'amener tout à une fin et qui n'aurait plus qu'à se développer, mais quelque chose d'inné appartenant à la vie, une tendance, une impulsion, un développement, quelque chose sans quoi, enfin, on ne pourrait se représenter la vie : vivre, c'est se développer. L'esprit humain n'est que trop habitué à amener dans une forme ce qui se meut et à considérer non pas le mouvement, mais le mouvement figé, le mouvement devenu forme. Nous autres, psychologues individuels, nous nous sommes toujours préoccupés de transposer en mouvements ce que nous saisissons en tant que formes. Chacun sait que l'homme achevé naît d'une cellule germinale, mais il devrait aussi comprendre que cette cellule germinale contient les fondements nécessaires au développement. Comment la vie a pu paraître sur cette terre est une question obscure : nous n'y trouverons peut-être jamais une réponse définitive...

Le Sens de la vie
(Paris, Payot, 1968).

Bibliographie

Ouvrages principaux :
La Psychologie de l'enfant difficile (*Paris, Payot, 1952*).

Etude de la compensation psychique de l'état d'infériorité des organes, *suivi de* le Problème de l'homosexualité (*Paris, Payot, 1956*).

Religion et psychologie individuelle comparée, *en collaboration avec E. Jahn* (*Paris, Payot, 1958*).

Pratique et théorie de la psychologie individuelle (*Paris, Payot, 1961*).

Connaissance de l'homme (*Paris, Payot, 1966*).

Le Sens de la vie (*Paris, Payot, 1968*).

Les Névroses : commentaires, observations, présentations de cas (*Paris, Aubier-Montaigne, 1969*).

L'Enfant difficile (*Paris, Payot, 1970*).

Le Tempérament nerveux (*Paris, Payot, 1970*).

Social Interest : a Challenge to Manking (*Londres, Faber and Faber, 1938*).

Ouvrages de référence :
Orgler (H.) : Alfred Adler et son œuvre (*Paris, Stock, 1968*).

Spiel (O.) : la Doctrine d'Alfred Adler dans ses applications à l'éducation scolaire (*Paris, Payot, 1954*).

Way (L.) : Adler's Place in Psychology (*Londres, Allen et Unwin, 1950*).

CARL GUSTAV JUNG

Collection Palais de la découverte

Biographie

26 juillet 1875
Naissance de Carl Gustav Jung à Kesswil (canton de Turgovie, Suisse) ; son père est un pasteur protestant.

1879
Sa famille s'installe dans un village proche de Bâle.

1886-1895
Etudes secondaires au collège de Bâle.

1895-1900
Jung fait ses études de médecine à l'université de Bâle, et s'oriente vers la psychiatrie.

Décembre 1900
Il devient médecin adjoint du Pr Bleuler, directeur du Burghölzli, clinique psychiatrique de l'université de Zurich.

1902
Thèse de doctorat en médecine : *Psychologie et pathologie des phénomènes dits occultes*. Cette année et la suivante, Jung fait un séjour d'études à Paris, et suit à la Salpêtrière l'enseignement de Janet.

1903
Il épouse Emma Rauschenbach, qui lui donnera cinq enfants. Premiers travaux sur les associations d'idées et la théorie des complexes.

1905
Il devient médecin-chef du Burghölzli et fait des cours sur l'hypnose.

1907
Première rencontre, en février, avec Freud.

1909
Jung voyage aux Etats-Unis avec Freud. Il quitte le Burghölzli pour s'installer à son compte, dans sa villa de Küsnacht, qu'il occupera jusqu'à sa mort. Il participe à l'enseignement de la psychiatrie à l'université de Zurich, cela jusqu'en 1913.

1911
Il fonde, avec Freud, la Société internationale de psychanalyse dont il est nommé président.

1912
De nombreuses divergences entre Jung et Freud se font jour lors du IVe Congrès de psychanalyse à Munich.

1913
Jung démissionne de la Société, adoptant pour sa méthode le terme de « psychologie analytique », puis, plus tard, de « psychologie complexe ».

1914
Il donne des conférences à Londres (Bedford College) et participe à un congrès médical à Aberdeen.

1917-1919
Jung est nommé médecin-chef du camp de prisonniers anglais à Château-d'Oex, puis à Mürren.

1920
Psychologische Typen (*les Types psychologiques*).

1921-1926
Jung voyage en Afrique, en Amérique centrale et aux Indes.

1930
Il est nommé président d'honneur de la Société médicale allemande de psychothérapie.

1933
Il donne des cours libres à l'Ecole polytechnique fédérale.

1934
Séminaire de Bâle du 1er au 6 octobre, d'où sortira *Seelen-probleme der Gegenwart* (*l'Homme à la découverte de son âme*).

1935
Son cours à l'Ecole polytechnique devient régulier, et traite de la psychologie complexe.

1943
Ueber die Psychologie des Unbewussten (*Psychologie de l'inconscient*).

1944
L'université de Bâle crée à son intention une chaire de « médecine psychologique » que sa mauvaise santé l'obligera à abandonner en 1946.

1948
Le Club psychologique de Zurich, première société groupée autour de lui en 1916, devient l'Institut C.G.-Jung.

1957
Fondation de la Société suisse de psychologie analytique.

1957-1959
Jung rédige son autobiographie.

6 juin 1961
Jung meurt à Küsnacht, au bord du lac de Zurich.

Carl Gustav Jung : le rebelle

Considéré par beaucoup, depuis sa mort, à l'âge de 86 ans (il était né en 1875, près de Bâle) comme un des grands penseurs du XXe siècle, Jung, dans les dernières années de sa vie, tentait vainement de récuser le rôle de maître spirituel que ses admirateurs voulaient lui faire jouer : « Quand on dit de moi que je suis un sage, que j'ai accès au savoir, je » ne puis l'accepter◆. » Et, dans son autobiographie, il insiste encore : « Je suis hors d'état de constater une valeur et une non-valeur défini- » tive ; je n'ai pas de jugement sur moi ou sur ma vie. Je ne suis tout » à fait sûr en rien — je n'ai à proprement parler aucune conviction » définitive — à aucun sujet. »

◆ L'essentiel des souvenirs de Jung nous est donné par Aniela Jaffé qui les a recueillis de la bouche de Jung et qui a eu accès à ses papiers personnels et à ses archives. Son livre a été publié chez Gallimard en 1966 sous le titre : *Ma vie, souvenirs, rêves et pensées.* Cette citation est extraite, ainsi que celles qui suivent, de cet ouvrage.

Pourquoi cette voix a-t-elle cette résonance ? Carl Gustav Jung n'est pas un philosophe à proprement parler, c'est-à-dire le bâtisseur d'un système totalisant fondé en raison. Il se veut un connaisseur d'hommes : « Je ne suis, écrit-il en 1952 à un étudiant, qu'un psychiatre, car le pro- » blème essentiel qui guide tous mes efforts est le dérèglement de l'âme, » sa phénoménologie, son étiologie et sa téléologie◆. Tout le reste est » pour moi accessoire. Je ne me sens aucune vocation ni pour instaurer » une religion ni pour en professer quelqu'une. Je ne cultive aucune phi- » losophie, mais pense seulement être un bon médecin de l'âme... »

◆ *phénoménologie :* étude et description des manifestations extérieures (ici) d'une maladie. *étiologie :* étude des causes d'une maladie. *téléologie :* étude de la finalité.

La psychologie est une recherche spirituelle

Mais sa discipline lui paraissait le signe d'une mutation de l'horizon culturel : « L'immense accroissement de l'intérêt pour la psychologie, » dans le monde entier, pendant les vingt dernières années, prouve irré- » futablement que la conscience moderne [...] s'est quelque peu retirée » des réalités extérieures matérielles pour se tourner vers les réalités » intérieures subjectives [...]. Notre époque, avec son intérêt pour la » psychologie, attend de l'âme quelque chose que le monde extérieur ne » lui a pas donné. »

Connaître Jung, le comprendre, c'est rechercher — au-delà de l'exposé objectif des choses — cet envers mystérieux que Jung désigne comme « l'itinéraire d'un inconscient qui a accompli sa réalisation » et qui est la transmutation de sa vie en destin. Avec Jung, après lui, il nous faut retrouver ces personnages, réels ou imaginaires, dont la « rencontre » fut décisive ; il nous faut entrer dans ce théâtre peuplé de symboles, de masques et d'emblèmes qui lui font signe et lui indiquent un monde tout à la fois familier et inconnu.

On sait l'influence que joue dans le devenir psychologique d'un enfant la constellation familiale. Celle de Jung, à ce titre, nous éclaire sur les origines de sa recherche spirituelle : dans la famille de sa mère il y avait six pasteurs, et deux dans celle de son père. A cela s'ajoute le fait que le père de Jung, pasteur lui-même, connut les affres de l'incertitude

religieuse. Mais, plus que la constellation familiale, intervient ce qu'on pourrait appeler son mythe, cette façon qu'a une famille de penser sa propre histoire, son passé peuplé de héros et de parias. A ce titre, il faut souligner l'importance du grand-père paternel de Jung : Carl Gustav, lui aussi. Sa forte personnalité laissa une empreinte sur toute la tribu.

Né à Mannheim en 1794, C. G. Jung fut expulsé de Prusse pour ses opinions libérales et dut à l'amitié du grand naturaliste Alexander von Humboldt de pouvoir obtenir une chaire de chirurgie à l'université de Bâle. On disait de lui qu'il était le fils illégitime de Goethe et de Sophie Ziegler (seconde femme de F. I. Jung, le bisaïeul). Tout en rejetant avec force ce qu'il savait être une fable, Jung ne pouvait s'empêcher d'éprouver une certaine complaisance pour elle, y voyant la source de la fascination que le « Faust » exerçait sur son âme.
Le premier C. G. Jung meurt en 1864, onze ans avant que naisse son petit-fils ; cette absence définitive permettra la commutation en personnage mythique dans la conscience de l'enfant.
Son père était un pasteur protestant qui vécut toute sa vie dans les tourments du doute métaphysique et qui en oubliait les exigences de la vie pratique : « Père signifiait pour moi, dit Jung, digne de confiance » [...] et incapable. » Il ne dissocie pas l'image de son père de celle de Dieu et de la religion : « De 1892 à 1894, dit-il, j'eus une série de violentes discussions avec mon père. Il avait étudié les langues orientales à Göttingen, sous la direction d'Ewald, et fait sa thèse sur une version arabe du « Cantique des Cantiques ». La période héroïque avait pris fin avec l'examen terminal à l'université. Par la suite, il oublia ses dons philosophiques ; pasteur de campagne à Laufen, près des chutes du Rhin, il tomba dans un enthousiasme sentimental et dans des souvenirs estudiantins◆. »
Quant à la mère de Jung, qui était la fille d'un pasteur protestant descendant d'une famille française émigrée en Suisse après la révocation de l'édit de Nantes, ses photos nous la montrent dans sa dignité de matrone suisse. « Ma mère fut pour moi une très bonne mère. Il émanait d'elle une très grande chaleur amicale, une ambiance délicieusement confortable ; elle était très corpulente. Elle savait écouter tout le monde : elle aimait bavarder et c'était comme un gazouillement joyeux. Elle avait des dons littéraires très marqués, du goût et de la profondeur. Mais, à vrai dire, ils ne se manifestaient guère extérieurement ; ils restaient cachés en une grosse dame vraiment aimable, très hospitalière, qui faisait admirablement la cuisine et qui possédait beaucoup d'humour. Elle avait des opinions traditionnelles, toutes celles que l'on peut avoir ; mais, en un tournemain, apparaissait chez

◆ C.G. Jung: *Ma vie, souvenirs, rêves, et pensées*, propos recueillis par A. Jaffé (Paris, Gallimard, 1966).

» elle une personnalité inconsciente d'une puissance insoupçonnée, une » grande figure sombre, dotée d'une autorité intangible — cela ne faisait » aucun doute. J'étais sûr qu'elle aussi se composait de deux personnes : » l'une était inoffensive et humaine, l'autre, au contraire, me paraissait » redoutable. Celle-ci ne se manifestait que par moments, mais toujours » à l'improviste et faisait peur. Alors, elle parlait comme pour elle- » même, mais ce qu'elle disait s'adressait à moi et me touchait jusqu'au » plus profond de moi-même de telle sorte que j'en restais généralement » muet...◆ »

◆ C.G. Jung: *Ma vie, souvenirs, rêves et pensées*, propos recueillis par A. Jaffé (Paris, Gallimard, 1966)

Le lien unissant Jung à sa mère, très fort, est sans doute à l'origine de sa conception des archétypes maternels. La mère, première incarnation de l'archétype « anima », personnifie l'inconscient tout entier. Et la fascination des images mythiques de la mère exprime celle que l'inconscient lui-même exerce sur le Moi dont il est la matrice. La mère, par-delà le simple corps physique, c'est l'océan originel, l'inconscient collectif, fondement de ce que l'Antiquité appelait « la sympathie de toute chose ».

D'étranges coïncidences passionnent Jung

Cette mère au double visage aimant et redoutable, porteuse d'angoisse et havre de sécurité, incarne la nature archaïque, l'instinct capable de connaître le réel dans une intuition divinatrice. De sa mère, Jung nous dit tenir « le don pas toujours agréable de voir hommes et choses » comme ils sont ». Et il conte tels événements qui lui ont fait prendre conscience de ce fait. C'est ainsi qu'au mariage d'une amie de sa femme, et alors qu'il discutait de psychologie criminelle avec « un monsieur » d'âge moyen avec une belle barbe et qu'on avait présenté comme avo- » cat », il imagine l'histoire d'un cas orné de multiples détails. Le silence annonciateur d'impair s'installe dans l'auditoire. Puis quelqu'un lui reprocha :

« Comment avez-vous pu vous permettre une telle indiscrétion ?

» — Indiscrétion ?

» — Mais oui, cette histoire que vous avez racontée... !

» — Mais je l'ai inventée de toutes pièces... » Et Jung conclut : « A mon » grand effroi, il se trouva que j'avais raconté l'histoire de mon vis-à-vis » dans tous ses détails et, en outre, je découvris à cet instant que je ne » pouvais plus me rappeler un mot de mon récit et, jusqu'aujourd'hui, » je n'ai jamais pu le retrouver◆. » De tels faits — nombreux dans sa vie — n'étonneront pas Jung chercheur qui se passionna pour les phénomènes de parapsychologie jusqu'à en débattre avec un Freud sceptique, qui voyait dans la notion d'inconscient collectif le moyen d'expliquer les rêves prémonitoires, les pressentiments, les phénomènes

◆ IDEM, *ibid.*

de synchronisation, la télépathie ; cet inconscient collectif qui fait qu'au plus profond d'elle-même la psyché est univers.
En 1896 le père de Jung meurt. « Il râlait et je vis qu'il était à l'agonie. » Je me tenais près de son lit, figé. Jamais encore je n'avais vu mourir » un être humain. Soudain il cessa de respirer. J'attendis, j'attendis la » respiration suivante. Elle ne vint pas. Alors je pensai à ma mère et me » rendis dans la chambre voisine. Elle était assise et tricotait près de la » fenêtre. "*Il meurt*", lui dis-je. Elle s'approcha du lit avec moi et vit » qu'il était mort. "*Comme tout s'est vite passé*", dit-elle, étonnée◆. »
La même année Jung fit une autre rencontre magique. Allant voir une amie de sa mère à Schaffhouse, il entra dans la maison et vit une jeune fille de quatorze ans qui portait des tresses : Emma Rauschenbach : « Je sus alors : voici ma femme. J'en fus profondément bouleversé : je » ne l'avais vue qu'un court instant, mais j'eus aussitôt la certitude » qu'elle devait devenir ma femme◆. » En 1903, la chose est faite, que Jung interprète comme, de sa part, un oui au monde, le triomphe de sa personnalité numéro un et l'éclipse de sa personnalité numéro deux, pour un long temps. « J'avais tenu une sorte de journal intime jusqu'en » 1902. Après cette date, il resta enfermé dans mon tiroir pendant plus » de dix ans. Ce n'est qu'en 1913, sous la pression de lourds pressenti- » ments, qu'il resurgit à ma mémoire◆. »
Si 1913 est chargé de lourds pressentiments parce que le monde est gros d'une guerre, c'est aussi l'époque de la rupture définitive de Jung avec celui dont la rencontre marque une date dans la culture : Freud.

◆ C.G. Jung: *Ma vie, souvenirs, rêves, et pensées*, propos recueillis par A. Jaffé (Paris, Gallimard, 1966).

◆ Idem, *ibid*.

◆ Idem, *ibid*.

La rencontre avec Freud

On voit ainsi Carl Gustav Jung parfaitement intégré dans son milieu familial de bourgeoisie suisse et protestante. Au début du siècle, Carl Gustav Jung était un jeune médecin plein d'avenir, adjoint au professeur Bleuler, directeur du Burghölzli, clinique psychiatrique de l'université de Zurich et spécialiste renommé par ses travaux, notamment sur la schizophrénie. Les maladies mentales étaient à la mode — côté médecins s'entend. La France avait Pierre Janet et Charcot. Et Vienne... Freud qui, en 1900, fit paraître « la Science des rêves ». Tout le monde médical et savant ricana. Sauf Bleuler et Jung, les Zurichois. « Je rom- » pis, raconte Jung, mes premières lances en sa faveur à Munich lorsque, » à un congrès, dans les rapports sur les névroses obsessionnelles, son » nom avait été intentionnellement passé sous silence. Par la suite, en » 1906, j'écrivis un article pour la presse (dans le « Münchner Medizi- » nische Wochenschrift ») sur la doctrine freudienne des névroses qui » avait tellement contribué à faire comprendre les névroses obsession- » nelles. A la suite de cet article, deux professeurs allemands m'écrivent

» des lettres d'avertissement : si je persistais et continuais à être aux » côtés de Freud et à le défendre, mon avenir universitaire était en dan- » ger. Je répondis : "*Si ce que dit Freud est la vérité, j'en suis. Je me » moque d'une carrière dans laquelle la vérité serait tue et la recherche » mutilée.*" Et je continuai à me poser en champion de Freud et de ses » idées◆. »

◆ C.G. Jung: *Ma vie, souvenirs, rêves et pensées,* propos recueillis par A. Jaffé (Paris, Gallimard, 196

Freud se montra reconnaissant de cet appui qui le sortait de la clandestinité et il invita Jung — le jeune Jung, qui avait une vingtaine d'années de moins que lui —, à venir le voir. La rencontre eut lieu en février 1907 à Vienne, à une heure de l'après-midi. Treize heures après, leur conversation durait toujours.

« Freud, dit Jung, était la première personnalité importante que je ren- » contrais. Nul autre parmi mes relations d'alors ne pouvait se mesurer » à lui. Dans son attitude, il n'y avait rien de trivial. Je le trouvais extra- » ordinairement intelligent, pénétrant, remarquable à tous points de » vue◆. » D'autre part, par la correspondance qu'ils échangèrent, on connaît les sentiments de Freud à l'égard de Jung qu'il considérait « for- » mellement comme son fils aîné » et dont il soulignait le « charme magique » de la présence. Deux revues furent successivement fondées, puis une « Association psychanalytique internationale ». L'idylle intellectuelle Freud-Jung dura jusqu'en 1912. Quand elle eut lieu, la rupture fut définitive.

◆ Idem, *ibid.*

Freud et Jung s'opposent sur la cure analytique

Ce ne fut pas une simple querelle d'école. La conception même que l'on se fait de l'être humain et du sens de sa vie était en jeu. Aux conceptions freudiennes sur la sexualité, le refoulement, la sublimation, « j'objectais, dit Jung, que, poussée logiquement et à fond, son hypo- » thèse menait à des raisonnements qui détruisaient toute civilisation : » celle-ci prenait l'apparence d'une simple farce, conséquence morbide » du refoulement sexuel. "*Oui*, confirma-t-il, *il en est ainsi. C'est une » malédiction du destin en face de laquelle nous sommes impuis- » sants.*"◆ »

◆ Idem, *ibid.*

Les voies, parallèles un moment, n'avaient jamais coïncidé tout à fait. Jung n'avait pas accepté la théorie sexuelle des névroses, préférant privilégier, dans son explication des symptômes, les difficultés du couple parental dont l'enfant serait la victime.

Jung, à travers le souvenir des conversations qu'il avait eues avec Freud, nous montre combien ce qui, au début, pouvait sembler une divergence secondaire liée aux scrupules de l'un, aux exigences de l'autre, renvoyait en fait à une opposition catégorique.

« J'ai encore, raconte-t-il, un vif souvenir de Freud me disant : "*Mon* » *cher Jung, promettez-moi de ne jamais abandonner la théorie* » *sexuelle. C'est le plus essentiel ! Voyez-vous, nous devons en faire un* » *dogme, un bastion inébranlable.*" Il me disait cela plein de passion et » sur le ton d'un père disant : "*Promets-moi une chose, mon cher fils,* » *va tous les dimanches à l'église !*". Quelque peu étonné je lui deman- » dai : "*Un bastion contre quoi ?*" Il me répondit : "*Contre le flot de* » *vase noire de...*" Ici il hésita un moment pour ajouter : " *... de l'occul-* » *tisme.*" Je savais que je ne pourrais jamais faire mienne cette posi- » tion. Freud semblait entendre par occultisme à peu près tout ce que » la philosophie et la religion, ainsi que la parapsychologie qui naissait » vers cette époque, pouvaient dire de l'âme. Pour moi, la théorie était » tout aussi "occulte"◆. »

◆ C.G. Jung: *Ma vie, souvenirs, rêves et pensées*, propos recueillis par A. Jaffé (Paris, Gallimard, 1966).

L'effet de cette opposition se retrouve à l'autre extrémité, dans la conception qu'a Jung de la cure. Il la définit comme l'action d'un thérapeute parvenu, par sa propre analyse, à la possession d'un Soi plein de sagesse et intervenant pour conseiller, éduquer, diriger le patient, en faire quelqu'un à son image.

En 1914, la brouille intellectuelle est consommée. Freud publie un texte polémique, « Histoire du Mouvement psychanalytique », dans lequel il compare la modification jungienne au couteau de Lichtenberg, auquel on avait changé la lame, mis un autre manche, mais qu'on prenait toujours pour le même couteau parce que sa marque de fabrique était conservée. Jung ne devait pas tenir à l'équivoque. Il donne un autre nom à la discipline dont il est le père et, à la psychanalyse de Freud, il oppose sa psychologie analytique qui repose sur une autre théorie du psychisme, utilise une autre technique et ouvre sur une autre philosophie.

Détaché de l'influence religieuse familiale, de la première théorie freudienne, Carl Gustav Jung poursuit seul sa démarche intellectuelle, spirituelle, professionnelle : « Mes malades et mes analysés m'ont si bien » mis la réalité de la vie humaine à portée de la main que je n'ai pu » faire autrement que d'en dégager des faits essentiels. La rencontre » d'être humains de genres et de niveaux psychologiques les plus diffé- » rents eut pour moi une grande et incomparable importance...◆ »

◆ Idem, *ibid.*

Si Jung écrivit beaucoup, il ne le fit que dans la seconde moitié de sa vie. Auparavant, il vit. Il a une grande activité psychiatrique. Il lit. Il voyage. Il se cultive dans trois grands domaines : l'ésotérisme (alchimie, gnostiques...), la pensée orientale, l'ethnologie. Et, pendant quelques années, il entreprit une sorte de voyage intérieur où il se livra sans contrainte à ses fantasmes, à ses rêves, à ses imaginations. C'était dans les années vingt : « Il m'a fallu, dit-il, pour ainsi dire quarante-cinq

» ans afin d'élaborer et d'inscrire dans le cadre de mon œuvre scientifique les éléments que j'ai vécus et notés à cette époque de ma vie...
» Les premières imaginations et les premiers rêves étaient comme un flot de basalte liquide et rougeoyant ; sa cristallisation engendra la pierre que je pus travailler. Les années durant lesquelles j'étais à l'écoute des images intérieures constituèrent l'époque la plus importante de ma vie, au cours de laquelle toutes les choses essentielles se décidèrent. Car c'est là que celles-ci prirent leur essor, et les détails qui suivirent ne furent que des compléments, des illustrations et des éclaircissements. Toute mon activité ultérieure consista à élaborer ce qui avait jailli de l'inconscient au long de ces années et qui, tout d'abord, m'inonda. Ce fut la matière première pour l'œuvre d'une vie◆. »

◆ C.G. Jung: *Ma vie, souvenirs, rêves et pensées*, propos recueillis par A. Jaffé (Paris, Gallimard, 196

La théorie de l'inconscient collectif

Le système psychique élaboré par Jung est d'une complexité extrême qu'augmentent l'imprécision et la multiplicité des sens qu'il donne à ses concepts. On peut cependant, en simplifiant, y distinguer trois parties : le conscient qui, dans son centre, comprend l'ego et dans sa périphérie un ensemble de fonctions assurant la relation de l'individu avec le monde objectal et que Jung nomme la persona ; l'inconscient personnel qui est relativement peu profond et formé des éléments refoulés ou oubliés ; enfin, l'inconscient collectif, héritage commun à toute l'humanité, mer profonde porteuse de la vague individuelle. De lui Jung nous dit qu'il est « un domaine secret dont nous pouvons surprendre le murmure, mais qui nous glisse entre les doigts◆ ».

◆ C.G. Jung: *Psychologie et alchimi* (Paris, Buchet-Chastel 1963).

A jamais inassimilable par l'ego, l'inconscient collectif est obscur dans sa plus grande surface et fait participer l'âme humaine d'un fonds commun anhistorique que nous révèlent aussi bien les rêves que les mythes, les contes et les légendes.

La pensée de Jung est une pensée antithétique. Il n'est pas de réalité psychique qui, une fois posée par lui, ne suscite immédiatement une réalité opposée qui l'équilibre. Ainsi, à l'ego s'oppose l'ombre, à la persona, l'animus.

Ombre et animus sont des structures de l'inconscient collectif. L'ombre, qui représente « quelque chose d'inférieur, de primitif, d'inadapté », Jung la compare à une « invisible queue de saurien que l'homme traîne encore derrière lui. Soigneusement séparée, elle devient le serpent sacré du mystère. Seuls les singes s'en servent pour parader ». Par l'ombre nous sommes ainsi reliés à nos ancêtres animaux.

L'animus et l'anima sont, en quelque sorte, les hypostases jungiennes

de la bisexualité. L'animus est le masculin dans la femme, l'anima, le féminin dans l'homme. On ne saurait prendre cette sexualité au sens biologique strict. Jung lui donne une forte charge de spiritualité et de pureté. L'animus, image du « jeune premier », du héros aux multiples aventures, fait pendant à la persona de la femme, et l'anima, image d'un être éthéré, elfique, à celle de l'homme.
Refoulés, l'animus et l'anima n'en sont pas moins actifs. C'est ainsi que, dans le choix que fait l'homme de la femme aimée, transparaît le refoulé.

Les archétypes constituent le lien entre le collectif et l'individuel

Animus, anima sont, parmi d'autres, des archétypes — figures primordiales qui se manifestent aussi dans les productions de la mythologie, les dieux et les déesses. L'archétype permet à Jung d'établir une médiation entre le collectif et l'individuel, entre la structure et l'image. Mais il nous faut noter que son statut est ambigu et qu'il oscille entre deux tendances qui ne peuvent être retenues ensemble : parfois les archétypes sont des images originelles transmises héréditairement (perspective génétique), parfois ils sont des principes régulateurs de l'expérience, des formes dynamiques qui organisent les images (perspective structurale).
Il reste que cette notion permet à Jung de construire une théorie originale des grands symboles collectifs. Les dieux de la Grèce antique, les héros, la vie du Christ sont des productions archétypiques. « Jamais les » images puissantes ne firent défaut à l'humanité pour opposer une pro- » tection magique entre la vie effrayante des profondeurs du monde et » de l'âme. Les figures de l'inconscient s'exprimèrent toujours par des » images protectrices et salvatrices et furent ainsi rejetées dans » l'espace cosmique en dehors de l'âme◆. »

◆ C.G. Jung: *la Psychologie de l'inconscient* (Paris, Buchet-Chastel, 1963).

La découverte, aujourd'hui, que ces symboles qui furent sacrés ne sont que des archétypes, n'est-ce pas là la manifestation de notre pauvreté spirituelle ? Jung souligne de quel malaise nous sommes redevables à cette mort des dieux, à ce désenchantement du monde. Il suggère cependant avec une admirable finesse : « Le respect des grands secrets de la » nature, dont le langage religieux s'efforce de traduire, en des symboles » sanctifiés par l'âge, la valeur significative et la beauté, ne perd rien du » fait que la psychologie s'étend à ce domaine fermé jusqu'alors à la » science. Nous nous contentons de repousser un peu les symboles pour » mettre en lumière une partie de leur domaine, bien persuadés que » nous n'avons fait que créer un nouveau symbole pour traduire une

» énigme qui en fut toujours une. Notre science est aussi un langage » figuré, mais plus adapté à la vie pratique que la vieille hypothèse » mythologique qui exprimait en représentations concrètes ce que nous » exprimons en concepts◆. »

Nous voyons mieux ce que sont les mythes. Ni hors du temps ni purs produits de l'Histoire, ils sont la mise en forme, par des archétypes, des situations sociales. Le langage humain se transforme avec l'esprit du temps ; mais ce qu'il dit ne varie pas. Il s'agit de la même vérité éternelle◆.

C'est cette conception du symbolique — qu'on retrouve aussi dans l'analyse du rêve — qui sépare de la façon la plus radicale Freud de Jung, et non la croyance en l'existence de l'inconscient collectif qui leur est commune◆. Freud analyse, Jung déchiffre ; Freud recherche des causes, Jung, le message. A la réduction freudienne du rêve au désir s'oppose, chez Jung, l'exaltation archétypale du symbole. Le rêve, nous dit-il, met au service de l'individu la sagesse impérissable des temps anciens. Il est un guide pour la conduite, dans le présent et dans le futur.

◆ C.G. Jung : *la Psychologie de l'inconscient* (Paris, Buchet-Chaste[l] 1963).

◆ C'est ce qui fait dire au psychanalyst[e] freudien Lacan : « Autrement dit, l'âme, aveugle lucide lit sa propre nature dans les archétypes que le monde lui réverbère : comment ne viendrait-elle pas à se croire l'âme du monde?» (*Ecrits* [Paris, Seuil, collecti[on] « le Champ freudien» 1966]).

◆ N'oublions pas que Freud, auteur de *Totem et Tabou* Paris, Payot, 1965). et de *Moïse et le Monothéisme* (Paris, Gallimard, 1967), a toujours admis l'idée qu'un drame oublié (mais peut-êtr[e] n'est-ce qu'une tram[e]) traverse les âges.

Les types psychologiques

Du système psychique ainsi construit et du perpétuel jeu de compensation entre entités opposées qu'il suppose, Jung tire la possibilité d'une typologie originale des caractères. Son point de départ en est l'opposition entre l'introversion et l'extraversion, l'une résultant d'un mouvement centripète de la libido, l'autre, d'un mouvement centrifuge. L'introversion est le retrait sur soi, la perte de soi dans ses propres profondeurs ; l'extraversion est l'intérêt porté au monde extérieur. Notons que, fidèle à sa règle de rapports antithétiques — de sorte que chaque réalité suppose l'existence de son inverse —, Jung souligne que l'extraverti a un inconscient introverti et l'introverti un inconscient extraverti.

La typologie va se compliquer par l'intervention des fonctions psychiques : la pensée, le sentiment, l'intuition, la sensation. Nous avons alors huit types psychiques :

— Le *type « pensée-introversion »* : qui s'intéresse plus aux concepts qu'aux faits. C'est, par exemple, le théoricien dogmatique, arrogant, sensible à la critique et dénué d'intuition ;

— Le *type « pensée-extraversion »* : qui donne la primauté aux faits sur la théorie ; c'est, par exemple, le théoricien intolérant et fanatique ;

— le *type « sentiment-introversion »* : type féminin dans lequel les jugements s'adaptent aux sentiments ; c'est, par exemple, le sujet qui pro-

cède par vives sympathies ou vives antipathies, incompris et incapable de s'exprimer ;
— le *type « sentiment-extraversion »* : féminin lui aussi, ayant tendance à s'identifier aux autres, facilement influençable et inhibé dans ses capacités de pensée ;
— le *type « sensation-introversion »* : type irrationnel, imprévisible, sensuel, qui projette sur le monde les peurs inconscientes qu'il ressent archétypiquement ;
— le *type « sensation-extraversion »* : avide de stimuli extérieurs qui doivent se renouveler fréquemment, facilement lassé et toujours impatient ;
— le *type « intuition-introversion »* : qui se préoccupe peu des circonstances extérieures, qui est instable, peu compréhensif, souvent mal compris, déchiffrant le monde en fonction de son propre inconscient ;
— le *type « intuition-extraversion »* : instable, impulsif, apparemment optimiste.
Ces huit groupes sont eux-mêmes subdivisés d'après l'existence de fonctions auxiliaires. Par exemple, un type « sensation-introversion » peut posséder une co-fonction de type « pensée-extraversion ».

Cette caractérologie jungienne a eu un immense succès. L'auteur, pourtant, n'en était pas satisfait. Il était sensible à la difficulté qu'il y a à figer le dynamisme psychique dans des catégories et surtout à le faire avant même que puisse être épuisée la connaissance du psychisme.
Cette sagesse qu'au second versant de sa vie, après quarante ans, l'homme peut espérer conquérir, cette possession de son être propre pose à l'esprit une question difficile. L'individuation, processus de transformation de l'ego en Soi, reste une entreprise absurde si la mort est ce qu'elle est : la fin. Quel objectif dérisoire, en effet, celui que la tombe obscurcit ! Que peut valoir le fait de connaître ce que l'on est et comment il faut vivre si c'est au moment de mourir ?
« A moins, nous dit J. B. Priestley◆, que cette individuation ne soit la » préparation à l'existence en dehors du temps 1, dans les temps 2 et » 3. »

◆ J.B. Priestley : *l'Homme et le temps* (Paris, Pont-Royal, 1956).

La suggestion ne choquerait pas Jung qui n'a jamais dissimulé que la question « qu'en est-il après la mort ? » a été au centre de ses inquiétudes et qui affirmait avoir trouvé dans sa propre vie « la preuve que » parfois la psyché fonctionne par-delà la loi causale spatio-temporelle ».

Mais laissons-le parler.
« La possibilité d'une réalité autre, existant derrière les apparences, » avec d'autres références, devient un problème inéluctable et nous » sommes contraints d'ouvrir les yeux sur ce fait que notre monde de

» temps, d'espace et de causalité est en rapport avec un autre ordre de » choses, derrière ou au-dessous du premier, ordre dans lequel « ici et » là », « avant et après » ne sont pas essentiels◆. »

◆ C.G. Jung: *la Psychologie de l'inconscient* (Paris, Buchet-Chaste 1963).

Jung fut un maître spirituel autant qu'un médecin

Notre parcours s'achève. En quête d'un psychanalyste, c'est-à-dire d'un homme de science et d'un thérapeute, nous constatons notre surprise : nous avons rencontré un penseur mystique. Il ne s'agit certes pas d'un mysticisme religieux, mais d'une sorte de panthéisme où s'unissent les charmes de l'alchimie et les séductions de l'Extrême-Orient. Peut-on, pour rester fidèle à notre projet, faire un bilan en lecteur de science ?
On ne saurait nier le rôle d'éveilleur qui a été celui de Jung, ni ses apports importants à la connaissance de l'homme. Mais on est en droit d'être insatisfait par ce qui est peut-être le défaut de sa richesse : la surabondance d'idées d'inégale valeur. Par-dessus tout paraît critiquable le procédé de pensée qu'il utilise très fréquemment et qui, pour producteur d'étincelles qu'il soit, ne saurait valider une recherche : l'analogie, grâce à laquelle, trop facilement, n'importe quoi peut signifier n'importe quoi. Il en va de même de son goût pour toute une bimbeloterie qui séduit les assoiffés de mysticisme que la religion — dans nos sociétés industrielles — ne suffit pas à abreuver, et de son obstination à élever tous les traits folkloriques, recueillis au cours des divers voyages par le touriste curieux de tout qu'il était, à la dignité de matériau scientifique permettant de fonder telle affirmation sur la communication avec les morts, la survie des âmes ou l'intérêt de la pratique des tables tournantes.
Et puisque Jung aimait séparer dans chacun le numéro un et le numéro deux, disons qu'il y a le numéro un : Jung le prospecteur de l'inconscient collectif, et le numéro deux : Jung le mystique et le mage.

La psychologie de Jung contient une sagesse qui est l'accomplissement du Soi. « Seul celui qui peut posément répondre oui aux puissances de » la destinée qu'il découvre en lui-même devient une personnalité. » Il y a une profonde parenté entre l'odyssée jungienne de l'âme pour atteindre la sérénité et les chemins de la libération que nous enseignent les philosophies orientales. L'homme qui a osé affronter son ombre accomplit la tâche de l'âge mûr : se préparer à la mort. Il peut souhaiter contempler par la pensée le parcours, comme le fait Jung dans la dernière page de ses souvenirs.
« Quand Lao-Tseu dit : "*Tous les êtres sont clairs, moi seul suis » trouble*", il exprime ce que je ressens dans mon âge avancé. Lao-Tseu » est l'exemple d'un homme d'une sagesse supérieure qui a vu et fait

» l'expérience de la valeur et de la non-valeur, et qui, à la fin de sa vie, » souhaite s'en retourner dans son être propre, dans le sens éternel » inconnaissable. L'archétype de l'homme âgé qui a suffisamment » contemplé la vie est éternellement vrai [...]. Plus je suis devenu incer- » tain au sujet de moi-même plus a crû en moi un sentiment de parenté » avec les choses. C'est comme si cette étrangeté qui m'avait si long- » temps séparé du monde avait maintenant pris place dans mon monde » intérieur...◆ »

A. A.

◆ C.G. Jung: *Ma vie, souvenirs, rêves et pensées*, propos recueillis par A. Jaffé (Paris, Gallimard, 1966).

Quiz

Connaissez-vous Carl Gustav Jung ?

1
Quelles sont les dates de la naissance et de la mort de Jung ?
☐ 1870-1945
☐ 1891-1965
☐ 1875-1961

2
Originaire de Mayence, la famille Jung s'installe à Bâle vers le milieu du XIXe siècle. Une légende veut que le grand-père de Carl Gustav Jung soit le fils illégitime de
☐ Schiller
☐ Hoffmann
☐ Goethe

3
Jean Paul Achille Jung, père de Carl Gustav Jung, était
☐ médecin
☐ pasteur
☐ architecte

4
Enfant, Jung souffrait
☐ d'eczéma
☐ de palpitations cardiaques
☐ de rhumatisme articulaire aigu

5
Carl Gustav Jung
☐ était l'aîné d'une famille nombreuse
☐ était fils unique
☐ avait une sœur

6
A l'âge de 11 ans, Jung entre au collège de Bâle. Il est véritablement paniqué par
☐ les mathématiques
☐ l'orthographe
☐ l'instruction religieuse

7
Matériellement, la famille de Jung était
☐ aisée
☐ pauvre
☐ fortunée

8
Au Burghölzli, clinique psychiatrique où débute sa carrière médicale, Carl Gustav Jung est le disciple et l'assistant de
☐ Kraepelin
☐ Flournoy
☐ Bleuler

9
Dans « les Types psychologiques », Jung établit une distinction fameuse passée depuis dans le langage courant ; les deux termes en sont :
☐ passivité/activité
☐ primarité/secondarité
☐ introversion/extraversion

10
1907 est la date
☐ du mariage de Jung
☐ de sa première rencontre avec Freud
☐ de son voyage aux Indes

11
Le terme « mana », fréquemment utilisé par Jung, est emprunté au vocabulaire :
☐ sanskrit
☐ mélanésien
☐ arabe

12
La tour de Bollingen s'élève au bord du lac de
☐ Zurich
☐ Thoune
☐ Neuchâtel

13
Jung a parfois représenté la psyché sous forme d'une boussole dont les quatre pôles sont
☐ volonté
☐ affectivité
☐ imagination
☐ secondarité
ou
☐ sensation

☐ pensée
☐ sentiment
☐ intuition

14
Magistral interprète des symboles, des mythes religieux, des légendes et du folklore, Jung a forgé, pour en expliquer la présence en tout homme, le concept de
☐ conscience collective
☐ psyché universelle
☐ inconscient collectif

15
D'après Jung, l'hermaphrodite est le symbole de
☐ la bisexualité psychique
☐ l'inextricable imbroglio du bien et du mal
☐ du couple père/mère que l'enfant ressent « combiné », indissociable.

16
Les résidus archaïques — éléments trouvés dans les rêves —, dont parle Freud, deviennent, chez Jung
☐ des archétypes
☐ des symboles
☐ des représentations héritées

17
L'amplification est une technique d'approfondissement et d'élargissement des images que Jung applique
☐ à l'interprétation des œuvres d'art
☐ à l'interprétation des symboles religieux
☐ au matériel onirique

18
Au cours de leurs années de coopération, Freud et Jung analysent mutuellement leurs rêves
☐ à leur commune satisfaction
☐ à la satisfaction du seul Jung
☐ à leurs mutuelles déception et insatisfaction

19
En 1910, Jung fait connaître à Freud les « Mémoires d'un névropathe ». Il s'agit de l'autobiographie de
☐ l'homme aux loups
☐ l'homme aux rats
☐ du président Schreber

20
Jung reprochait à Freud la non-résolution de
☐ son œdipe
☐ son complexe de castration
☐ son complexe paternel

21
Combien de temps Jung est-il demeuré président de l'Association psychanalytique internationale ?
☐ 4 ans ☐ 9 ans
☐ 23 ans

22
De ces trois formules, laquelle approche au plus près de la conception jungienne de la libido ?
☐ instinct sexuel
☐ pulsion hédonistique
☐ énergie psychique

23
Confronté à un patient nouveau, Jung, thérapeute, attache une importance primordiale
☐ au récit chronologique de ses symptômes névrotiques
☐ à son premier rêve une fois l'analyse décidée
☐ à la description minutieuse qu'il fait de ses parents

24
La méthode psychothérapeutique de Jung
☐ s'appuie sur des principes théoriques strictement systématisés
☐ s'oppose point par point à l'analyse freudienne
☐ est essentiellement différente selon chaque cas traité

25
Selon Jung, le processus d'individuation est
☐ une prise de conscience du soi
☐ une réalisation du soi
☐ une intégration du moi

26
Le terme « persona » désigne, dans la psychologie jungienne
☐ le noyau psychique de l'individu
☐ la partie négative de son caractère
☐ le masque de son adaptation à la vie sociale

27
Socrate parlait du « daimon » intérieur de l'homme, les Egyptiens de son « ba » et les Romains de son « génie » Jung réunit ces trois concepts pour forger celui de
☐ persona
☐ individu
☐ soi

28
Vers la cinquantaine, Jung entreprend l'étude approfondie de
☐ l'alchimie
☐ l'astronomie
☐ la paléontologie

29
A la question : « l'analyse peut-elle être pratiquée par les non-médecins ? » Jung répond par
☐ la négative
☐ l'affirmative

☐ ne se prononce pas

30
L'intérêt de Jung pour l'occultisme date
☐ de ses années d'études
☐ de l'époque de ses voyages chez les peuples primitifs
☐ des dix dernières années de sa vie

31
Devant les phénomènes parapsychologiques, l'attitude de Jung est
☐ foncièrement hostile
☐ ouverte
☐ exagérément naïve et antiscientifique

32
Parmi les mots proposés, lequel complète la phrase suivante : « *Le mot... a deux sens : tantôt il désigne le psychisme obscur, tantôt la somme des défauts du moi.* »
☐ daimon
☐ ombre
☐ inconscient

33
La première société groupée autour de Jung a pour nom
☐ Société suisse de psychologie analytique
☐ Club psychologique de Zurich
☐ Institut C.-G. Jung

34
Grand voyageur, Jung a visité en partie quatre continents. Le seul où il ne se soit jamais rendu est
☐ l'Amérique
☐ l'Asie
☐ l'Australie

35
Parmi ces termes, lesquels relèvent de la psychologie strictement jungienne ?
☐ idéal du moi
☐ moi idéal
☐ individuation
☐ synchronicité
☐ principe de Nirvâna
☐ persona

36
La publication en français des œuvres de Jung a lieu sous la direction de
☐ Jacques Lacan
☐ Roland Cahen
☐ Sacha Nacht

37
Aux côtés de son mari, Emma Jung travaillait, à la fin de sa vie, sur le thème de
☐ la légende du Graal
☐ la quaternité
☐ la Belle et la Bête

38
En 1957, sous le titre « Un mythe moderne », Jung propose une interprétation analytique
☐ de la révolution sexuelle
☐ du phénomène « blousons noirs »
☐ des soucoupes volantes

39
Devant les problèmes religieux, la prise de position de Jung se rapproche
☐ de l'athéisme
☐ du panthéisme
☐ du gnosticisme

40
Le « mandala » (mot hindou qui signifie cercle magique) est, d'après Jung, le symbole archétypique
☐ du centre psychique de la personnalité
☐ de l'existence intra-utérine
☐ du cosmos

41
En 1938, Jung se rend aux Indes

☐ à la demande de Gandhi
☐ pour y fonder la Société indienne de psychologie analytique
☐ sur une invitation officielle du gouvernement des Indes

42
Devant les besognes matérielles et les travaux manuels, l'attitude de Jung s'apparente à celle
☐ d'un pragmatique féru d'efficacité
☐ d'un sage qui aime le contact de la matière
☐ d'un philosophe qui sacrifie aux inévitables contingences

43
Pierre angulaire de la psychologie freudienne, la théorie sexuelle apparaît à Jung comme un dogme qu'il
☐ élargit et adapte à ses propres conceptions
☐ rejette purement et simplement
☐ adopte sans discussion par égard pour Freud, mais décidé à n'en pas tenir compte

44
A l'origine, Jung découvre l'existence des complexes grâce à
☐ l'observation attentive du comportement des sujets
☐ l'interprétation de leurs rêves
☐ l'expérience d'associations

45
Laquelle de ces formules exprime l'attitude de Jung face aux complexes ?
☐ les complexes sont plus ou moins pathogènes mais, sans eux, l'activité psychique ne serait pas
☐ les individus sans complexes présentent un équilibre psychique idéal
☐ la cure analytique a pour but de mettre à plat et réduire tous les complexes

46
Emprunté à Rudolph Otto, l'adjectif « numineux » revient fréquemment dans les textes de Jung. Il signifie
☐ étrange, bizarre, insolite
☐ sacré, mystérieux, indicible
☐ abstrus, ésotérique, obscur

47
Récusant le terme « psychanalyse », Jung fonde sa propre école sous le nom de
☐ analyse existentielle
☐ psychologie analytique
☐ analyse transactionnelle

48
Quel âge a Jung lorsqu'il décide d'écrire son autobiographie ?
☐ 65 ans
☐ 75 ans
☐ 82 ans

Quiz

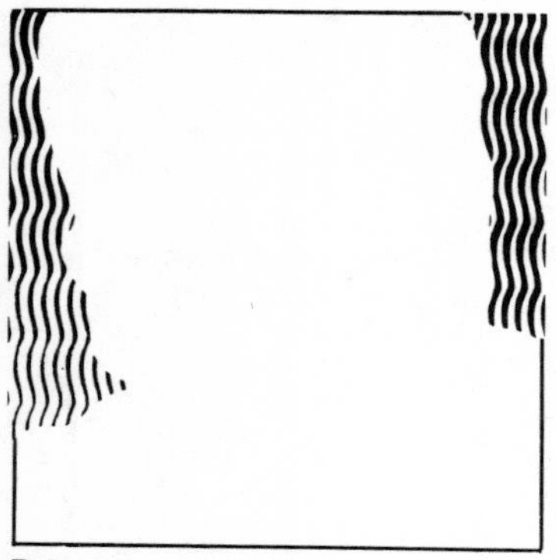

Réponses

1 1875-1961.

2 Goethe.
A l'égard de cette légende, l'attitude de Jung est ambivalente. Feignant de s'en irriter, il ne l'évoque pas moins à plusieurs reprises et non sans complaisance.

3 Pasteur.
Mais peu assuré dans ses convictions. Tout enfant, Jung est victime d'obsessions religieuses qui sont sa réaction inconsciente aux doutes informulés de son père.

4 D'eczéma.
Le petit Jung connaîtra d'autres troubles sévères : insomnies, pseudo-croup, étouffements, angoisses imprécises, syncopes. Il fait une chute sanglante dans un escalier, manque de tomber à l'eau du haut du pont des chutes du Rhin et conclut : « *Ces événements indiquent une tendance inconsciente au suicide ou une résistance néfaste à la vie dans ce monde.* »

5 Il avait une sœur.
« *Lorsque j'eus neuf ans, ma mère mit au monde une fille. Mon père en fut agité et réjoui. "Cette nuit tu as eu une petite sœur", dit-il et j'en fus tout à fait surpris : je n'avais rien remarqué auparavant* [...] *On marmonna une histoire de cigogne qui aurait apporté l'enfant.* » (C.G. Jung : « Ma vie »).

6 Les mathématiques.
« *J'étais positivement angoissé par les leçons de mathématiques. A en croire le maître, l'algèbre allait de soi, alors que je ne pouvais rendre les équations compréhensibles qu'en remplaçant chaque fois les lettres par certaines valeurs en chiffres et en me confirmant, grâce à un calcul concret, le sens de l'opération* [...]. (C.G. Jung : « Ma vie »).

7 Pauvre.
« *Je compris que nous étions pauvres, que mon père était un pauvre pasteur de campagne et moi, avec des souliers aux semelles percées et qui devais rester assis pendant six heures de classe dans des bas mouillés, le fils encore plus pauvre de ce pasteur* » (C.G. Jung : « Ma vie »).

8 Bleuler.
Psychiatre mondialement connu, le professeur Bleuler poursuivait et étendait les travaux de Kraepelin sur la démence précoce, dont il soutenait l'origine organique due à la présence dans le cerveau d'une psychotoxine.

9 Introversion/extraversion.
Jung questionne : « *Qui ne connaît pas ces natures fermées, difficilement pénétrables, souvent ombrageuses, qui contrastent violemment avec ces caractères ouverts, sociables, enjoués, d'abord facile ? Mais celui qui a l'occasion de connaître à fond beaucoup de gens découvre sans peine qu'il ne s'agit nullement dans ce contraste de cas individuels isolés : ce sont plutôt des attitudes typiques.* »

10 Sa première rencontre avec Freud.
Dès 1900, Jung avait lu « la Science des rêves ». Trois ans plus tard, il y découvre une confirmation de ses propres théories concernant les expériences d'associations. Puis il adresse à Freud son ouvrage « Etudes diagnostiques sur les associations » ; une correspondance s'ensuit. La publication de la « Psychologie de la démence précoce » provoque l'invitation de Freud, à laquelle Jung se rend en février 1907.

11 Mélanésien.
Il désigne des forces extraordinairement agissantes

qui peuvent émaner d'un individu, d'un événement, d'un être surnaturel, d'un objet. « *Dans la mythologie ancienne, ces forces étaient appelées* mana, *esprits, démons ou dieux. Elles sont toujours aussi actives aujourd'hui* » (C.G. Jung : « l'Homme et ses symboles »).

12 Zurich.
Depuis son plus jeune âge, Jung est fasciné par l'eau. Un de ses premiers souvenirs est l'émerveillement qu'il éprouve au bord du lac de Constance.

13 Sensation, pensée, sentiment, intuition.
« *Ces quatre types fonctionnels correspondent aux quatre moyens grâce auxquels notre conscience parvient à s'orienter par rapport à l'expérience. La sensation (c'est-à-dire la perception sensorielle) vous révèle que quelque chose existe. La pensée vous révèle ce que c'est. Le sentiment vous dit si c'est agréable ou non. Et l'intuition vous révèle d'où parvient la chose, et vers quoi elle tend* » (C.G. Jung : « l'Homme et ses symboles »).

14 Inconscient collectif.
« *Nous rencontrons aussi dans l'inconscient des propriétés qui n'ont pas été acquises individuellement ; elles ont été héritées : ainsi les instincts, ainsi les impulsions pour exécuter des actions commandées par une nécessité, mais non par une motivation consciente. C'est dans cette couche "plus profonde" de la psyché que nous rencontrons aussi les archétypes. Les instincts et les archétypes constituent ensemble l'inconscient collectif* » (C.G. Jung : « l'Energétique psychique »).

15 La bixesualité psychique.
Jung a créé pour l'exprimer les termes « anima » (élément féminin de la psyché masculine) et « animus » (élément masculin de la psyché féminine). Il écrit : « *Au Moyen Age, bien avant que les physiologistes aient démontré que notre structure glandulaire confère à chacun de nous des éléments à la fois mâle et femelle, un dicton voulait que "chaque homme porte en lui une femme". Et c'est cet élément féminin dans chaque homme que j'ai appelé l'anima.* » (C.G. Jung : « l'Homme et ses symboles »).

16 Des archétypes.
« *Mon point de vue concernant les "résidus archaïques", que j'ai appelés "archétypes" ou "images primordiales", a été constamment attaqué* [...]. *On croit souvent que le terme "archétypes" désigne des images ou des motifs mythologiques définis. Mais ceux-ci ne sont rien d'autre que des représentations conscientes ; il serait absurde de supposer que des représentations aussi variables puissent être transmises en héritage.* » (C.G. Jung : « l'Homme et ses symboles »).

17 Au matériel onirique.
Freud voyait dans l'absence d'associations à partir du matériel onirique une résistance de l'analysé. Jung explique cette absence par le fait que le rêve en question procède de l'inconscient collectif. Le sujet reste en panne d'associations faute d'avoir déjà expérimenté personnellement cette tranche d'inconscient collectif. L'analyste, d'après Jung, doit alors proposer à l'analysé des éléments puisés dans les mythes collectifs, les symboles religieux, le folklore ou la littérature, éléments en rapport avec le rêve, afin que le rêveur puisse en « reconnaître » le sens, l'approfondir et l'intégrer consciemment.

18 A leurs mutuelles déception et insatisfaction.
Freud analyse un rêve de Jung et ce dernier, quant à ses propres associations, commente : « *J'étais fasciné par les ossements de l'homme fossile, particulièrement par l'homme de Néanderthal, autour duquel on discutait beaucoup, et par le crâne du Pithécanthrope de Dubois* [...]. *En fait, c'était là les associations réelles de mon rêve. Mais je n'osais pas parler de crânes, de squelettes et de cadavres à Freud, car l'expérience m'avait appris que ces thèmes lui étaient désagréables. Il nourrissait l'idée singulière que j'escomptais sa mort prématurée.* » Lorsque la situation s'inverse (Jung analyse un rêve de Freud), les résultats ne sont guère plus encourageants.

19 Du président Schreber.
« *C'est donc sous l'influence de son élève (Jung) que, pour la première fois, il (Freud) empiète sur le domaine propre de la psychiatrie en abordant les problèmes insurmontables posés par les psychoses, schizophrénie et paranoïa. Mais Jung avait, sur le cas de Schreber, des vues personnelles que l'analyse de Freud fut bien loin de corroborer.* » (Marthe Robert : « la Révolution psychanalytique »).

20 Son complexe paternel.
Jung relate deux conversations, l'une sur les cadavres des marais, l'autre sur Aménophis IV à propos duquel Freud et lui-même sont en désaccord. Irrité, Jung défend son point de vue avec véhémence et, « *à ce moment, Freud s'écroula de sa chaise sans connaissance. Nous l'entourâmes sans savoir que faire. Alors je le pris dans mes bras, le portai dans la chambre voisine et l'allongeai sur un sofa. Déjà, tandis que je le portais, il reprit à moitié connaissance et me jeta un regard que je n'oublierai jamais. Du fond de sa détresse, il me regarda comme si j'étais son père.* » (C.G. Jung : « Ma vie »).

21 Quatre ans.
Nommé président lors de sa création en 1910, il démissionne en 1914. Freud ressent douloureusement cette défection qui suit de peu celle d'Adler.

22 Energie psychique.
Jung s'explique : « *Un thème, qui me tenait déjà à cœur dans mon livre* « *Métamorphoses et symboles de la libido* », *était la théorie de la libido. Je concevais celle-ci comme une analogie psychique de l'énergie physique, donc comme un concept approximativement quantitatif, et c'est pour cela que je refusais toute détermination qualitative de la libido. Il me semblait important de me libérer du concrétisme qui s'était jusqu'alors attaché à la théorie de la libido, c'est-à-dire de ne plus parler de pulsion de faim, d'agression ou de sexualité, mais de voir toutes ces manifestations comme des expressions diverses de l'énergie psychique* » (C.G. Jung : « Ma vie »).

23 A son premier rêve une fois l'analyse décidée.
« *Le professeur Jung attribue une grande importance au premier rêve dans une analyse, car, selon lui, il a souvent une valeur d'anticipation. La décision de se faire analyser est généralement accompagnée par un bouleversement affectif qui trouble les couches profondes de la psyché d'où proviennent des symboles archétypiques.* (Jolande Jacobi, dans « l'Homme et ses symboles »).

24 Est essentiellement différente selon chaque cas traité.
« *On m'a souvent demandé quelle était ma méthode psychothérapeutique ou analytique : je ne peux donner de réponse univoque. La thérapie est différente dans chaque cas. Quand un médecin me dit qu'il "obéit" strictement à telle ou telle "méthode", je doute de ses résultats thérapeutiques* » (C.G. Jung : « Ma vie »).

25 Une réalisation du soi.
« *La voie de l'individuation signifie : tendre à devenir un être réellement individuel et, dans la mesure où nous entendons par individualité la forme de notre unicité la plus intime, notre unicité dernière et irrévocable, il s'agit de la réalisation de son soi dans ce qu'il a de plus personnel et de plus rebelle à toute comparaison. On pourrait donc traduire le mot d'"individuation" par "réalisation de soi-même", "réalisation de son soi"* » (C.G. Jung : « les Racines de la conscience »).

26 Le masque de son adaptation à la vie sociale.
Persona, dans le théâtre antique, désignait le masque porté par les acteurs.

27 Soi.
« *Le soi est une entité "sur-ordonnée" au moi. Le soi embrasse non seulement la psyché consciente, mais aussi la psyché inconsciente, et constitue, de ce fait, pour ainsi dire, une personnalité plus ample, que nous sommes aussi.* » (C.G. Jung : « Dialectique du moi et de l'inconscient », in « Psychologie et alchimie »).

28 L'alchimie.
Son étude débute par la lecture des « Artis auriferae volumina duo », « *volumineuse collection de traités latins parmi lesquels se trouve une série de classiques.* (C.G. Jung : « Ma vie »).

29 L'affirmative.
« *Ma position a été que les non-médecins doivent pouvoir étudier et aussi exercer la psychothérapie, bien que, quand il s'agit de psychoses latentes, ils puissent facilement se fourvoyer. C'est pourquoi je recommande que les profanes habilités travaillent en tant qu'analystes, mais sous le contrôle d'un médecin spécialiste* » (C.G. Jung : « Ma vie »).

30 De ses années d'études.
Intrigué dès l'enfance par les phénomènes paranormaux, Jung découvre, au début de ses études universitaires, « *toute la documentation alors accessible sur le spiritisme* ». Puis il fait connaissance d'un médium et, chaque samedi, organise des séances.

31 Ouverte.
« *La relation médecin-malade peut, surtout quand il intervient un transfert du malade ou une identification plus ou moins inconsciente entre médecin et malade, conduire occasionnellement à des phénomènes de nature parapsychologique.* »

32 Ombre.
« *L'ombre personnifie tout ce que le sujet refuse de reconnaître ou d'admettre et qui pourtant s'impose toujours à lui, directement ou indirectement, par exemple les traits de caractère inférieurs ou autres tendances incompatibles.* » (C.G. Jung : « la Guérison psychologique »).

33 Club psychologique de Zurich.
Formé en 1916, il devint, en 1948, l'Institut C.G. Jung.

34 L'Australie.
En 1909, Jung se rend aux Etats-Unis en compagnie de Freud. En 1920, il découvre l'Afrique du Nord et, cinq ans plus tard, il visitera le Kenya et l'Ouganda ; 1938 est l'année de son voyage aux Indes.

35 Persona, individuation, synchronicité.
Seuls ces trois termes relèvent

en effet, de la psychologie jungienne.

36 Roland Cahen.
Le docteur R. Cahen a signé l'avant-propos de « Ma vie ».

37 La légende du Graal.
Sa mort, en 1955, ne lui permit pas d'achever ce travail que le Dr Marie-Louise von Franz acheva en 1958.

38 Des soucoupes volantes.
« *Jung a expliqué la vision de tels objets par une projection d'un contenu psychique (l'unité ou la totalité) qui a de tout temps été symbolisé par le cercle.* » (Aniéla Jaffé : « le Symbolisme dans les arts plastiques », dans « l'Homme et ses symboles »).

39 Du gnosticisme.
Il est réellement impossible de bloquer en une formule les conceptions métaphysiques et religieuses de Jung. Mais il écrit : « *Pour l'homme, la question décisive est celle-ci : "Te réfères-tu ou non à l'infini ?" Tel est le critère de la vie.* » Lui-même s'y référait incontestablement.

40 Du centre psychique de la personnalité.
« *Mandala signifie cercle, plus particulièrement cercle magique. Les mandalas ne sont pas uniquement répandus dans tout l'Orient, ils existent aussi chez nous.* » (C.G. Jung : « le Secret de la fleur d'or »).

41 Sur une invitation officielle du gouvernement anglais des Indes.
« *L'Inde m'a effleuré comme un rêve, car j'étais et je restais à la recherche de moi-même, à la recherche de ma propre vérité* » (C.G. Jung : « Ma vie »).

42 D'un sage qui aime le contact de la matière.
Parlant de la tour de Bollingen où, selon les termes alchimiques, il est « le fils archivieux de la mère », Jung écrit : « *J'ai renoncé à l'électricité et j'allume moi-même le foyer et le poêle. Le soir, j'allume les vieilles lampes. Il n'y a pas non plus d'eau courante ; il me faut aller à la pompe moi-même. Je casse le bois et fais la cuisine. Ces travaux simples rendent l'homme simple et il est bien difficile d'être simple.* »

43 Il l'élargit et l'adapte à ses propres conceptions.
Dans « Ma vie », Jung s'exprime clairement sur ce point et répond à ses détracteurs : « *Ma préoccupation essentielle était d'approfondir la sexualité au-delà de sa signification personnelle et de sa portée de fonction biologique, et d'expliquer son côté spirituel et son sens numineux, et ainsi d'exprimer ce par quoi Freud était fasciné, mais qu'il fut incapable de saisir.* »

44 L'expérience d'associations.
« *L'expérimentateur dispose d'une liste de mots, dits mots inducteurs qu'il a choisis au hasard et qui ne doivent avoir entre eux aucun rapport de signification* [...]. *L'expérimentateur invite le sujet à réagir à chaque mot inducteur aussi rapidement que possible, en prononçant le premier mot qui lui vient à l'esprit.* » Jung s'aperçoit que le sujet commet d'innombrables erreurs : long silence, répétition du mot inducteur, lapsus, bégaiement, réaction par une phrase alors qu'un seul mot est demandé, etc. Il en conclut que le mot inducteur a buté sur un « complexe » du sujet. D'où le raté dans l'émission du mot induit.

45 Les complexes sont plus ou moins pathogènes, mais, sans eux, l'activité psychique ne serait pas.
« *Apparemment, les complexes sont une sorte d'infériorité au sens le plus large ; mais je m'empresse de remarquer que le complexe, ou le fait d'avoir des complexes, ne signifie pas, sans plus, que l'on est inférieur. Cela signifie simplement qu'il existe quelque désunion, quelque chose de non assimilé, de conflictuel, un obstacle peut-être, mais aussi une impulsion à des efforts plus grands, peut-être même une nouvelle possibilité de succès. En ce sens, les complexes sont vraiment des foyers ou des nœuds de la vie psychique dont on ne voudrait guère être privé · plus encore : qui ne doivent jamais faire défaut, parce que, sans eux, l'activité de l'esprit en arriverait à un arrêt fatal* » (C.G. Jung : « Problèmes de l'âme moderne »).

46 Sacré, mystérieux, indicible.
Jung attribue ce caractère de numinosité aux mythes, aux symboles, aux forces accueillantes ou déchaînées de la nature, à certains rites et coutumes encore en usage chez les peuples primitifs, aux fantômes, aux revenants, aux esprits.

47 Psychologie analytique.
L'analyse existentielle fut fondée par Ludwig Binswanger, psychiatre suisse contemporain de Jung, qui fut, comme lui, assistant au Burghölzli avant de rencontrer Freud. L'analyse transactionnelle est de création plus récente. Elle est due au Dr Eric Berne, né à Montréal en 1910.

48 82 ans.
Cette autobiographie s'intitule « Ma vie ». Dès le prologue, Jung « annonce les couleurs » : « *Au fond, ne me semble dignes d'être racontés que les événements de ma vie par lesquels le monde éternel a fait irruption dans le monde éphémère. C'est pourquoi je parle surtout des expériences intérieures.* »

»Citations«

Rien ne serait plus faux que de supposer que le poète puise dans une matière traditionnelle : il puise bien plutôt dans l'expérience originelle, dont l'obscure nature nécessite les figures mythologiques ; c'est pourquoi elle les attire avec avidité pour s'exprimer grâce à elles. Cette expérience originelle en soi est dénuée de paroles et d'images, car elle est comme une vision dans une glace sans reflet, elle n'est qu'une prescience très puissante qui veut s'incarner en une expression : elle est comme un tourbillon qui s'empare de tout ce qui s'offre à lui et qui, en l'emportant dans les airs, acquiert une forme visible. Mais comme l'expression n'atteint jamais à la richesse de la vision et n'épuise jamais ce qu'elle a d'inimitable, le poète a souvent besoin de matériaux presque monstrueux, ne serait-ce que pour évoquer approximativement ce qu'il a pressenti ; en outre, il se heurte inéluctablement à ce qu'une expression a de contradictoire et de rebelle, s'il veut laisser apparaître tout le paradoxe angoissant inhérent à une vision. Dante sous-tend son expérience en faisant appel à toutes les images qui vont de l'enfer au purgatoire et au ciel. Goethe a besoin du Blocksberg, de la Grèce souterraine ; Wagner, de toute la mythologie nordique et de la richesse de la légende de Parsifal ; Nietzsche s'empare du style sacré des dithyrambes et des visionnaires légendaires de la préhistoire ; Blake utilise les fantasmagories de l'Inde, le monde imagé de la Bible et de l'Apocalypse, et Spitteler emprunte de vieux noms pour des figures nouvelles qui jaillissent en une multiplicité presque effrayante de la corne d'abondance de sa poésie. Dans tout cela, aucune nuance ne manque sur l'échelle qui s'étend de l'auguste et de l'incompréhensiblement solennel jusqu'aux images les plus grotesques du pervers.

L'Ame et la vie *(Paris, Buchet-Chas[tel], 1969).*

»

Beaucoup d'hommes peuvent décrire très exactement l'image de la femme qu'ils portent en eux, très exactement jusqu'aux moindres détails. Mais j'ai rencontré très peu de femmes qui fussent à même de tracer de la même manière celle de l'homme. De même que l'image primitive de la mère est une image d'ensemble de toutes les mères des premiers temps, celle de l'anima est aussi une représentation supra-individuelle qui présente, chez beaucoup d'hommes individuellement très différents, des traits si exactement concordants que l'on pourrait en reconstruire un type déterminé de femme. Il est à remarquer que ce type est complètement dépourvu de ce qu'on appelle ordinairement le caractère maternel. Dans le cas le plus favorable, c'est la compagne, l'amie, dans les cas les moins favorables, c'est la prostituée. Ce type a été souvent très bien décrit dans des romans d'imagination avec toutes ses qualités humaines et démoniaques, dans She, *de Rider Haggard, et dans* Wisdom's Daughter, *du même auteur, dans* l'Atlantide, *de Pierre*

Benoit, partiellement dans l'Hélène de la deuxième partie du Faust, *sous la forme la plus brève et la plus expressive dans la légende gnostique de Simon le Magicien, dont on trouve la caricature également dans l'histoire des apôtres. Simon le Magicien était toujours accompagné dans ses voyages d'une jeune fille appelée Hélène. Il l'avait trouvée dans un bordel, à Tyr. Or, c'était une réincarnation de l'Hélène de Troie. Je ne sais jusqu'à quel point Goethe a eu conscience de cette légende de Simon dans l'épisode d'Hélène du* Second Faust. *On trouvera de semblables relations dans* Wisdom's Daughter, *de Rider Haggard, et nous sommes certains que, là, il n'y a aucune continuité consciente.*
L'absence de caractère maternel ordinaire prouve, d'une part, la séparation complète de l'image maternelle ; d'autre part, elle indique l'idée d'un rapport individuel, purement humain, sans intention naturelle de reproduction. La très grande majorité des hommes, à notre degré actuel de civilisation, s'en tiennent dans leur conscient au sens maternel de la femme ; c'est pourquoi l'anima ne dépasse jamais, par compensation, le stade primitif infantile de la prostituée. De là vient que la prostitution est un sous-produit essentiel du mariage civilisé. Dans la légende de Simon et dans la deuxième partie de Faust, *nous trouvons les symboles de la croissance totale de l'adulte. Elle consiste en un complet développement naturel. Le monachisme chrétien et bouddhique s'est essayé à ce même problème, mais par le sacrifice de la chair.*

Problèmes de l'âme moderne *(Paris, Buchet-Chastel, 1962).*

»

L'esprit a atteint son stade actuel de conscience comme le gland se transforme en chêne, comme les sauriens se sont transformés en mammifères. De même qu'il s'est développé pendant fort longtemps, il continue encore, en sorte que nous sommes poussés par des forces intérieures aussi bien que par des stimuli extérieurs.
Ces forces intérieures viennent d'une source profonde qui n'est pas alimentée par la conscience et échappe à son contrôle. Dans la mythologie ancienne, ces forces étaient appelées mana, *esprits, démons ou dieux. Elles sont toujours aussi actives aujourd'hui. Si elles sont conformes à nos désirs, nous parlons d'inspirations ou d'impulsions heureuses, et nous nous félicitons d'être des « types intelligents ». Si ces forces nous sont défavorables, nous déclarons que c'est un manque de chance, ou que certaines personnes nous sont hostiles, ou que la cause de nos malheurs doit être pathologique. La seule chose que nous ne saurions admettre est que nous dépendions de « puissances » qui échappent à notre volonté. Il est cependant vrai que, ces derniers temps, l'homme civilisé a acquis une certaine dose de volonté, dont il peut user comme bon lui semble... « Vouloir, c'est pouvoir », résume la superstition de l'homme moderne.*

Mais l'homme contemporain soutient sa croyance au prix d'un remarquable défaut d'introspection. Il ne voit pas que, malgré son raisonnement et son efficacité, il est toujours possédé par des « puissances » qui échappent à son contrôle. Ses dieux et ses démons n'ont pas du tout disparu. Ils ont simplement changé de nom. Ils le tiennent en haleine par de l'inquiétude, des appréhensions vagues, des complications psychologiques, un besoin insatiable de pilules, d'alcool, de tabac, de nourriture et, surtout, par un déploiement impressionnant de névroses.

L'Homme et ses symboles *(Evreux, Cercle du bibliophile, 1971).*

Les catastrophes gigantesques qui nous menacent ne sont pas des événements élémentaires de nature physique ou biologique ; elles sont de nature psychique. Nous sommes menacés d'effroyables guerres et révolutions qui ne sont rien d'autre que des épidémies psychiques. A tout instant, quelques millions d'hommes peuvent être pris d'une folie qui nous précipitera à nouveau dans une guerre mondiale ou dans une révolution dévastatrice. Au lieu d'être exposé à des bêtes sauvages, à des eaux débordantes, à des montagnes qui s'écroulent, l'homme d'aujourd'hui est menacé par les puissances élémentaires de la psyché. Le psychique est une grande puissance qui dépasse de beaucoup toutes celles de la terre. Le siècle des lumières, qui a enlevé à la nature et aux institutions humaines leur caractère divin, a ignoré le « dieu de la terreur » qui demeure dans l'âme. La crainte de Dieu est plus à sa place en face de la puissance extrême du psychique que nulle part ailleurs.

Mais ce ne sont là que de simples abstractions. Chacun sait que ce diable d'intellect a bien d'autres manières de s'exprimer. Il en est, par contre, tout autrement si ce psychisme, dur comme du granit, objectif et lourd comme du plomb, s'oppose à l'individu sous la forme d'une expérience intérieure et lui dit d'une voix perceptible : « C'est ainsi que » cela se passera, que cela doit se passer. » Alors il se sent appelé, comme les groupes sociaux quand il est question de guerre, ou de révolution, ou d'une folie quelconque. Ce n'est pas en vain que notre époque appelle précisément la personnalité salvatrice, autrement dit celui qui se distingue de la puissance inéluctable de la collectivité, qui se libère ainsi spirituellement, allumant, pour les autres un flambeau d'espérance, et annonce qu'au moins un être a réussi à échapper à la funeste identification à l'âme grégaire. Car, à cause de son inconscience, le groupe ne peut décider librement et c'est pourquoi le psychique produit en lui tout son effet, comme une loi naturelle que rien n'entrave. Il se déroule alors en un cours causalement déterminé qui ne s'arrête qu'avec la catastrophe.

Problèmes de l'âme moderne *(Paris, Buchet-Chastel, 1962).*

Bibliographie

Ouvrages principaux :
Métamorphoses de la libido (*Paris, Aubier-Montaigne, s.d.*).

La Théorie psychanalytique (*Paris, Aubier-Montaigne, 1932*).

Les Conflits de l'âme enfantine (*Paris, Aubier-Montaigne, 1936*).

Aspects du drame contemporain (*Genève, Librairie de l'Université, et Paris, Buchet-Chastel, 1948*).

Types psychologiques (*Genève, Librairie de l'Université et Paris, Buchet-Chastel, 1950*).

Psychologie de l'inconscient (*Genève, Librairie de l'Université, et Paris, Buchet-Chastel, 1957*).

Le Fripon divin, *en collaboration avec Ch. Kerenyi et P. Radin* (*Genève, Librairie de l'Université, et Paris, Buchet-Chastel, 1958*).

Psychologie et religion (*Paris, Buchet-Chastel, 1960*).

Un mythe moderne (*Paris, Gallimard, 1960*).

Problèmes de l'âme moderne (*Paris, Buchet-Chastel, 1962*).

Métamorphose de l'âme et ses symboles (*Genève, Librairie de l'Université, et Paris, Buchet-Chastel, 1963*).

Psychologie et éducation (*Paris, Buchet-Chastel, 1963*).

Essais d'exploration de l'inconscient (*Paris, Gonthier, 1964*).

La Dialectique du moi et de l'inconscient (*Paris, Gallimard, 1964*).

Réponse à Job (*Paris, Buchet-Chastel, 1964*).

Ma vie, souvenirs, rêves et pensées (*Paris, Gallimard, 1967*).

Introduction à l'essence de la mythologie, *en collaboration avec C. Kerenyi* (*Paris, Payot, 1968*).

L'Ame et la vie (*Paris, Buchet-Chastel, 1969*).

L'Energétique psychique (*Genève, Librairie de l'Université, et Paris, Buchet-Chastel, 1970*).

L'Homme à la découverte de son âme (*Evreux, le Cercle du Bibliophile, 1970*).

Présent et avenir (*Paris, Denoël-Gonthier, 1970*).

Psychologie et alchimie (*Paris, Buchet-Chastel, 1970*).

La guérison psychologique (*Genève, Librairie de l'Université, et Paris, Buchet-Chastel, 1971*).

Les Racines de la conscience, études sur l'archétype (*Paris, Buchet-Chastel, 1971*).

L'Homme et ses symboles (*Evreux, Cercle du Bibliophile, 1971*).

Ouvrages de référence :
Baudouin (C.) : l'Œuvre de Jung et la psychologie complexe (*Paris, Payot, 1963*).

Bennett (E.A.) : Ce que Jung a vraiment dit (*Paris, stock, 1968*).

Glover (E.) : Freud et Jung (*Paris, P.U.F., 1954*).

Jacobi (J.) : la Psychologie de Jung (*Paris, Delachaux et Niestlé, 1950*).

Rochedieu (E.) : C.G. Jung (*Paris, Seghers, 1970*).

MÉLANIE KLEIN

Keyston

Biographie

30 mars 1882
Naissance de Mélanie Klein à Vienne, dans une famille pauvre, de tradition et de culture juives.

1887
Mort d'une de ses sœurs, qui lui avait appris à lire et à écrire.

1896
Elle entre au lycée de jeunes filles et décide de devenir médecin.

1903-1916
Elle se marie, en 1903, avec l'ingénieur chimiste Arthur Klein, avec qui elle était fiancée depuis 1899. Le couple aura trois enfants. Jusqu'en 1916, Mélanie Klein se partage entre ses enfants et des études d'art et d'histoire.

1916
Installation à Budapest. Sur les conseils de Ferenczi, un élève de Freud, elle envisage d'appliquer la psychanalyse aux jeunes enfants. Sa carrière de psychanalyste d'enfants s'ouvre dans une polyclinique de Budapest.

Juillet 1919
Elle présente une communication sur *le Développement de l'Enfant* devant la Société psychanalytique de Budapest.

1921
Sur l'invitation du psychanalyste allemand Karl Abraham, Mélanie Klein vient à Berlin ; elle s'y installe avec ses enfants et divorce.

1924
Analyse, faite sur Mélanie Klein, par Karl Abraham.

1925
La mort de Karl Abraham interrompt la cure.
Le président de la Société britannique de psychanalyse, Ernest Jones, l'invite à donner des conférences à Londres ; peu après, Mélanie Klein s'installe en Angleterre. Ses divergences avec le milieu freudien l'ont amenée à ce départ.

1926
La parution de l'ouvrage d'Anna Freud sur l'*Introduction à la technique de l'analyse des enfants,* que Mélanie Klein critique violemment, achève la rupture.

1932
Parution de *Die Psychoanalyse des Kindes* (*la Psychanalyse des enfants*).

1934
Mélanie Klein perd son fils Hans, âgé de 27 ans.

1937
Love, Hate and Reparation (*Amour et Haine*) écrit en collaboration avec J. Rivière.

1938
L'installation à Londres des psychanalystes de Berlin, fuyant le régime nazi, rend la polémique permanente.

1940
Discussions critiques entre kleiniens et antikleiniens en séances plénières de la Société britannique de psychanalyse.

1952
Developments in Psychoanalysis (*Développements de la psychanalyse*).

1955
New Directions in Psychoanalysis (*Nouvelles voies de la psychanalyse*), écrit en collaboration avec d'autres auteurs.

1957
Envy and Gratitude (*Envie et gratitude*).

22 septembre 1960
Mort de Mélanie Klein. Fondation du « Melanie Klein Institute », pour veiller sur les intérêts matériels et moraux de l'œuvre kleinienne.

1961
Edition posthume de *Narrative of a Child Analysis* (*Récit d'une analyse d'enfant*).

1963
Edition posthume de *Our Adult World and Its Roots in Infancy* (*Notre vie adulte et ses racines infantiles, et autres essais*).

Mélanie Klein : la mère de la psychanalyse

La psychanalyse est une méthode d'interprétation dont l'objet et la fonction sont tels qu'il ne lui suffisait pas sans doute d'avoir un père. Il lui fallait aussi une mère, pour retrouver, dans la relation la plus archaïque de l'enfant au monde extérieur et à autrui, la source la plus profonde des maux de l'âge d'homme et la manifestation la plus vive de la dualité des instincts. Telle fut, dans le mouvement psychanalytique, la fonction de Mélanie Klein.

Mélanie Klein est née en 1882 à Vienne, dans une famille pauvre, de tradition et de culture juives. Petite-fille d'un rabbin, elle est la dernière de quatre enfants, et sa première éducation est imprégnée des rites et des lectures propres à sa culture d'origine.

Entrée au lycée en 1886, Mélanie Klein est fiancée dès 1889, après son admission en classe terminale, à l'ingénieur chimiste Arthur Klein. Elle l'épouse en 1903 et en aura trois enfants. C'en est fini des études de médecine. De 1903 à 1916, date de l'installation de sa famille à Budapest, Mélanie Klein consacre le temps que lui laissent ses enfants à l'étude de l'art et de l'histoire. Il est probable cependant qu'elle découvre Freud avant 1916.

Peu après son arrivée à Budapest, en effet, elle prend contact avec l'un des plus célèbres élèves de Freud, Sandor Ferenczy, et suit une première « analyse didactique »◆. C'est sur les conseils de Ferenczy qu'elle envisage d'appliquer la psychanalyse aux jeunes enfants. Cette renaissance d'une vocation longtemps contrariée est assez forte pour rompre ce qui la différa pendant vingt ans. En 1921, sur l'invitation du psychanalyste allemand Karl Abraham, Mélanie Klein vient à Berlin, s'y installe avec ses enfants et divorce. Dès lors, elle se consacre entièrement à la pratique et à la recherche psychanalytiques. Son intérêt pour la vie infantile se renforce encore au contact d'Abraham. Mais il se modifie également. Théoricien des stades de l'évolution libidinale◆, Karl Abraham a distingué en effet dans le stade oral — période initiale du développement affectif de l'enfant, étroitement dépendante de son alimentation — une phase de succion et une phase de morsure. Dans cette dernière, le fantasme d'incorporation du sein maternel est associé selon lui à une pulsion de destruction. Il a de plus fortement souligné les risques de fixation de l'énergie psychique aux fantasmes associés à chaque phase, et il s'est efforcé, le premier sans doute parmi les psychanalystes, de jeter les bases d'une interprétation des psychoses par la reconnaissance de la phase destructrice (ou « sadique ») du stade oral. Cette reconnaissance de l'agressivité primordiale de la vie psychique, associée à une interprétation des psychoses qui reconduit à la toute première enfance, sera un des aspects majeurs de l'œuvre de Mélanie Klein.

◆ *analyse didactique:* psychanalyse à la fois curative et pédagogique à laquelle se soumet le psychanalyste.

◆ Voir l'article majeur de K. Abraham : « Esquisse d'une histoire de la libido fondée sur la psychanalyse des troubles psychiques», in *Essais de psychanalys (Paris, Payot, 1969)*, t. 2

Des observations qui contredisent les théories freudiennes

Dès son séjour à Budapest, elle avait mis au point une technique d'analyse des enfants fondée sur l'utilisation du jeu. Enrichie par la pratique, cette technique permit très vite de diagnostiquer de véritables névroses chez certains enfants analysés, et mit en évidence le rôle déterminant joué par des angoisses extrêmement précoces dans l'évolution psychique. « Ignorées » par Freud, les thèses de Mélanie Klein lui valurent une rapide notoriété accrue par de vives contreverses à Berlin et à Vienne. Anna Freud, dépositaire de l'autorité de son père, spécialisée elle aussi dans l'observation de la vie infantile, contestait vivement l'existence de névroses de transfert chez les enfants◆, et par conséquent le principe même d'une cure psychanalytique qui leur soit adaptée. L'installation de Mélanie Klein à Londres précipita la polémique.

En 1925, en effet, le président de la Société Britannique de psychanalyse, Ernest Jones, invite Mélanie Klein à venir à Londres pour une série de conférences. Adoptée par cette société, elle s'installe alors en Angleterre et il naît bientôt, à l'intérieur de la société britannique de psychanalyse, une véritable école « kleinienne » qui, à l'occasion de la polémique qui s'instaure dès 1926 entre Anna Freud et Mélanie Klein, ressemble bientôt à une véritable dissidence◆. Cette dissidence deviendra extrêmement nette lorsqu il s'agira d'évaluer l'importance à accorder aux situations créatrices d'angoisse de la première année et aux fantasmes associés aux pulsions destructrices observées dès le stade oral. Sans aller jusqu'à la scission, cette dissidence soumettra aux contraintes de la polémique l'activité ultérieure de Mélanie Klein. Le défaut de sérénité qui en résultera la conduira, au fil des années, à des positions de plus en plus dogmatiques et par conséquent faussées. Ainsi « la Psychanalyse des enfants », paru en 1932, suscite un compte rendu critique assez dur d'Ernest Glover◆, qui ira jusqu'à demander, quinze ans plus tard, l'exclusion de Mélanie Klein de la Société britannique de psychanalyse. Elle répond par un article de pure théorie sur la formation des états maniaco-dépressifs qui est sans doute son chef-d'œuvre◆. Mais les circonstances jouent contre elle. L'avènement du régime nazi en Allemagne, étendu à l'Autriche en 1938 au moment de l'Anschluss, provoque l'afflux à Londres de la plupart des psychanalystes de Berlin, puis de Vienne, généralement fidèles à l'orthodoxie freudienne. Dès lors, la polémique restera, jusqu'à la mort de Mélanie Klein, en 1960, l'état normal des rapports entre ses adeptes et les autres. Son existence est aussi l'exemple d'une désillusion instructive, qui la conduit de l'optimisme pédagogique de ses premières communications à la rigidité doctrinale et à une sorte de matriarcat sévère. Demeurent

◆ *L'introduction à la technique d'analyse des enfants*, parue en 1926, permet à Anna Freud de formuler ses premières critiques envers les thèses de Mélanie Klein.

◆ Il n'y avait, à l'origine, qu'une différence des fins. Anna Freud se proposait simplement d'appliquer les découvertes de la psychanalyse, en relation aux problèmes d'éducation, comme Mélanie Klein jusqu'en 1921. Ensuite, cette dernière se proposa de traiter les sujets qui souffraient de névroses infantiles.

◆ Pychanalyste anglais.

◆ M. Klein: *Essais de psychanalyse* (Paris, Payot, 1969).

pourtant une recherche, une technique, des découvertes, un style d'interprétation dont la fécondité ou l'intérêt sont aujourd'hui admis, et dont il faut suivre le fil.
Quels sont, en 1920, alors que la doctrine freudienne est en cours de refonte, les obstacles théoriques et pratiques à l'institution d'une procédure pratique d'analyse des enfants ? De quelle signification, de quelle valeur et de quelle fonction ce projet est-il investi ?

La névrose chez l'enfant

La psychanalyse, Freud l'a dit souvent, est d'abord une thérapeutique efficace dans le traitement d'une classe de névroses dites « névroses de transfert » : hystéries d'angoisse, hystéries de conversion, névroses obsessionnelles. Le caractère commun à toutes ces névroses est défini d'après le processus de la cure. Dans chacune des trois névroses citées, la relation de l'analysé à l'analyste conduit au cours du traitement à la production d'un transfert : opération, elle-même inconsciente, d'actualisation des désirs inconscients à l'œuvre dans la personne traitée sur la personne du psychanalyste. Ce transfert est essentiel dans la cure.

Pourquoi serait-il impossible de psychanalyser des enfants ?

D'après la théorie des stades, à laquelle a conduit le traitement de telles névroses chez les adultes, il n'apparaît pas qu'une telle relation soit possible entre un jeune enfant et le psychanalyste, et il ne semble donc pas qu'on puisse parler de névroses de transfert chez les enfants, dont la vie psychique, au seuil de la période de latence, c'est-à-dire vers 5-6 ans, est en train de s'organiser◆. Les diverses relations subjectives, qui définissent l'enfant dans le contexte familial, se confondent encore avec le conflit interne qui en est la représentation. Or, il n'y a pas de cure sans réactivation d'un conflit « oublié » qui s'opère dans le transfert et l'enfant est précisément en train de vivre ce qui, dans la vie névrotique de l'adulte, est oublié et agissant.

◆ Thèse de Freud et d'Anna Freud. On sait que la période de latence se situe pour eux entre la résolution du complexe d'Œdipe et la puberté et se caractérise par un refoulement des conflits de la petite enfance.

La seconde objection théorique, qui fonde la première, est que la vie psychique de l'enfant est en cours de formation et que ses fantasmes et ses refoulements ne sont pas encore distincts de ce qui les provoque. L'intériorisation de l'autorité et des interdits parentaux est en train de s'accomplir, le moi se structure, et le traitement des « névroses infantiles » consiste simplement à « substituer la condamnation au refoulement◆ », c'est-à-dire à hâter la formation morale par la sublimation des pulsions sexuelles.

◆ S. Freud : *Cinq Psychanalyses* (Paris, P.U.F., 1967).

Outre ces obstacles théoriques existe un obstacle pratique majeur, déjà

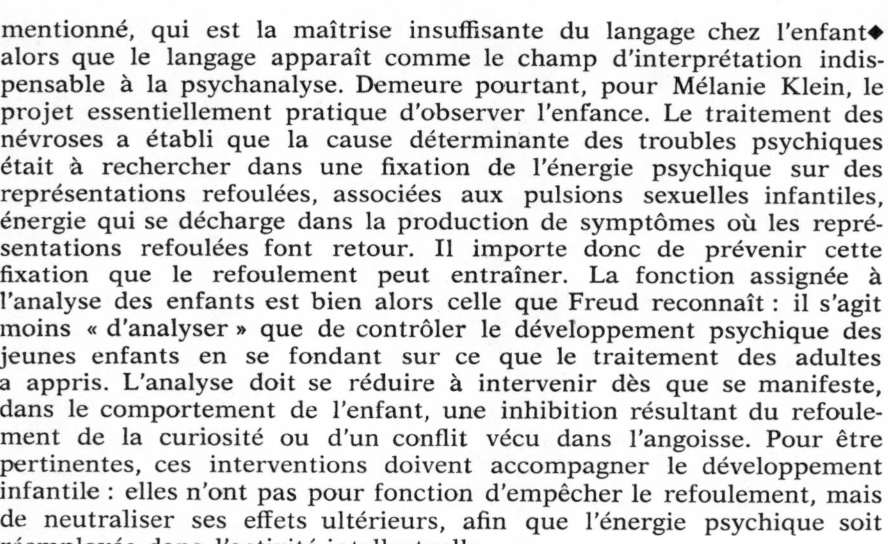

mentionné, qui est la maîtrise insuffisante du langage chez l'enfant◆ alors que le langage apparaît comme le champ d'interprétation indispensable à la psychanalyse. Demeure pourtant, pour Mélanie Klein, le projet essentiellement pratique d'observer l'enfance. Le traitement des névroses a établi que la cause déterminante des troubles psychiques était à rechercher dans une fixation de l'énergie psychique sur des représentations refoulées, associées aux pulsions sexuelles infantiles, énergie qui se décharge dans la production de symptômes où les représentations refoulées font retour. Il importe donc de prévenir cette fixation que le refoulement peut entraîner. La fonction assignée à l'analyse des enfants est bien alors celle que Freud reconnaît : il s'agit moins « d'analyser » que de contrôler le développement psychique des jeunes enfants en se fondant sur ce que le traitement des adultes a appris. L'analyse doit se réduire à intervenir dès que se manifeste, dans le comportement de l'enfant, une inhibition résultant du refoulement de la curiosité ou d'un conflit vécu dans l'angoisse. Pour être pertinentes, ces interventions doivent accompagner le développement infantile : elles n'ont pas pour fonction d'empêcher le refoulement, mais de neutraliser ses effets ultérieurs, afin que l'énergie psychique soit réemployée dans l'activité intellectuelle.

◆ *exemple:* le rêve qui, dans la cure, est l'objet de l'interprétation n'est pas le rêve, mais le rêve raconté.

Le jeu de l'enfant révèle ses désirs et ses fantasmes

Cette analyse a donc une valeur pédagogique. L'idée d'une intervention analytique dans le développement psychique était moins, à l'origine, une innovation que l'application préventive d'une thérapeutique curative. Mais, dans ses observations, Mélanie Klein fut bientôt conduite à constater l'existence de névroses dont le traitement exigeait une véritable cure analytique, donc une procédure qui respecte la règle fondamentale de l'analyse tout en procurant à l'analyste un « matériel » comparable à celui qu'il trouve chez l'adulte pratiquant la libre association. Comment obtenir des informations sur la vie inconsciente de l'enfant sans le soumettre à un « questionnaire » ou à une discipline contraires à la nécessaire neutralité de l'analyste ? C'est le problème que résout l'analyse par le jeu. Dans l'analyse par le jeu, la fonction du langage demeure essentielle, tant pour accéder à l'inconscient infantile que pour lui donner l'information toujours nécessaire en matière sexuelle. Ce qui est appelé « jeu » a pour fonction de procurer à l'analyste le matériel associatif dans lequel se manifeste les représentations refoulées et agissantes dans les troubles infantiles. Cette technique, extrêmement simple, consiste à introduire l'enfant dans une pièce aussi peu meublée que possible, en présence d'un psychanalyste qu'il pourra associer à ses activités ultérieures — cela, dans les limites prescrites par le principe d'abstinence◆. Au centre de la pièce, sur une table basse, sont disposés un grand nombre d'objets divers : petites automobiles, maisons, charrettes, balançoires, petits personnages, boîtes, cubes, papier, crayons, ciseaux, fil, aiguilles. A un stade ultérieur de l'analyse cette pièce réservée aux jeux comporte un lavabo avec eau courante, et divers ustensiles.

◆ Principe de bonne conduite de la cure, qui implique le refus par l'analyste de souscrire aux requêt de l'analysé, ou de permettre l'instauratio à l'intérieur de la relation analytique d'une situation réponda aux vœux du sujet.

A partir du moment où l'enfant entre dans cette pièce pour la séance, tous les comportements, tous les gestes, toutes les paroles, tous les jeux, ainsi que leur enchaînement, ont pour l'analyste une valeur d'information. L'inhibition au jeu, la manière dont l'analyste est associé au jeu, la narration et le commentaire du jeu, la manipulation des objets doivent être considérés comme susceptibles d'exprimer des fantasmes, des désirs, des expériences vécues, des représentations refoulées, et enfin le conflit interne qui est à la base de la névrose. De nombreux jeux expriment la vision de la « scène primitive »◆ et ses conséquences : l'envie à l'égard du parent de même sexe et le désir de se substituer à lui, ou bien l'identification successive à l'un et à l'autre parent. Dans d'autres jeux se manifeste très clairement le désir de tuer le parent du même sexe ; ou encore de l'avoir pour enfant pour pouvoir « le punir ». Nombreux sont les cas de petites filles, entre quatre et six ans, qui, jouant avec leur poupée, identifient celle-ci à leur mère, les tuent, les ressuscitent, puis les punissent pour avoir sucé leur pouce ou pour s'être mouillées. Quant aux fantasmes masturbatoires, ils sont si fréquents et leur nature est telle que Mélanie Klein n'hésite pas à voir en eux la cause d'une stimulation perpétuelle au jeu, première sublimation de cette activité obsessionnelle. Ainsi, les jeux des garçons avec les automobiles ou les locomotives expriment souvent l'acte sexuel (collisions où les jouets sont identifiés aux parents), mais aussi l'excitation des organes génitaux. On pourrait facilement étendre l'inventaire de ces fantasmes : ce sont eux qui, exprimés sur un mode archaïque et symbolique dans le jeu, donnent un accès direct à l'inconscient de l'enfant.

◆ *scène primitive :* représentation fantasmatique de la scène des rapports sexuels entre les parent qui a été soit préalablement observée soit imaginée à partir d'indices réels et en fonction des représentations associées aux pulsions sexuelles.

La relation œdipienne

C'est là le premier trait spécifique de l'analyse des enfants par la technique du jeu. Elle met en évidence l'association étroite de la vie consciente et de la vie inconsciente pendant les premières années. C'est ce qui explique la relative facilité avec laquelle les enfants souscrivent aux interprétations de leurs jeux que l'analyste leur suggère, et la rapidité des premières améliorations dans le traitement des névroses infantiles, du moins pendant le « déclin » du conflit œdipien et au moment de l'entrée dans l'âge de latence. A la différence du pédagogue,

l'analyste ne s'adresse pas au moi, encore qu'il faille s'assurer sa coopération dans la conduite de la cure pour accéder à l'inconscient. Ce que recherche l'analyste, c'est un accès aux « organisations inconscientes du psychisme », préalable à la résolution de la névrose, accès qui s'opérera grâce à leur neutralisation des représentations refoulées. Cependant les névroses infantiles n'ont pas les mêmes manifestations que les névroses des adultes, dont les symptômes sont aisément descriptibles. Ce qui les désigne à l'observation et à la cure, ce n'est pas la présence d'inhibitions spécifiques ou de fantasmes singuliers, ni celle d'activités rituelles étrangement meurtrières, c'est l'intensité avec laquelle sont réactualisées dans les jeux, dans les récits fantastiques, dans les tics — qui sont souvent le déplacement d'une activité masturbatoire obsessionnelle — des situations créatrices d'angoisses (anxiogènes) anciennes. Ce qui désigne l'enfant à la cure, c'est la diversité des manifestations simultanées d'un fort sentiment de culpabilité. Ce sentiment, observable dès la troisième année◆, témoigne du profond enracinement de la relation œdipienne dans la vie infantile. Ainsi, la petite Rita, âgée de moins de trois ans, et atteinte de névroses obsessionnelles, se livre à des rites d'agression contre l'analyste qu'elle frappe au ventre pour lui dérober les contenus de son corps (pour elle les « kackis », identifiés aux enfants). A cette agression succède une extrême crainte : elle refuse de se considérer comme la « mère » de sa poupée. Elle n'ose pas jouer ce rôle.

◆ M. Klein : *la Psychanalyse des enfants* (P.U.F., Paris, 1972).

Comme celle des adultes, la psychanalyse des enfants donne lieu à un transfert

Chez les enfants plus encore que chez les adultes, la maladie n'est qu'une question de plus ou de moins : difficultés alimentaires, frayeurs nocturnes, phobies, manies et rites, timidités, inhibitions (aux jeux, à l'égard des sports, aux disciplines scolaires), désintérêt◆ et souvent maladies, qui sont les incidents inhérents au développement d'un jeune enfant, peuvent être la manifestation de prédispositions morbides. Un défaut total d'angoisse apparente, indice de prédispositions à un repli sur soi exagéré du pathologique, n'est pas moins inquiétant parfois qu'un comportement exubérant. Si l'on peut dresser, d'après l'observation des névroses infantiles, un inventaire de signes symptomatiques, beaucoup d'entre eux se retrouvent chez les enfants qu'on peut qualifier de « normaux ». En ce sens, le jeu opère un grossissement : il permet d'établir à quelle profondeur du psychisme prennent naissance les fantasmes, d'établir le moment de la fixation, de diagnostiquer avec une relative sûreté le trouble dans le développement qui constitue la névrose. Cet instrument de la cure n'est pas, toutefois, d'un usage

◆ Une attitude de désintérêt général est le signe d'une possible évolution psychologique.

étendu : il est employé rarement à partir de six ans (seuil théorique de la période latente), et de manière exceptionnelle à l'âge de la puberté. Du moins pour Mélanie Klein, une chose est sûre : la cure des jeunes enfants donne lieu à un transfert, négatif dans les premières séances, positif dès que le lien analytique est établi. Ce transfert témoigne de la présence d'un ensemble de principes moraux d'une extrême rigueur (le sur-moi) dès un âge précoce. Nous touchons là au thème initial de la théorie du développement de l'énergie psychique d'origine sexuelle (la libido) selon Mélanie Klein : la précocité de la relation œdipienne.

Dans les « Trois essais sur la théorie de la sexualité », Freud avait présenté un tableau de la vie psychosexuelle infantile qui mettait en évidence une activité sexuelle d'une prolixité et d'une liberté inquiétantes. Il était fait mention de pulsions sexuelles ayant pour source l'excitation de la cavité buccale, de la zone anale, des organes génitaux. Dans ce tableau, ces pulsions coexistaient. Leur poussée — et leur décharge en activités fantasmiques où les désirs se manifestaient en toute clarté — s'opéraient à l'état libre : être vu nu ou dans l'exercice de ses fonctions naturelles, regarder, faire souffrir, avoir pour partenaire l'un ou l'autre parent, étaient quelques-uns d'entre eux. Cette multiplicité de désirs aberrants faisait de l'enfance la préhistoire de toutes les perversions : d'où le thème du « pervers polymorphe ». En l'absence de toute organisation définie de la libido jusqu'à la puberté, l'amnésie infantile au seuil de la période de latence, équivalait à un refoulement massif des représentations associées aux pulsions de la première enfance, perverses dans leur objet comme dans leur but.

Elle démontre que la relation œdipienne est très précoce

La reconnaissance, en 1915, d'une organisation prégénitale de la libido, puis de trois stades dans le développement libidinal et l'élaboration, quelques années plus tard, de la seconde théorie de l'appareil psychique — où la formation du sur-moi apparaît comme corrélative du déclin du complexe d'Œdipe — permettent de poser de façon plus rigoureuse le problème des causes des névroses infantiles. La théorie freudienne du développement de la libido et la liaison établie entre la formation du complexe d'Œdipe et l'organisation phallique de la libido aboutissent en bonne logique à « ignorer » le refoulement qui est déjà à l'œuvre, et à laisser non expliqué le sentiment de culpabilité qui apparaît dans les névroses plus précoces. Il n'est même plus légitime d'appeler névroses les troubles mentaux constatés chez les enfants de moins de quatre ans, sauf si l'on peut découvrir que la relation œdipienne apparaît et s'ébauche bien avant le stade phallique.

Les jeux pratiqués au lavabo par des enfants analysés ont permis à Mélanie Klein de reconnaître dans les fantasmes enfantins la réactivation de situations frustrantes et génératrices d'angoisse liées d'abord au sevrage, ensuite à la période difficile de l'éducation des sphincters (muscles circulaires qui permettent le contrôle de l'urine et des matières fécales). Telle fillette de six ans joue à la blanchisseuse avec des morceaux de papier, qui sont du linge sale. La mère (l'analyste) se salit toujours. Il faut la punir. Après elle mâche le papier trempé dans l'eau. Une autre fois, elle mâche avec avidité un papier trempé par le « robinet à crème fouettée ». L'effet frustrant de l'éducation et du sevrage est à la fois annulé et revécu avec intensité par ces actes rituels et obsessionnels. Dans les formations du complexe d'Œdipe et du sur-moi, qui sont contemporains, l'événement traumatisant du sevrage conduit simultanément à la mise en jeu de pulsions de destruction dirigées contre le sein maternel et à l'apparition d'un sentiment de culpabilité, résultats de l'intériorisation de l'objet frustrant qui fonde le développement ultérieur du sur-moi. Ainsi se trouve instaurée, dès la première année, l'ambivalence affective du rapport à l'objet qui est, selon Mélanie Klein, l'essence du conflit œdipien.

Comment s'expriment ces tendances œdipiennes ? En relation avec l'agressivité destructrice de l'enfant, l'incitation à la connaissance se développe avant même l'apparition du langage, et la curiosité manifeste ou latente de la quatrième année en marque l'apogée et non la naissance. A ce désir de savoir sont associés des fantasmes qui se traduisent, dans la vie instinctuelle, par le désir d'appropriation du contenu du corps. Chez l'un et l'autre sexe s'opère très tôt une identification avec la mère, à l'origine d'une phase de « féminité ». Chez le garçon se manifeste très tôt et jusqu'au seuil de la période de latence un « complexe de féminité » dont le rôle est comparable, selon Mélanie Klein, à celui du complexe de castration, c'est-à-dire à la conscience de l'absence du pénis chez la fille : il se révèle que la peur de la mère (à laquelle l'enfant a voulu dérober le contenu de son corps, et contre laquelle il exerce des tendances destructrices) n'est pas moins forte que celle du père.

C'est après cette phase de féminité que le garçon s'identifie au père, et entre en rivalité avec lui, associant encore toutefois de manière étroite, dans le désir de posséder la mère, tendances destructrices et tendances réparatrices. Chez la fille, la formation de la relation œdipienne n'est pas moins complexe. Freud faisait de l'« envie du pénis », comprise comme envie d'« avoir » un pénis, l'origine de la relation œdipienne au père. Selon Mélanie Klein, l'envie du pénis, qui constitue dès la période initiale du développement psychique une relation œdipienne, est l'envie de recevoir le pénis, source illimitée de satisfaction, et celle-ci fait suite à la frustration que constitue le sevrage. A la suite de cette frustration, le sein devient l'objet de tendances destructrices et le pénis le bon objet de la satisfaction dont sa mère, qui s'est appropriée le pénis, la prive. Ainsi, note-t-on chez la fille, parallèlement à un développement psychosexuel plus précoce, la présence d'un sur-moi, c'est-à-dire de principes moraux particulièrement rigoureux et sadiques. L'accès à l'organisation génitale adulte de la libido est en conséquence plus hasardeux et plus directement soumis aux exigences du sur-moi chez la femme que chez l'homme◆.

◆ Cette conclusion de M. Klein est établie dans *la Psychanalyse des enfants* (Paris, P.U.F. 1972).

L'examen de la sexualité infantile, telle qu'elle s'est manifestée à Mélanie Klein dans le traitement analytique des névroses infantiles, l'a donc amenée à insister fortement sur la précocité des tendances destructrices et à mettre en évidence l'égale précocité du mécanisme d'intériorisation qui est à la base du développement du sur-moi. La signification du complexe d'Œdipe, qui se forme dès le sixième mois, en a été profondément modifiée. Il est apparu que les premières relations objectives, qui s'instituent dès la naissance, sont déterminantes dans le développement ultérieur du psychisme. La reconnaissance d'une relation œdipienne précoce a, dès lors, pour conséquence un réexamen théorique. Sans conduire au rejet de la théorie des stades, celui-ci proposera une interprétation de l'évolution psychique infantile dont le concept fondamental n'est pas celui de « phase ».

Dès sa naissance, l'enfant fait du sein maternel l'objet de ses pulsions. Dès sa naissance, également, s'exercent les pulsions de vie et les pulsions de destruction, et c'est sans doute dans les premiers mois de la vie que ces pulsions ont le plus de force. Le caractère inné des tendances destructrices ou « sadiques » et leur investissement immédiat dans l'objet de la frustration sont le phénomène constitutif de la vie psychique. Il faut partir de là.

Les satisfactions et les frustrations du nouveau-né déterminent toute sa vie psychique

A sa naissance, l'enfant entre donc en relation avec le sein maternel, qui, source de l'assouvissement du besoin physique, est aussi l'objet de la satisfaction — premier objet psychiquement investi. Or, la mère identifiée au sein chez le nouveau-né, n'est pas toujours gratifiante. Elle se refuse (bien avant le sevrage) à procurer la satisfaction dont elle est la source. Ainsi se produit la frustration, vécue comme une punition, qui motive la poussée des pulsions destructrices.

Le sein maternel est à la fois la source de la satisfaction et de la frustration. Ainsi, dès les premiers mois de la vie s'opère objectivement

un clivage déterminé par la dualité des pulsions, clivage qui est le premier de tous les mécanismes de défense constitutifs du moi. Le seul et même objet qui gratifie et qui frustre se divise en un « bon objet » et en un « mauvais objet », représentations des pulsions de vie et de destruction et réalités psychologiques primordiales. Ce mécanisme du clivage de l'objet se renouvelle à tous les stades ultérieurs de l'évolution pour tous les objets de la satisfaction. Cette dialectique du bon et mauvais objet, qui se reproduit aux différents stades de l'évolution psychique, forme la trame de tout le devenir ultérieur.

Une fois l'objet clivé en un « objet » gratifiant dans lequel s'investissent les pulsions érotiques, et en un « objet » de sévices et de destruction, le nouveau-né ne se trouve pas pour autant protégé contre les situations angoissantes. Les quatre premiers mois de la vie sont ceux où les angoisses infantiles expriment la peur de la destruction par le mauvais objet. Le caractère persécutif des angoisses vécues par l'enfant conduit Mélanie Klein à nommer cette forme d'organisation de la vie psychique à son premier stade « position paranoïde ». C'est probablement en cette période que le sur-moi est le plus cruel.

Aux environs du quatrième mois, l'enfant prend conscience de l'existence de la mère comme objet total ; il tend à reconnaître l'identité réelle de l'objet qu'une forme primaire de défense contre l'angoisse avait conduit à cliver. Des pulsions contradictoires sont dirigées contre le même objet recréant la situation contre laquelle s'était opéré le clivage de cet objet. A la peur d'être détruit par le mauvais objet intériorisé succède, chez l'enfant, la peur de perdre l'objet gratifiant en punition des sévices exercés contre lui. Chaque départ de la mère, chaque absence — qui, Freud l'avait établi, créent chez l'enfant la situation de « deuil » engendrée par la perte définitive de l'objet gratifiant — reproduit cette situation d'angoisse et suscite des mécanismes de défense qui définissent la « position dépressive ». Ces mécanismes de défense font de la position dépressive une forme d'organisation de la vie psychique tout à fait analogue à celle que présente le tableau clinique des psychoses maniaco-dépressives.

La position dépressive décroît progressivement au cours de la première année, lorsque se forme le complexe d'Œdipe qui modifie la relation de l'enfant à sa mère. Mais le terme de « position », choisi par Mélanie Klein pour désigner les deux formes les plus archaïques de la vie psychique, souligne le caractère répétitif de ces modes de relations d'objet à chaque stade du développement ultérieur.

Etablie en 1934 dans un article consacré à la formation des états maniaco-dépressifs, légèrement modifiée en 1952 dans un article sur la vie émotionnelle du nouveau-né, où le terme de position paranoïde-schizoïde est adopté, cette théorie du premier développement psychique de l'enfant ne fut jamais remise en cause sur le fond par son auteur. Avec les années, Mélanie Klein en vint toutefois à insister de plus en plus sur le caractère gratuit du « sadisme » infantile, et sur la réalité fantasmatique de la « mauvaise mère ».

La doctrine de Mélanie Klein s'éloigne de toute observation analytique

Intelligible par elle-même, établie presque sans référence à l'expérience analytique dont elle prétendait fonder les résultats, la doctrine kleinienne, parce qu'elle est avant tout une symbolique, décrit un domaine de relations soustraites à l'observation positive. Elle est dès lors aussi difficile à réfuter qu'à vérifier, et, disqualifiée pour rendre compte de faits observables, elle disqualifie toute observation qui prétendrait infirmer ses conclusions. C'est à tort qu'on a cru voir dans les travaux de Spitz une réfutation des thèses de Mélanie Klein au sujet des nouveau-nés. Comparant l'évolution physique, intellectuelle et affective d'enfants de mères délinquantes — dont les uns étaient confiés à leur mère dès leur naissance et les autres réunis en garderie, aux soins d'un petit nombre de nurses — Spitz mit en évidence les conséquences néfastes en tous points de l'absence de maternage. Ainsi fut-il établi, on s'en serait douté, que le maternage est indispensable pendant les six premiers mois de la vie. Doit-on en conclure pour autant que la relation du nouveau-né à l'égard du « sein » et de la « mère »◆, biologiquement nécessaire, est psychologiquement simple ? A ce compte, on pourrait aussi considérer que les enfants nourris exclusivement au biberon dès leur naissance ne connaissent pas de frustration ni de satisfaction distincte de la nutrition. Ce serait méconnaître que les « objets » de satisfaction et de frustration du nouveau-né sont des réalités symboliques, c'est-à-dire psychiques, distinctes par nature des objets réels.

◆ *Sein* et *mère* désignent ici des fonctions, non le sein réel ou la véritable mère.

Il demeure que des travaux comme ceux de Spitz mettent en évidence le caractère hypothétique de la doctrine de Mélanie Klein, et remettent en cause, de plein droit, ses prétentions scientifiques. L'œuvre est pourtant exemplaire : née d'un optimisme pédagogique qui voulait prévenir dès l'enfance, par la psychanalyse, les inquiétudes de l'adulte, élargie en une interprétation générale de la vie psychique dont les conditions s'établissent dès la naissance, elle finit par deviner dans l'enfance tous nos malaises et toutes nos inquiétudes : conséquence inévitable de tout retour aux origines.

G.-H. C.

Quiz

L'enfant essaie d'adapter la réalité à ses fantasmes, non ses fantasmes à la réalité.

Connaissez-vous Mélanie Klein ?

1
Mélanie Klein est née le 30 mars 1882 à
☐ Budapest
☐ Berlin
☐ Vienne

2
Avant de s'intéresser à la psychanalyse, Mélanie Klein étudia
☐ la médecine
☐ la chimie
☐ l'art et l'histoire

3
A la suite de sa lecture des ouvrages de Freud, Mélanie Klein entreprit une analyse personnelle avec
☐ Otto Rank
☐ Wilhelm Reich
☐ Hans Sachs
☐ Sigmund Freud
☐ Sandor Ferenczi

4
Le premier travail psychanalytique de Mélanie Klein porte
☐ sur le complexe d'Œdipe
☐ sur la psychanalyse de la religion
☐ sur l'observation psychanalytique d'un enfant
☐ sur les névroses de guerre

5
En 1920, Mélanie Klein s'installe à Berlin ; elle y demeurera jusqu'à la mort du psychanalyste Karl Abraham qui l'avait invitée ; en 1925, elle quitte Berlin pour
☐ Vienne
☐ Budapest
☐ Paris
☐ Londres

6
A Londres, où Ernest Jones l'a accueillie, elle commencera par pratiquer des psychanalyses d'enfants. Ses observations cliniques seront publiées dans son premier livre : « la Psychanalyse des enfants ». Quelle est la date de la première édition ?
☐ 1932
☐ 1939
☐ 1946

7
Dans le domaine de la psychanalyse des enfants, quel psychanalyste peut être considéré comme le véritable précurseur ?
☐ Karl Abraham
☐ Sigmund Freud
☐ Hermine von Hug-Hellmuth
☐ Sandor Ferenczi

8
La propre fille de Sigmund Freud, Anna Freud, s'illustrera également en pratiquant la psychanalyse des enfants. Ses vues sont-elles proches de celles de Mélanie Klein ?
☐ oui
☐ non

9
Peut-on dire de la conception analytique d'Anna Freud dans le domaine de la psychanalyse des enfants qu'elle est plutôt pédagogique alors que celle de Mélanie Klein est plus authentiquement psychanalytique ?
☐ oui
☐ non

10
Comment Sigmund Freud a-t-il accueilli les travaux de Mélanie Klein ?
☐ avec enthousiasme

☐ avec réticence
☐ avec indifférence

11
La situation de Mélanie Klein au sein de la Société britannique de psychanalyse a-t-elle fait problème ?
☐ oui
☐ non

12
En quelle année Mélanie Klein est-elle décédée ?
☐ 1950
☐ 1960
☐ 1969

13
Mélanie Klein donne au concept de pulsion de mort une importance fondamentale. Dans quelle œuvre de Freud, ce concept apparait-il pour la première fois ?
☐ « Au-delà du principe de plaisir »
☐ « Nouvelles conférences sur la psychanalyse »
☐ « Malaise dans la civilisation »

14
Mélanie Klein a mis l'accent sur l'agressivité primaire du nouveau-né. Elle a également décrit les forces destructrices qui opèrent en nous et contre nous-même. Elle a élaboré à ce propos un concept fondamental. Est-ce celui de
☐ dépression anaclitique
☐ position schizo-paranoïde
☐ névrose d'angoisse

15
Les vues de Mélanie Klein relatives à la position schizo-paranoïde ont été étendues au champ social et politique par un psychanalyste kleinien. Est-ce
☐ Franco Fornari
☐ Gérard Mendel
☐ Alexandre Mitscherlich

16
Comment définir la position dépressive qui fait suite à la position schizo-paranoïde. Est-elle caractérisée par
☐ le déclin du sadisme primaire et une diminution corrélative de l'angoisse
☐ par des réactions agressives du nourrisson
☐ par des troubles névrotiques divers

17
Selon Freud, le sur-moi est l'héritier du complexe d'Œdipe. Quand, selon Mélanie Klein, le sur-moi apparaît-il ?
☐ à l'adolescence
☐ lors de la phase orale
☐ lors de la phase anale

18
L'angoisse primaire, d'après la théorie kleinienne, est l'angoisse de la mort. Cette théorie est-elle conforme à la théorie freudienne orthodoxe ?
☐ oui
☐ non

19
Peut-on dire de Mélanie Klein qu'elle a insisté plutôt sur ce qui est inné chez l'individu ou sur ce qui est acquis ?
☐ inné
☐ acquis

20
En matière pédagogique, Mélanie Klein était-elle partisane d'une éducation
☐ stricte
☐ souple

C'est avant tout leur angoisse et leur culpabilité que beaucoup d'enfants expriment en tombant malades.

21
De nombreux auteurs ont reproché à Mélanie Klein son dogmatisme et l'aspect spéculatif du système qu'elle a élaboré. Quel psychiatre français a critiqué Mélanie Klein à ce propos ?
- ☐ Serge Lebovici
- ☐ Jacques Lacan
- ☐ René R. Held
- ☐ Henri Ey

22
Quel est le nom de la clinique psychiatrique londonienne qui fut une pépinière de psychanalystes kleiniens ?
- ☐ Hampstead Clinic
- ☐ Tavistock Clinic
- ☐ London Clinic

23
Peut-on dire de Mélanie Klein qu'elle a fait école ?
- ☐ oui
- ☐ non

24
De quelle année date la première traduction française du grand livre de Mélanie Klein sur « la Psychanalyse des enfants » ?
- ☐ 1938
- ☐ 1947
- ☐ 1959

25
Dans quel ouvrage de Mélanie Klein se trouve l'étude psychanalytique qu'elle fit du roman de Julien Green : « Si j'étais vous » ?
- ☐ « l'Amour et la haine »
- ☐ « Envie et gratitude »
- ☐ « Essais de psychanalyse »

26
Toute l'œuvre de Mélanie Klein est-elle traduite en français ?
- ☐ oui
- ☐ non

27
Faut-il considérer la psychanalyse kleinienne
- ☐ comme un complément original à l'œuvre de Freud
- ☐ comme une théorie entièrement nouvelle ouvrant à la psychanalyse une voie différente de celle tracée par Freud et ses premiers disciples
- ☐ comme une doctrine spéculative ne présentant qu'un intérêt limité.

28
Dans le domaine thérapeutique, la psychanalyse kleinienne diffère-t-elle de l'analyse orthodoxe ?
- ☐ oui
- ☐ non

29
Quelle fut la première étude consacrée à Mélanie Klein et à son œuvre ?
- ☐ « Introduction à l'œuvre de Mélanie Klein », d'Hanna Segal
- ☐ « Mélanie Klein », de Claude Geets
- ☐ « La pulsion de mort chez Mélanie Klein », de Roland Jaccard

30
Dans lequel de ses livres Mélanie Klein résume-t-elle, à l'intention d'un vaste public, les données essentielles de sa théorie ?
- ☐ « Envie et gratitude »
- ☐ « l'Amour et la haine »
- ☐ « Développements de la psychanalyse »

Quiz

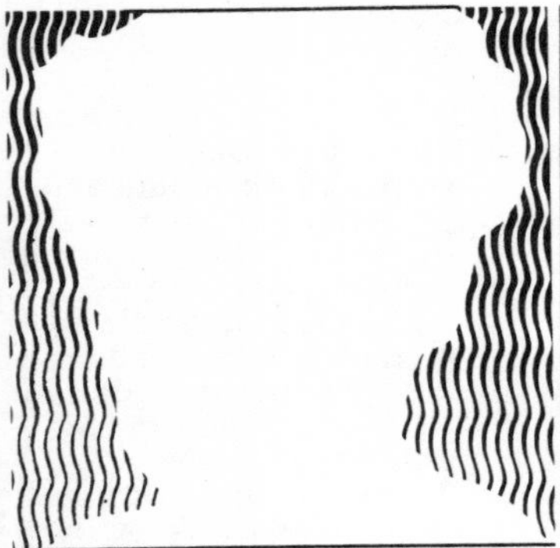

Réponses

1 Vienne.
Mélanie Klein est née à Vienne, ville décidément propice à la psychanalyse, dans une famille juive. Elle était la quatrième enfant d'un père quinquagénaire qui nourrissait quelques ambitions intellectuelles, et d'une mère tenant commerce.

2 Art et histoire.
Bien qu'attirée par la médecine, Mélanie Klein, du fait d'un mariage précoce, n'aura pas l'occasion de s'inscrire à l'Université. Elle suit son mari dans ses nombreux déplacements professionnels et élève ses trois enfants. Elle meuble ses loisirs par l'étude de l'art et de l'histoire.

3 Sandor Ferenczi.
C'est S. Ferenczi, à Budapest, qui la prendra en analyse et c'est avec lui qu'en 1916 elle commencera sa carrière de psychanalyste d'enfants.
« *C'est Ferenczi qui m'initia à la psychanalyse, m'en enseigna la véritable nature et toute la signification* », a-t-elle écrit (« Essais de psychanalyse », Payot, 1969).

4 L'observation psychanalytique d'un enfant.
En juillet 1919, encouragée par S. Ferenczi, elle lit, devant la Société psychanalytique de Hongrie, son étude : « le Développement d'un enfant ». Tous les assistants pressentaient que cette jeune analyste apporterait sur l'enfant, par conséquent sur nous tous, des révélations inespérées. Elle réussissait à appliquer la méthode freudienne à de tout jeunes enfants ; il suffisait pour cela de poser l'enchaînement de leurs faits et gestes comme l'équivalent du matériel associatif de l'adulte.

5 Londres.
Mélanie Klein s'installera définitivement à Londres en 1925.

6 1932.
C'est en 1932 que paraît, simultanément en allemand et en anglais, le premier livre de Mélanie Klein : « la Psychanalyse des enfants ». Trois ans plus tard, elle publiera sa « Contribution à l'étude de la psychogenèse des états maniaco-dépressifs », rédigée en 1934 et qui contient l'ébauche du système kleinien.

7 Hermine von Hug-Hellmuth.
C'est la doctoresse Hermine von Hug-Hellmuth qui, la première, eut l'idée géniale, pour surmonter les défaillances linguistiques du jeune enfant, de recourir à la médiation des jouets.

8 Non.
Critiquant les techniques kleiniennes, Anna Freud expliquera que, au lieu de se borner à interpréter analytiquement les idées et les actes qui se manifestent sous ses yeux, le psychanalyste doit diriger son attention sur le milieu où s'exercent les réactions névrotiques, c'est-à-dire sur la famille de l'enfant. De là toute l'importance que prennent dans sa technique les relations avec les parents.

9 Oui.
Disons que, pour Anna Freud, d'une manière ou d'une autre le psychanalyste apparaît à l'enfant comme une « grande personne », comme un éducateur, et qu'il n'est pas mauvais qu'il accepte ce rôle ; servira alors d'intermédiaire entre l'enfant et ses parents. Ell estime également que, dans un traitement de ce genre, il n'y a pas de transfert véritable, pour la simple et bonne raison que l'enfant n'est pas prêt comme l'adulte à entreprendre une nouvelle édition de ses relation affectives, l'ancienne n'étant pas encore épuisée. En revanch d'après les observations de

Mélanie Klein, il se produirait une névrose de transfert et il s'établirait une situation transférentielle aussi bien chez l'enfant que chez l'adulte, à la condition d'appliquer au premier une méthode équivalente à l'analyse d'un adulte, en évitant toute mesure éducative et en interprétant systématiquement le transfert négatif et positif.

10 Avec réticence.
Freud était fâcheusement impressionné par le différend qui opposait sa propre fille à Mélanie Klein ; il estimait, lui aussi, que Mélanie Klein allait trop loin. A Ernest Jones, il écrit : « *Je suis d'avis que votre Société a suivi Mme Klein sur une mauvaise voie, mais la sphère d'où elle tire ses conclusions m'est étrangère. Aussi n'ai-je pas le droit de m'en tenir à une conviction ferme.* »

11 Oui.
Peu d'œuvres auront autant prêté à discussion que celle de Mélanie Klein. Entre janvier 1943 et mars 1944, elle fut menacée d'être exclue de l'Association internationale de psychanalyse. Les critiques adressées alors à Mélanie Klein visaient essentiellement la confusion qu'elle créait en bouleversant la succession bien établie des stades libidinaux par son étude de la genèse de l'œdipe et du sur-moi.

12 1960.
Le 22 septembre 1960, à Londres, à l'âge de 78 ans. Le « Mélanie Klein Trust » veille sur son œuvre.

13 « Au-delà du principe de plaisir ».
Si dans « Au-delà du principe de plaisir » Freud précise volontiers qu'il introduit le concept d'une pulsion de mort dans un but purement spéculatif, poussé par la curiosité, deux ans plus tard, dans « le Moi et le Ça », il se montre beaucoup plus péremptoire : l'opposition Eros-Thanatos a définitivement remplacé l'ancienne opposition relative aux pulsions sexuelles et aux pulsions du moi.

14 Position schizo-paranoïde.
La position schizo-paranoïde, qui s'étend sur les trois ou quatre premiers mois de la vie, se caractérise par le fait que le nourrisson n'a pas encore des personnes une vision globale : ses relations d'objets se limitent à des objets partiels et. à ce stade du développement, prédominent les processus de clivage (« bon » et « mauvais » sein, par exemple) et d'angoisse paranoïde (il redoute ses persécuteurs aussi bien internes qu'externes).

15 Franco Fornari.
Selon Franco Fornari (« Psychanalyse de la situation atomique »), nous pouvons parler, sur le plan social, d'une « condition paranoïde » qui se caractérise par la projection à l'extérieur du groupe des intentions destructives qui font partie de ce groupe. Cela, afin d'en assurer la cohésion.

16 Par le déclin du sadisme primaire et une diminution corrélative de l'angoisse.
La position dépressive qui se poursuit jusqu'à la fin de la première année est marquée par la reconnaissance de la mère comme objet total et par la prédominance de l'intégration, de l'ambivalence, de l'angoisse dépressive et de la culpabilité. Les mécanismes de défense, aussi bien psychotiques que névrotiques, cèdent progressivement la place à la réparation, à la sublimation, à la créativité.

17 Lors de la phase orale.
Classiquement défini par Sigmund Freud comme l'héritier du complexe d'Œdipe et assumant à l'égard du moi un triple rôle de censeur, d'idéal et d'observateur, le sur-moi se constitue pour Mélanie Klein, dès les stades pré-œdipiens. Si Sandor Ferenczi avait déjà admis l'existence d'une sorte de précurseur physiologique du sur-moi lié aux tendances anales et urétrales, qu'il appelait « morale sphinctérienne », Mélanie Klein, pour sa part, pense qu'il manifeste son activité bien avant. Selon elle, c'est au cours du cinquième ou du sixième mois que le nourrisson s'effraie des conséquences de ses pulsions destructives et de son avidité, ainsi que du mal qu'il pourrait ou a pu infliger aux objets aimés. Ainsi le sur-moi précoce est-il infiniment plus rigoureux et plus cruel que celui d'un enfant plus âgé : il écrase littéralement son faible moi.

18 Non.
« *Il ne se cache aucun secret plus profond, aucune signification derrière l'angoisse de castration elle-même* », écrit Freud. Au niveau de l'interprétation qui est celle de la psychanalyse, la mort, en tant que telle, n'a donc pas de place : elle est ravalée au rang de masque et les questions sérieuses concernent seulement ce qu'elle dissimule (« Essais de psychanalyse appliquée », p. 12).

19 Inné.
Selon Mélanie Klein, ce sont des éléments innés qui déterminent la force du moi et des pulsions instinctuelles. Elle voit dans ces éléments innés une limite fondamentale de la thérapie psychanalytique.

20 Stricte.
Mélanie Klein estime que l'enfant a besoin de recevoir du dehors des interdictions, puisqu'elles viennent soutenir ses propres interdictions internes ; en d'autres termes, il lui faut des représentants de son sur-moi dans le monde extérieur.

21 Serge Lebovici.
La lecture des ouvrages de Mélanie Klein, d'après Lebovici, laisse une impression de malaise, tant est vive l'impression que l'objet réel, le monde extérieur réel, ne jouent, en fait, aucun rôle structurant. Il reproche également à Mélanie Klein de décrire la relation précoce à l'objet comme la seule conséquence de la lutte des instincts de vie et des instincts de mort.

22 Tavistock Clinic.

23 Oui.
Mélanie Klein créa, au sein du mouvement psychanalytique international, une véritable école — l'école anglaise — dont les membres les plus représentatifs ont nom W.R. Bion, E. Jaques, J. Rivière, P. Heimann, H. Rosenfeld, S. Isaacs et H. Segal.

24 1959.
L'œuvre de Mélanie Klein est, dans les pays de langue française, peu et mal connue. La fortune de ses livres est à cet égard significative. A l'exception de « la Psychanalyse des enfants », son maître-livre dont la première édition française remonte à 1959, il fallut attendre encore dix ans pour que l'essentiel de ses écrits soit accessible au public français.

25 « Envie et gratitude ».

26 Non.
« Narrative of a Child Analysis », qui retrace la conduite de la cure analytique d'un petit garçon de 10 ans, Richard, n'est pas encore traduit en français.

27 Comme un complément original à l'œuvre de Freud.
Freud, on le sait, n'a pas toujours établi de corrélations entre les divers champs de ses recherches ; nombreux furent les problèmes qu'il ouvrit sans les résoudre. Les deux plus importants furent sans doute les éléments psychotiques dans la psychologie humaine, et le développement psychique du nourrisson. Or, incontestablement, l'apport de Mélanie Klein est d'avoir, par son travail analytique sur de très jeunes enfants et sur des psychotiques, permis l'élaboration d'une théorie intégrée qui, même si elle apparaît par endroits schématique ou lacunaire, a du moins le mérite de ne laisser aucun phénomène isolé, sans relation intelligible avec le reste, et de rendre compte de bien des aspects de la vie psychique de l'adulte aussi bien que du nourrisson, de l'homme normal aussi bien que du névrosé ou du psychotique.

28 Oui.
Par son souci d'atteindre un matériel inconscient plus profond, plus archaïque. Les séances sont plus nombreuses que dans une analyse classique.

29 « Introduction à l'œuvre de Mélanie Klein », par Hanna Segal.

30 « L'Amour et la haine ».
Cet ouvrage fut écrit en collaboration avec Jean Rivière.

»Citations«

Un élément de frustration est nécessairement introduit dans la toute première relation de l'enfant au sein maternel, car toute situation d'allaitement, pour heureuse qu'elle soit, ne saurait remplacer intégralement l'unité prénatale avec la mère. D'autre part, ce à quoi aspire l'enfant, c'est à un sein inépuisable et omniprésent, et cette aspiration ne dérive pas uniquement d'un besoin alimentaire et de désirs libidineux. En effet, même aux stades initiaux, le besoin d'un amour maternel qui serait constamment témoigné est fondamentalement lié à l'angoisse. La lutte entre les instincts de vie et les instincts de mort, ce qu'une telle lutte entraîne de menace d'anéantissement du soi et de l'objet par des pulsions destructives constituent des facteurs fondamentaux de la relation initiale à la mère. Car les désirs de l'enfant signifient que le sein maternel d'abord, puis que la mère elle-même écartent de lui ces pulsions destructives et lui épargnent la souffrance engendrée par l'angoisse de persécution.

Aux expériences heureuses se mêlent des griefs inévitables qui viennent renforcer le conflit inné entre l'amour et la haine, ou, plus radicalement, le conflit entre les instincts de vie et de mort, donnant ainsi naissance au sentiment qu'il existe un bon et un mauvais sein. La vie affective précoce se trouve alors caractérisée par la sensation de perdre et de recouvrer le bon objet. Par conflit inné entre l'amour et la haine, j'entends que la capacité d'éprouver à la fois l'amour et les pulsions destructives est, dans une certaine mesure, constitutionnelle, bien que son intensité puisse varier selon les sujets et être influencée dès le départ par les conditions extérieures.

A plusieurs reprises, j'ai déjà avancé l'hypothèse selon laquelle le bon objet originel, à savoir le sein maternel, constitue le noyau du moi et contribue à sa croissance de façon vitale ; j'ai souvent décrit comment l'enfant ressentait qu'il intériorisait concrètement le sein et le lait maternel. Dès lors s'établit dans son psychisme un rapport mal défini entre le sein et les autres parties ou les autres aspects de la mère.

Envie et gratitude *(Paris, Gallimard, 1968).*

Anna Freud a été amenée, par ses travaux sur le moi de l'enfant, à modifier la technique classique, et elle a mis au point une méthode d'analyse pour l'âge de latence très distincte de la mienne. Nos conceptions théoriques diffèrent sur certains points. Elle soutient qu'il ne s'installe pas chez l'enfant de névrose de transfert et qu'il manque de la sorte, au traitement analytique, une de ses conditions essentielles. Elle s'oppose à l'extension à l'enfant des méthodes employées chez l'adulte, en raison de la faiblesse de l'idéal du moi infantile.

Je ne partage pas ces idées. D'après mes observations, il se produit une névrose de transfert et il s'établit une situation transférentielle aussi bien chez l'enfant que chez l'adulte, à la condition d'appliquer au premier une méthode équivalente à l'analyse d'un adulte, en évitant toute mesure éducative et en interprétant à fond le transfert négatif. Je me suis en outre rendu compte que même l'analyse en profondeur ne parvient que très difficilement à tempérer la sévérité du sur-moi des enfants de tout âge. Enfin, dans la mesure où l'on s'abstient de toute intervention de caractère pédagogique, l'analyse, loin d'affaiblir le moi de l'enfant, le renforce.

La psychanalyse des enfants (*Paris, P.U.F., 1959*).

Le maître peut obtenir de bons résultats s'il manifeste sympathie et compréhension, car il peut ainsi réduire considérablement cette part d'inhibition qui s'attache à la personne du maître « vengeur ». De plus, le maître bienveillant et sage offre à la composante homosexuelle du garçon et à la composante masculine de la fille un objet pour l'exercice de leur activité génitale sublimée que nous pouvons reconnaître dans les diverses disciplines. On peut déduire de ces indications la nature des éventuels préjudices qui proviennent d'une attitude du maître pédagogiquement défectueuse ou même brutale.

Cependant, lorsque le refoulement de l'activité génitale a agi sur les occupations et les intérêts eux-mêmes, l'attitude du maître pourra probablement atténuer (ou intensifier) le conflit intérieur de l'enfant, mais elle ne modifiera rien d'essentiel en ce qui concerne la réussite de celui-ci. La possibilité elle-même d'un bon maître qui adoucit le conflit est très mince, car des barrières sont dressées par les formations complexuelles de l'enfant et, en particulier, par ses relations avec son père, qui fixent d'avance son attitude à l'égard de l'école et du maître.

Cela explique pourquoi, lorsque de puissantes inhibitions sont en jeu, les résultats de nombreuses années de travail pédagogique n'ont aucune commune mesure avec l'effort déployé, alors que, dans une analyse, nous voyons souvent ces inhibitions disparaître en un temps relativement court et céder la place au plaisir d'apprendre le plus grand. Il vaudrait donc mieux inverser le processus : d'abord une analyse faite assez tôt devrait faire disparaître les inhibitions, plus ou moins grandes, qui existent chez tous les enfants ; le travail scolaire devrait commencer ensuite à partir de cette base. Lorsqu'elle n'aura plus à gaspiller ses forces dans une lutte vaine contre les complexes des enfants, l'école pourra accomplir une œuvre féconde en se consacrant à leur développement.

Essais de psychanalyse 1921-1945 (*Paris, Payot, 1969*).

Bibliographie

Ouvrages principaux :
L'Amour et la haine, études psychanalytiques, *en collaboration avec J. Rivière* (*Paris, Payot, 1968*).

Envie et gratitude (*Paris, Gallimard, 1968*).

Essais de psychanalyse, *rècueil de textes parus de 1921 à 1945* (*Paris, Payot, 1969*).

Développement de la psychanalyse (*Paris, P.U.F., 1972*).

La Psychanalyse des enfants (*Paris, P.U.F., 1972*).

New Directions in Psychoanalysis (*New York, Basic Books, 1961*).

Our Adult World and Its Roots in Infancy (*London, Tavistock, 1960*).

Narrative of a Child Analysis (*London, Hogarth Press, 1961*).

Ouvrages de référence :
Geets (C.) : Mélanie Klein (*Paris, Editions Universitaires, collection « Psychothèque », 1972*).

Segal (H.) : Introduction à l'œuvre de Mélanie Klein (*Paris, P.U.F., 1969*).

Jaccard (R.) : Mélanie Klein et la pulsion de mort (*Paris, Editions l'Age d'Homme, 1972*).

JACQUES LACAN

photo A. Lena

Biographie

13 avril 1901
Naissance, à Paris, de Jacques Lacan, dans une famille de la grande bourgeoisie.
Après des études secondaires au collège Stanislas, il entreprend des études de médecine et se spécialise en psychiatrie sous la direction de Clérambault.

1932
Thèse, qui a pour sujet *la Psychose paranoïaque dans ses rapports avec la personnalité.* Vers cette époque, Lacan fréquente le milieu surréaliste, Eluard, Dali, Bataille, Malraux, Barrault.

1936
Il fait une communication sur *le Stade du miroir,* au Congrès international de psychanalyse de Marienbad.

1949
Dans une communication au XVIe Congrès international de psychanalyse, à Zurich, intitulée *le Stade du miroir comme formateur de la fonction du « je »,* Lacan donne une formulation définitive de ses idées exprimées dès 1936.

1949
A cette époque, il rapproche linguistique et psychanalyse, sans doute sous l'influence de Merleau-Ponty.

1952
Au Congrès des psychanalystes de langue romane, communication intitulée : *Intervention sur le transfert.*

1953
Au Congrès des psychanalystes de langue française, tenu à Rome, Lacan est chargé de présenter le rapport de la Société psychanalytique de Paris. Mais des divergences surgissent avec cette dernière à propos de la conception de la formation de l'analyste ; le 26 septembre, Lacan prononce son rapport : *Fonction et champ de la parole et du langage* devant l'institut de psychologie de l'université de Rome. Cela entraîne une rupture orageuse avec la Société, et la formation du groupe Lacan-Lagache.

1957
Le 9 mai, conférence à la Sorbonne : *l'Instance de la lettre dans l'inconscient ou la Raison depuis Freud.*

1958
En mai, conférence à l'Institut Max-Plank de Munich sur la *Signification du phallus.*
En juillet, Lacan fait, au colloque de Royaumont, une communication sur *la Direction de la cure, et les principes de son pouvoir.*

1963
De nouvelles divergences amènent une rupture dans le groupe Lacan-Lagache et la naissance de l'Association psychanalytique de France et de l'école freudienne de Paris.

1966
Parution des *Ecrits,* qui réunissent des articles, communications, conférences de Lacan pour les années 1936 à 1966.

1968
Lacan fonde la revue « Scilicet ».

Jacques Lacan : le retour à Freud

L'homme

« Freud ne suis, homme de lettres ne daigne, Lacan suis. » La formule, d'emblée, situe le personnage. C'est pourtant à Lacan l'écrivain que Lacan le psychanalyste doit son immense audience. Il y a, en effet, plus de trente ans que Lacan enseigne et produit. Mais ses articles, dispersés dans des revues spécialisées, son enseignement adressé à un public professionnel d'étudiants en psychiatrie ont longtemps soulevé peu d'échos ou des échos négatifs qui ont eu pour résultat de créer un mouvement hostile autour de l'enseignement du psychanalyste parisien.

Lacan entretient des rapports orageux avec les sociétés de psychanalyse ; son séminaire de Sainte-Anne est boycotté. Lacan déménage. Son séminaire se déplace vers la Faculté des lettres, où l'on est, par tradition, indifférent aux oukases et aux interdits, puis vers l'Ecole normale supérieure, où il trouve un terrain propice et dont, bientôt, la salle de cours est assiégée. Mais c'est à la publication des « Ecrits » en un volume unique, en 1966, que l'audience de Jacques Lacan devient immense. Ces écrits s'insèrent en effet dans un vaste mouvement de mise en question de la culture, dans une sorte de bilan des évidences sur lesquelles nous vivons, dans un travail de relecture, que certains comparent à un travail d'antiquaire, et qui hâte l'écroulement des alchimies, des sciences humaines en trompe-l'œil, pour laisser le champ libre à une science qui ne serait plus de l'« homme »... Désignant les impasses, les cimetières de la psychanalyse, l'œuvre de Lacan nous ramène à ce qu'il y a d'agressivement moderne dans celle de Freud. Il est temps de réapprendre le latin. Nous sortons du Moyen Age. Et le côté Pic de La Mirandole des « Ecrits » n'est pas pour faire oublier que Lacan est un homme de la Renaissance.
Ce faisant, il dérange. On se fait, en effet, une certaine idée du savant.

Le mythe prête au savant une « conscience déchirée » (Oppenheimer), un « aspect patriarcal » (Freud), et une « étourderie » (Einstein) par lesquels il se fait pardonner son savoir. Rien de tout cela chez Lacan. Plutôt que d'un grand-père, il aurait l'air d'un petit-fils aux cheveux blancs. Plutôt qu'à un père Noël, il ferait penser au premier Dracula dont il a l'ample chevelure, le sourire satanique, le regard ténébreux. Son élégance est légendaire, avec un côté légèrement agressif qui ferait penser à Oscar Wilde. Lacan décrit Ernest Jones comme un homme de petite taille à l'air ténébreux. Le portrait pourrait lui convenir puisque, à ceux qui l'ont connu il y a vingt ans, il a laissé le souvenir d'un séducteur à l'œil de braise, aux cheveux noirs, très italien, mais d'une Italie qui évoquerait le temps de Machiavel ou des Borgia. On le rencontre à Saint-Tropez, à Saint-Germain. On lui attribue des canulars. Il apparaît

dans des fêtes somptueuses, déguisé en corbeau... Tous ces traits finissent par constituer un mythe. Plutôt que docteur Lacan, on tendrait à l'appeler Lacan le Magnifique. Zarathoustra n'a plus sa couronne de savant. Une chèvre la lui a broutée au cours de la nuit. Lacan semble une réincarnation de l'honnête homme, de l'humaniste au sens que la Renaissance donne à ce terme. Il décide un jour d'apprendre le chinois, partage les préoccupations des surréalistes, fait autorité sur la pensée de Hegel, se lie avec Kojève, donne à Londres une conférence sur le style Chippendale, repère des erreurs de signes dans le manuscrit des idéalités mathématiques de Jean Desanti, marque en toute chose un style inimitable, une sorte de surréalisme domestiqué.

Sous une provocation apparente, une grande rigueur

Il est difficile de distinguer, chez Lacan, la provocation de l'exigence de rigueur. Lorsqu'on fait, comme ici, le tour de son mythe, on a l'impression que Lacan est un psychanalyste un peu par hasard. La psychanalyse est une activité qu'il mène parmi bien d'autres. Cependant, essayons de sortir du mythe.

Le XXe siècle de Lacan nous est déjà étranger. Lacan est né à Paris, le 13 avril 1901, d'une famille de la grande bourgeoisie. Après des études secondaires dans un établissement religieux, le collège Stanislas, il poursuit des études de médecine, se spécialise en psychiatrie sous la direction de Clérambault, dont la théorie de l'automatisme mental, malgré son idéologie mécanistique, lui paraît « plus proche de ce qui peut se » construire d'une analyse structurale qu'aucun effort clinique dans la » psychiatrie française ». En 1932, il présente une thèse sur la psychose paranoïaque dans ses rapports avec la personnalité. Dans cette thèse se manifeste déjà l'intérêt lacanien pour les caractéristiques formelles des symptômes, intérêt qui recoupe un certain nombre des préoccupations surréalistes à l'égard de la poésie involontaire. Eluard s'y intéresse vivement et Lacan, de son côté, tout en poursuivant une carrière de psychanalyste commencée sous les auspices du groupe qui introduisit la psychanalyse en France (« l'Evolution psychiatrique »), se met à fréquenter les surréalistes, se lie avec Dali, Crevel et vit toute une époque qu'a décrite Michel Leiris, aux confins du monde de la « corrida ». Lacan fréquente Bataille, Malraux, Jean-Louis Barrault. Au moment de la guerre d'Espagne, « aux portes de la titularisation d'usage, au premier » congrès où [il fait] l'expérience d'une association qui devait [lui] » en donner bien d'autres », Lacan produit « le Stade du miroir ». Il donne alors l'impression d'être déchiré entre deux mondes : le monde de la bourgeoisie auquel il ne peut complètement échapper, et le monde de la bohème, des nuits blanches, des phalanstères surréalistes. La psychanalyse représente une libération. Lacan veut la parfaire. Veuve de Georges Bataille, sa femme, l'héroïne de « la Partie de campagne » de J. Renoir, l'y aidera. Avec la guerre, l'histoire de Lacan devient la nôtre. Viennent alors les séminaires de Sainte-Anne, la rupture orageuse avec la Société psychanalytique de Paris, et la suite que nous connaissons. Dans sa vie, autant peut-être que dans son œuvre, Lacan aura, d'une certaine façon, rétabli le dialogue entre les héritiers officiels et les enfants naturels du freudisme. Le « retour à Freud » passe par le surréalisme. Est-ce par hasard ?

L'histoire de Lacan n'échappe pas plus que son portrait à un certain côté mythique. Mais nulle histoire n'y échappe et, en attendant que Lacan trouve son Ernest Jones, remarquons la parenté qui peut se dégager des productions, vies et œuvres, d'une époque. En Lacan se rencontrent une pensée neuve et un personnage que l'on ne peut vraiment comprendre qu'en le replaçant dans un univers déjà lointain qui est celui des romans de Sartre, voire de Gide, des « Ecrits » de Leiris, de « l'Amour fou », de « la Paranoïa critique ». Paradoxalement, c'est sous son aspect d'homme de la Renaissance qu'il est le plus proche de nous.

L'œuvre

Lorsqu'en 1966 Jacques Lacan fit paraître « Ecrits », gros volume au titre paradoxal, puisque le livre est le dépositaire d'une longue parole (cours, séminaires, conférences, congrès), quelque chose prenait fin : un mode d'initiation orale qui, depuis plus de quinze ans, divisait le peuple de la culture en deux camps : celui des privilégiés qui avaient entendu le maître ou avaient eu accès à des notes de cours précieusement recueillies, et celui, bien plus nombreux, des exclus du grand repas symbolique.

Initiation socratique, a-t-on dit. Le jugement paraît exact. De l'initiation, l'enseignement de Lacan avait bien tous les caractères, si « initier » signifie comme nous l'indique le Littré — « mettre au fait d'une science » ou d'un art », mais aussi « admettre quelqu'un dans une société » et « introduire à la connaissance et à la participation des mystères divins, » païens ». C'est ainsi qu'on y retrouve les mots de passe (« ordre du signifiant », « métaphore et métonymie », « imaginaire et symbolique », « désir, demande, besoin », « forclusion »), les formules magiques (« l'inconscient est ce discours de l'autre où le sujet reçoit sous sa » forme inversée qui convient à la promesse, son propre message » oublié ») et même les signes mystérieux d'un code indéchiffrable (« $\$ \diamond a$ ») qui se lit : sujet barré / désir de / l'objet petit a).

Une initiation socratique : par le moyen de la parole

L'ésotérisme du message, non exempt d'une beauté étrange dans la musique de ses mots, accentuait le sentiment qu'avait l'élève de pénétrer dans le monde de l'insondable et de l'irréfutable. Et s'il n'avait pas toujours compris la teneur du dire magistral, du moins en retenait-il tous les tics par lesquels il pouvait mimer une pensée présente ailleurs, mais absente chez lui. Cependant, l'initiation se voulait socratique, c'est-à-dire introduction à un discours nouveau, unissant une finalité théorique et une finalité pratique de transformation de l'homme.

Avec la publication de l'œuvre, la parole est semée à tout vent. Le message ne tire plus sa valeur de la difficulté d'accéder à son écoute et de l'aristocratie dont il gratifiait. Il joue désormais sur le registre du savoir classique : la lecture, avec cette possibilité qu'elle donne de confronter entre eux les différents moments d'une pensée.
Si on en croit Lacan, l'acte de publier était devenu nécessaire. Il explique◆ : « De-ci, delà, des gens venaient à Sainte-Anne et puis ils s'en » allaient et ils répercutaient ce qu'ils avaient entendu un peu partout, » jusqu'aux Etats-Unis.
» Comprenez-moi bien : cette exploitation ne m'eût pas incommodé per- » sonnellement, mais elle présentait de grands dangers. Des interpréta- » tions aberrantes pouvaient suivre. Le mot "signifiant", par exemple, » que l'on trouve aujourd'hui sous toutes les plumes, on peut en faire un » usage boiteux. J'ai donc voulu — et c'est la raison de ce livre — mar- » quer des jalons de ce qui, dans mon enseignement, peut être néces- » saire. Je me bats depuis des années pour interdire qu'on altère le sens » de Freud et voici que je dois prendre les mêmes précautions pour » moi-même. Disons que j'installe des barrières entre les commentaires » abusifs. Tel quel, ce livre forme un appareil critique assez rude pour » empêcher des utilisations malhonnêtes. » Mais les « Ecrits » sont de telle facture qu'à l'ancien clivage entre ceux qui entendaient ses leçons et ceux qui ne les entendaient pas, s'est substitué le clivage entre ceux qui doivent l'avoir lu et compris et ceux qui disent y avoir renoncé parce que, « joignant l'allégorie à l'hyperbole, » emporté par le tic du « ne que » et transporté par l'emploi conjonctif » de la préposition « à », Lacan confond la complexité algorithmique » avec la préciosité surréaliste », comme l'écrit André Robinet dans son article des « Nouvelles Littéraires », qui conclut sur le souhait que les éditeurs publieront un jour « une traduction dans une langue vivante » de ces "récits" ».

◆ Interview donnée au « Figaro littéraire » numéro du 29 décembre 1966.

Lacan roi ? Lacan fou ? Lacan charlatan ? Lacan génie ? Lacan mythe ? Existe-t-il ? Qui est-il ? Peut-on vraiment lui faire porter la responsabilité d'une génération de penseurs égares par sa phrase, comme le fait P. Trottignon◆, lorsqu'il écrit : « Ce sera un sujet d'étonnement dans » vingt ans, que cet engouement pour des acrobaties verbales ait pu » passer pour une contribution à la philosophie, que tant d'intelligence » et de talents aient pu être dévoyés, qui auraient pu passer pour une » contribution à la philosophie de cette époque. Lacan s'est trouvé pris » au centre d'un cercle de surenchère et de surexcitation intellectuelle » qui l'a condamné à l'escalade verbale, au tour de force, à la thauma- » turgie : les « Ecrits » sont les évangiles apocryphes de la psychana- » lyse ; le merveilleux y prend le pas sur le sens. »

◆ P. Trottignon: *les Philosophes français d'aujourd'hui* (Paris, P.U.F., 1967).

Des rivalités personnelles qui recouvrent des oppositions théoriques

En 1936, au Congrès international de psychanalyse, à Marienbad, le médecin psychiatre Lacan présente une communication sur « le Stade du miroir » qui marque son entrée dans la psychanalyse en même temps que l'originalité de sa démarche◆. Mais la date la plus importante dans le devenir de sa pensée, celle autour de laquelle l'œuvre bascule pour devenir œuvre maîtresse, est celle du Congrès des psychanalystes de langue française à Rome, en 1953. Lacan devait y présenter le rapport de la Société psychanalytique de Paris. Une divergence de conception sur la formation des analystes entraîna, avant le congrès, une rupture entre la majorité de la société et un certain nombre de praticiens groupés autour de Jacques Lacan et Daniel Lagache◆. Lacan prononça son rapport, « Fonction et champ de la parole et du langage », devant l'Institut de psychologie de l'université de Rome, le 26 septembre 1953. Dix ans plus tard, le même motif de divergence (la formation de l'analyste) entraînera une nouvelle rupture au sein du groupe Lacan-Lagache, donnant naissance à l'Association psychanalytique de France (rattachée à l'Association psychanalytique internationale) et à l'Ecole freudienne de Paris, marquée par la forte présence de Lacan et qui a l'originalité d'accueillir en son sein des non-analystes. Que les sociétés de psychanalyse soient ainsi le champ clos de rivalités, et que celles-ci aient précisément pour objet les formes d'initiation auxquelles doit se soumettre leur futur membre, donne à penser quant à leur structure bureaucratique. Mais, surtout, ce triomphe de la subjectivité de groupe révélerait qu'en psychanalyse il s'agit de tout autre chose que de libérer l'homme de ses démons pour le rendre transparent à lui-même et maître de lui, comme seul Dieu peut l'être, en même temps que de l'univers.

◆ Le texte de la communication est résumé dans l'article de Lacan sur « la Famille », in *l'Encyclopédie française*, tome VIII, 1938.

◆ Voir A. Chalès: « les Quatre Ecoles de la psychanalyse freudienne », in *Psychologie*, nº 5.

Les plus grands noms parmi les psychanalystes d'aujourd'hui ne contestent plus l'importance de son apport, même quand, iconoclastes,

ils en refusent la fascination. D'une telle œuvre, difficile, toujours ouverte, ce serait une gageure de croire qu'on pourrait faire le tour. L'entreprise sera suffisamment audacieuse de vouloir « introduire ».

Une relecture de Freud

Il en fut de Freud comme de tous les grands innovateurs (Marx, Nietzsche, par exemple). Leur parole n'est pas entendue d'abord. Puis elle est rejetée. Enfin, acceptée, elle l'est sur une fausse interprétation qui sert encore de défense à leur pouvoir. De Freud, on ne voulut longtemps retenir que l'image d'un penseur qui ramenait, de façon simpliste, tout l'ordre humain à la sexualité comme à sa cause. Derrière les rêves, derrière les névroses, mais aussi derrière les œuvres d'art ou les grands idéaux, Freud n'aurait vu que l'action d'une machinerie monotone : l'instinct sexuel, la libido. Puis une mutation se produisit dans l'interprétation et Freud devint le libérateur des tabous, celui grâce auquel les hommes pouvaient conquérir leur liberté. Nouveau médecin de l'âme, moraliste des temps nouveaux, en un mot « psychologue » il reçoit la charge de réconcilier l'homme avec lui-même.
L'honneur de Lacan est d'avoir, en France, imposé le retour nécessaire à un Freud oublié, retour à la lettre de Freud, c'est-à-dire à sa lecture. Grâce aux efforts de Lacan, on a pu entendre à nouveau, et dans sa fraîcheur, un texte que les fondateurs, les glossateurs, les exégètes, les commentateurs et aussi les contempteurs avaient enseveli sous les pierres de leurs discours apparemment divers, mais dont la finalité unique était de faire rentrer une pensée scandaleuse dans les eaux calmes de la culture.

Ce que Lacan a montré, c'est que Freud n'est pas l'héritier de la philosophie ni celui de la psychologie classique, voire de la biologie, mais qu'il inaugure un domaine théorique radicalement nouveau qui bouleverse toute la géographie des anciennes « sciences de l'homme », lesquelles s'étaient logées dans la place laissée par la vieille philosophie. Lacan fait retrouver le sens de la découverte de Freud : l'existence de l'inconscient. Et il le fait à partir de cette constatation qu'il nous livre dans « le Figaro Littéraire »◆ : « Lire Freud, c'est d'abord apprendre que » l'inconscient de Freud ne peut être confondu avec l'emploi romantique » d'un inconscient se référant à l'archaïque, au primordial, au primitif. » Rien à voir. Ce qu'on voit, dans Freud, c'est un homme qui est tout le » temps en train de se débattre sur chaque morceau de son matériel » linguistique, d'en faire jouer les articulations. Voilà Freud. Un lin- » guiste. »

◆ *Le Figaro littéraire* du 1er décembre 1966.

Pour comprendre cette affirmation, apparemment provocatrice, « Freud,

» un linguiste », prenons, à titre d'exemple, l'analyse que celui-ci fait dans « la Science des rêves » — rêve dit de la « monographie bota- » nique »◆, Freud avait reçu une lettre amicale de Fliesse qui disait : « Je pense beaucoup à ton livre sur les rêves. Je le vois devant moi, » achevé, et je le feuillette. » La nuit suivante, Freud fait un rêve qu'il rapporte ainsi : « J'ai écrit la monographie d'une certaine plante. Le » livre est devant moi, je tourne précisément une page où est encarté » un tableau en couleurs. Chaque exemplaire contient un spécimen de » la plante séchée, comme un herbier. »

◆ S. Freud : *la Scienc des rêves*, traduit par I. Meyerson (Paris, P.U.F., 1950).

L'interprétation du rêve suppose, d'une part, de le prendre à la lettre, c'est-à-dire au mot de son texte, et, d'autre part, de faire surgir des « chaînes associatives », c'est-à-dire les souvenirs, les mots, les images qui, spontanément, s'associent à lui. Le recoupement du texte du rêve et des chaînes associatives révèle des « mots-carrefours » qui sont les éléments du texte de l'inconscient. Dans le rêve que nous avons pris pour exemple, le mot-carrefour essentiel est le mot « botanique ». A lui se rattachent les souvenirs du professeur Gartner (en français : « jardinier »), de son épouse qui a un teint « florissant » ; d'une malade nommée Flora et d'une autre qui se plaignait que son mari avait oublié de lui apporter des fleurs à son anniversaire ; d'une monographie sur les cyclamens, que Freud avait remarqué en librairie la veille ; de Mme Freud qui aime les cyclamens et dont Freud se fait le reproche de trop souvent oublier de lui en apporter alors qu'elle-même achète toujours au marché l'artichaut, plante qu'il préfère. Au-delà de ces souvenirs récents, enfin, le mot botanique renvoie à un « souvenir-écran » de la petite enfance dans lequel se manifeste le fantasme œdipien de la transgression de la loi. Freud raconte : « Mon père s'était amusé un » jour à abandonner à l'aînée de mes sœurs et à moi un livre avec des » images en couleurs (description d'un voyage en Perse). J'avais alors » cinq ans, ma sœur n'avait pas trois ans, et le souvenir de la joie infi- » nie avec laquelle nous arrachions les feuilles de ce livre (feuille à » feuille, comme s'il s'était agi d'un artichaut) est à peu près le seul fait » que je me rappelle de cette époque. »

L'inconscient est une syntaxe

Etudiant longuement ce rêve, un disciple de Lacan, Serge Leclaire, dans son livre « Psychanalyser »◆, le relie à un autre souvenir-écran de Freud, plus ancien puisque celui-ci était âgé de deux ans et demi : « Il arrache » un bouquet de pissenlits à une petite cousine qui avait fait un plus » beau bouquet que lui, puis, ensemble, ils dévorent des tranches de » pain frais coupées par une paysanne. » S. Leclaire remonte ainsi jusqu'au texte de l'inconscient de Freud, car il s'agit bien de trouver un

◆ Paris, Editions du Seuil, 1968.

texte. Ce texte contient le mot « reissen » (arracher), sa variante botanique « pflücken » (cueillir). Le terme « reissen » s'associe à d'autres mots : « reisen » (voyager, et on sait quelle phobie des voyages Freud avait), « beissen » (mordre... dans le pain).

Notons que l'analyse est incomplète et que, au-delà des mots, autre chose peut être découvert qui doit être de l'ordre des phénomènes, des sons à quoi le désir s'est un jour agrafé. Nous voyons comment le mot « botanique », véritable carrefour d'associations, permet l'articulation d'une chaîne de substitutions (cyclamen — fleur préférée de Mme Freud — la malade Flora — la florissante femme du docteur « jardinier », etc.). Interpréter le rêve, c'est donc découper dans le récit des éléments pertinents qui entretiennent entre eux un jeu différentiel. Ce que l'analyse met au jour, c'est une syntaxe, un mode d'enchaînement ou d'exclusion de ces éléments qui sont des unités signifiantes. L'analyste est un nouveau Champollion face aux hiéroglyphes.

Que le psychanalyste soit ainsi confronté à du langage, comment s'en étonner quand on sait que la psychanalyse a été définie comme une « cure par la parole ». Assis dans son fauteuil, son oreille prêtée au patient allongé sur le divan de vérité, le psychanalyste n'a jamais affaire qu'à des mots. Et même les souffrances du corps sont pour lui non l'objet d'une auscultation possible, mais encore du discours.

Tant que le langage est défini comme l'instrument par lequel une pensée s'exprime, la question restera celle de retrouver cette pensée par l'interprétation de la parole. Ce que Lacan veut montrer (c'est sa « Révolution copernicienne »), c'est qu'il faut accorder à la relation de l'homme au langage une tout autre dimension. Certes, dans l'expérience quotidienne, le langage est vécu comme l'outil d'une pensée cachée, voire, parfois, comme le mur derrière lequel cette pensée frappe ses coups sans toujours se faire entendre. Mais le langage a aussi une fonction qu'on peut qualifier de transcendantale. Il est ce par quoi naissent sujet humain et monde d'objets. C'est en entrant dans son ordre (l'ordre du signifiant), en soumettant son désir à sa grande règle d'alliance et d'échange et en le faisant passer dans ses défilés, que l'homme se constitue comme tel face à un monde, lui-même résultat du rangement des impressions sensibles dans les catégories du sens. Nous n'avons pas, d'un côté, l'être pensant, de l'autre, les choses organisées et, entre eux, les mots, moyen, docile ou non, d'énoncer.

Des progrès qui viennent de la linguistique

C'est pourquoi Lacan mettra au service de sa lecture de Freud une science surgie postérieurement à la découverte de la psychanalyse : la linguistique. Celle-ci lui permet d'éliminer le modèle de la physique énergétiste de Helmholtz auquel Freud fait souvent métaphoriquement appel. En disant que « l'inconscient est structuré comme un langage » et en assimilant le discours à une « rhétorique », Lacan n'identifie pas, comme parfois on veut le croire, langage et inconscient. Il pose que le domaine de l'inconscient obéit à des lois formelles, analogues à celles que le linguiste dégage sur des signifiants purement linguistiques.

Ce rapprochement de la psychanalyse et de la linguistique, Lacan ne l'effectue que dans les années 1950, vraisemblablement sous l'influence de Merleau-Ponty qui fut son ami et le premier philosophe français à avoir souligné l'importance des travaux de Saussure. Le rapprochement manifesté dans le rapport de Rome, n'est pas, à ses débuts, dépourvu d'ambiguïté. Lacan semble parfois se référer non à la science du langage, mais à la philosophie du langage.

Dans son investigation de l'inconscient, Lacan veut mettre au jour les lois structurales qui régissent la vie psychique et dont il recherche, avec raison, le modèle du côté de Saussure. La structure rhétorique du rêve (et donc de l'inconscient dont celui-ci est l'effet), Lacan la montre en traduisant les deux opérations que Freud y avait vues : la condensation et le déplacement — en termes de tropes◆ : métaphore et métonymie.

◆ *tropes :* certains sens plus ou moins différents des sens primitifs qu'offrent, dans l'expression de la pensée, les mots appliqués à la nouvelle idée.

La métaphore est cette figure de rhétorique que Bayle définissait ainsi : « La métaphore est une figure par laquelle on transporte, pour ainsi » dire, la signification propre d'un nom à une autre signification qui ne » lui convient qu'en vertu d'une comparaison qui est dans l'esprit ». « Tu » es mon lion superbe et généreux » est une métaphore. La métaphore est donc la substitution d'un signifiant à un autre qui tombe ainsi au rang de signifié, ce que Lacan précise de la façon suivante : « Il faut » définir la métaphore par l'implantation dans une même chaîne signi- » fiante d'un autre signifiant, par quoi celui qu'il supplante tombe au » rang de signifié, et, comme signifiant latent, y perpétue l'intervalle où » une autre chaîne signifiante peut y être entrée. » Or, c'est là le mécanisme de la condensation dans le rêve. Ainsi, lorsque le signifiant « place » se substitue au signifiant « plage » qu'il représente et masque en même temps ; ou, encore, quand le mot « botanique » prend la place du nom d'une patiente de Freud qui devient ainsi le signifié refoulé.

La métonymie est la substitution d'un signifiant par un autre signifiant qui lui est connexe et qui prend sa place comme par glissement. Ainsi, désigner un auteur habile dans l'art d'écrire par le terme « excellente plume » (la plume étant liée à l'écriture comme son instrument) est une métonymie, or, c'est là le processus du déplacement dans le rêve◆.

◆ Par exemple, la figuration de *Zimmerfrauen* (femmes de chambre) par *Zimmer* (chambre)

Ainsi la syntaxe, dont relèvent les effets de l'inconscient, est d'essence linguistique. Cet ordre de l'inconscient, formellement identique à l'ordre du langage et dont il faut souligner le primat absolu, Lacan le désigne sous le nom d'« ordre du signifiant » (ou ordre symbolique), et lui confère la charge de constituer le sujet humain.

L'enfant, face au miroir, anticipe la formation de son moi

En 1936, à un moment qui est encore la préhistoire de la théoricisation, Lacan avait étudié la formation du « je » à partir de l'observation de phénomènes qu'il avait groupés sous le titre de « Stade du miroir ». Il en reprend les conclusions en 1949, dans une communication au XVIe Congrès international de psychanalyse (Zurich).

Ce qu'il y découvre, c'est le processus d'identification par lequel l'« infans » se fait sujet. Il écrit : « L'assomption jubilatoire de son » image spéculaire par l'être encore plongé dans l'impuissance motrice » et la dépendance du nourrissage qui est le petit de l'homme à ce stade » « infans » nous paraîtra dès lors manifester en une situation exem- » plaire la matrice symbolique où le « je » se précipite en une forme » primordiale avant qu'il ne s'objective dans la dialectique de l'identi- » fication à l'autre et que le langage ne lui restitue dans l'universel sa » fonction de sujet. »

Ce qui différencie le petit de l'homme (l'infans) du petit de l'animal, c'est l'intérêt que celui-ci porte à son image dans le miroir, bien avant d'être en état de s'y reconnaître. Un enfant de six mois, raconte Lacan, manifeste par une excitation intense la joie que suscite en lui la vue de son reflet. C'est que l'enfant, qui n'a pas l'expérience de son corps propre comme d'une totalité unifiée, vit prisonnier des fantasmes du « corps morcelé », fantasmes dont l'existence nous est révélée dans l'observation des schirophrènes.

Cette image totale du corps, que la glace lui renvoie, aura donc une fonction structurale et sécurisante. Par elle, la dislocation angoissante trouve un point focal qui l'annule. L'enfant y pressent la restauration de l'unité perdue de soi-même. On voit donc que c'est par identification à l'image du semblable — qui, dans le cas privilégié du miroir, est l'image de soi-même — que l'enfant anticipe (imaginairement) la maîtrise de son unité corporelle. Cette identification à l'autre pour devenir soi est l'ébauche première du moi, qui a donc le statut d'une instance imaginaire. Bric-à-brac d'identifications, le moi est constitué comme un autre.

Ce stade du miroir illustre, par ailleurs, ce que Lacan appelle « l'imaginaire », stade narcissique primaire où l'enfant n'a d'autre partenaire que sa mère, laquelle est ainsi à la fois Elle, Lui, un Autre, tous les Autres, tout ce qui Est, et dont la présence et l'absence règlent la vie de l'enfant.

Le premier appel de l'enfant est cet appel à la mère pour qu'elle l'assure de sa propre existence et qu'elle conjure en lui le risque de mort (fantasme de dislocation). Mais cet appel ne peut, quelle que soit l'attitude de la mère, jamais être satisfait. Et l'enfant est alors enfermé dans le besoin indéfini qu'aucun objet ne pourra jamais combler, car il trouve sa racine dans une détresse biologique, un « manque à être ». De cette détresse, Lacan, se référant aux travaux du biologiste allemand Bolk, donne une hypothèse d'explication : l'homme est un animal qui naît « prématurément », comme en témoignent la non-fermeture des fontanelles, le poil rare, la longue enfance. Fœtus extra-utérin, il est ainsi marqué dans son être du signe de l'insatisfaction et de la mort. L'appel à l'autre, les structures de l'intersubjectivité trouvent ainsi leur source dans l'absence d'instincts.

Le phallus n'est pas un organe, c'est le signifiant principal dans l'inconscient

Ce besoin illimité va être capté dans les filets du signifiant. C'est-à-dire que la pulsion va se fixer sur des signifiants arbitraires (sous-entendu de la mère mais non compris, caresses gravées sur le corps de l'enfant, etc.), mais soumis aux lois structurales du langage. Ces signifiants, Freud les désignait sous le terme de « Vorstellungs-Repraesentant » (représentants-représentations) et en faisait la médiation par laquelle la pulsion (qui est de l'ordre du biologiste) s'inscrit dans le psychisme et y investit son affect. Il écrivait, dans « Métapsychologie◆ » : « Une » pulsion ne peut jamais devenir objet de la conscience, seule la représentation qui la figure en est susceptible. Une pulsion ne peut non » plus être représentée dans l'inconscient autrement que par la représentation. Si une pulsion n'était pas liée à une représentation, si elle » ne se traduisait pas par un état effectif, elle resterait totalement ignorée de nous. » Il nous faut souligner que la pulsion ne s'exprime pas dans des représentations qu'elle inventerait en quelque sorte pour elle. Elle est captée par des représentants (des signifiants) qui lui donnent forme. Soulignons ce fait important et qui différencie Freud de Jung : il n'y a pas d'identité naturelle entre les affects et leur langage. Le monde des affects se réfracte à travers une symbolisation qui ne découle pas de lui. Ce système de signifiants auquel les pulsions ont fixé leur destin a besoin d'un ancrage sans lequel il serait condamné à un glissement indéfini, de sorte que tout signifiant pouvant tout signifier, plus rien ne serait signifié. C'est pourquoi Lacan suppose l'existence de « points de capiton », c'est-à-dire de signifiants clés qui, condensant en eux une pluralité de significations, permettent ainsi qu'en leur point plusieurs chaînes signifiantes se croisent et se nouent. Le système de signifiants acquiert ainsi une stabilité et une structure que Lacan traduit par des images, parlant des « rets du signifiant », de ses « mailles »... De ces signifiants clés, le signifiant principal, celui que Lacan désigne parfois comme le « signifiant de signifiant », c'est le phallus. Dire du

◆ S. Freud : *Métapsychologie* (Paris, Gallimard, 1952).

phallus qu'il est symbolique et qu'on ne peut le définir ni comme organe réel ni comme images associées à cet organe, ce n'est pas désexualiser la psychanalyse. Car c'est bien de sexualité qu'il s'agit. Le phallus est l'organe symbolique qui constitue la sexualité comme structure et par rapport auquel se distribuent places variables occupées par les hommes et les femmes. Lacan écrit : « Le phallus, ici, s'éclaire de sa fonction » freudienne, n'est pas fantasme, s'il faut entendre par là un effet ima- » ginaire. Il n'est pas non plus comme tel un objet (partiel, interne, bon, » mauvais, etc.), pour autant que ce terme tende à apprécier la réalité » intéressée dans une relation. Il est encore bien moins l'organe — pénis » ou clitoris — qu'il symbolise. Et ce n'est pas sans raison que Freud en » a pris la référence au simulacre qu'il était pour les Anciens, car le » phallus est un signifiant [...]. C'est le signifiant destiné à désigner dans » leur ensemble des effets de signifié, en tant que le signifiant les condi- » tionne par sa présence de signifiant. »

Le père est le porteur de la Loi

L'intrusion du phallus brise la fascination narcissique. La relation duelle à la mère est traversée par l'entrée du père porteur de la loi. Avec l'expression phallique se constitue l'ordre symbolique et s'organise et se signifie en culture une nature de l'ordre de laquelle nous sommes exclus comme le montre l'absence, en nous, d'instincts organisateurs de nos besoins et de nos modes de satisfaction. Et ce sont des catastrophes propres à cet ordre symbolique qui rendront compte des avatars du sujet et des troubles du réel et de l'imaginaire.

Cette délimitation de deux stades, un stade imaginaire où l'enfant est englouti dans la mère, et un stade symbolique où une relation triangulaire, due à la présence du père permet la séparation de l'enfant de l'image de sa mère et sa propre constitution en sujet, ne doit pas être pensée comme une stricte succession chronologique. D'abord parce que le stade imaginaire est tout investi par le symbolique. Car l'enfant vit, sans s'y reconnaître comme sujet, sa relation à une mère humaine, assignée comme telle par l'ordre symbolique. Ensuite parce que le système est en restructuration permanente comme le note Jean Deschamps◆ : « Des signifiants isolés commencent à capter les pulsions avant que tout » le système ne s'organise autour de la différence + ou — phallus. Mais » ce signifiant peut être légitimement qualifié de premier en ce qu'il est » la clé de l'ensemble et que, même s'il paraît relativement tard, il » suscite, par la place privilégiée qu'il occupe, une réinterprétation phal- » lique de tout ce qui précédemment put être pensé à travers d'autres » symboles [...]. On peut dire que la représentation phallique, si elle

◆ «Psychanalyse et structuralisme», in *la Pensée*, numéro d'octobre 1967.

» n'est pas première chronologiquement, est pourtant la représentation » principale d'un inconscient constitué : elle est première structurelle- » ment. »

Psychose et névrose

Cette fonction du signifiant phallus, Lacan la montre *a contrario* dans son analyse de la psychose, qu'il définit précisément par l'absence de ce signifiant : sa « forclusion », donc par une chute dans l'imaginaire pré-œdipien. Rappelons qu'on peut, dans la ligne de recherches de Lacan, différencier névrose et psychose, plutôt que par les conflits qui les produisent, par le type de questions dans lequel elles sont prises, en fonction du champ symbolique dont elles disposent. On peut ainsi, en schématisant, dire que la névrose traduit l'impossible réponse à la question : « Que suis-je ? un homme ou une femme ? » et la psychose : « Suis-je ou ne suis-je pas ? » On voit que la psychose est une impossibilité à advenir comme sujet. Elle renvoie à un effondrement de l'ordre du signifiant par manque du signifiant clé qui le stabilise.

Serge Leclaire, dans « A propos de l'épisode psychotique que présenta » l'homme aux loups »◆, résume ce qui fait notre propos de la façon suivante : « Si nous imaginons l'expérience comme un tissu, c'est-à-dire » au pied de la lettre une pièce d'étoffe constituée de fils entrecroisés, » nous pourrions dire que le refoulement y serait figuré par quelque » accroc ou déchirure même important, toujours possible d'être reprisé » ou stoppé, alors que la forclusion y serait par quelque béance due au » tissage lui-même, bref, un trou originel qui ne serait jamais sucep- » tible de retrouver sa propre substance puisqu'elle n'aurait jamais été » autre que substance de trou, et qu'il ne pourrait être comblé, tou- » jours imparfaitement, que par une pièce, pour reprendre le terme » freudien. »

◆ *La Psychanalyse* (Paris, Le Seuil, 1968, tome IV).

Ainsi Lacan poursuit-il opiniâtrement sa démonstration que l'ordre du signifiant, fondateur du sujet humain, le déloge par là même de la place du roi que la pensée classique lui avait attribuée. Citons : « Ce que » Freud nous enseigne [...], c'est que le sujet suit la filière du symbo- » lique, mais ce dont vous avez ici l'illustration est plus saisissant » encore : ce n'est pas seulement le sujet, mais les sujets, pris dans leur » intersubjectivité, qui prennent la file [...] et qui, plus dociles que des » moutons, modèlent leur être même sur le moment qui les parcourt » de la chaîne signifiante. Si ce que Freud a découvert et redécouvert » dans un abrupt toujours accru a un sens, c'est que le déplacement du » signifiant détermine les sujets dans leurs actes, dans leur destin et » dans leur sort, nonobstant leurs dons innés et leur acquis social, sans » égard pour le caractère ou le sexe, et que bon gré mal gré suivra le

» train du signifiant, comme armes et bagages, tout ce qui est du donné » psychologique. »

Illustrons cela d'un exemple pris dans « Entretiens philosophiques »◆ : Soit le cas d'un homosexuel qui ne désire que ce qu'il appelle lui-même les petits soldats. L'analyse, par le recours combiné aux glissements métonymiques et aux substitutions métaphoriques, fait reparaître un souvenir d'enfance, selon quoi le patient, allant régulièrement avec sa mère au café, l'entendait dire chaque fois au serveur : "Ah ! pour lui, un pet'soda". L'indestructibilité du désir œdipien pour la mère s'attache ici aux effets de chaîne du signifiant : c'est son lien au signifiant « petit soda ». Le désir n'est ici indestructible que d'avoir rejeté son objet, la mère, au profit des automatismes symboliques, des jeux de mots où ce rejet se perpétue sous la forme d'une pulsion inacceptable. C'est bien le cas de dire, avec Lacan, que « l'objet humain tombe sous le coup de » la saisie qui, annulant sa propriété naturelle, l'asservit désormais aux » conditions du symbole ». Le désir inconscient, parce qu'il n'est ni celui du soldat, ni celui du soda, mais celui de la mère, laquelle ne figure pas dans la chaîne autrement que comme ce qui manque, si l'on peut dire, « entre » soldat et soda, et présente selon l'un, le sujet à l'autre.

◆ *Entretiens philosophiques*, textes de l'Institut Pédagogique National à l'usage des enseignants du second degré 1968.

Mais il nous faut conclure. Notre survol d'une pensée difficile et hautaine, fortement protégée par les murailles de l'hermétisme et de la préciosité qui interdisent tout accès à qui ne veut pas prendre le risque de se déchirer dans l'escalade, n'avait pas un but exhaustif. Il s'agissait de situer Jacques Lacan parmi les maîtres à penser de notre temps. Au lecteur; fidèle jusqu'au bout de son ascèse, le style même, avec ses détours, ses chausse-trapes, ses crocs-en-jambe, le serpentin de sa phrase ; voilà qu'il paraît relever d'une nécessité interne et propre à un itinéraire de formation.

« La psychanalyse, écrit Lacan, c'est la science des mirages qui s'éta-» blissent en ce champ. » Peut-être faut-il donc apprendre à déambuler dans le palais des glaces qui est son œuvre pour être en état de ne plus se laisser prendre par les mirages et pouvoir en faire la science. Plus personne ne peut contester l'importance de la relecture de Freud que Lacan a imposée. Contre l'affadissement de la pratique analytique d'outre-Atlantique qui réduit le psychanalyste au rang d'une assistante sociale des grands ensembles ou d'un confesseur de quartiers riches, il a rétabli cette primauté dont Freud avait montré qu'il en avait le souci : la primauté de la théorie.

Et, au-delà de son domaine particulier — la psychanalyse —, Lacan est de ceux qui ont le plus fortement contribué à rassembler une nouvelle constellation dans le ciel de la culture : les structuralistes.

A. A.

Quiz

Connaissez-vous Jacques Lacan ?

1
Jacques Lacan est né
☐ le 13 avril 1901
☐ le 13 avril 1911
☐ le 13 avril 1931

2
Sa naissance dans une famille de la grande bourgeoisie et son éducation dans un établissement religieux, le collège Stanislas, n'empêchent pas Lacan de se lier très tôt avec divers mouvements d'avant-garde. Notamment
☐ le mouvement Dada
☐ le surréalisme
☐ le cubisme

3
Les préoccupations de Lacan, au moment où il commence son œuvre, concernent surtout
☐ la sublimation artistique
☐ les mécanismes de la perversion
☐ la paranoïa

4
En 1933, Lacan écrit un article à propos d'une question d'actualité. Il s'agit
☐ d'une question politique
☐ d'une affaire judiciaire

5
Jacques Lacan dirige
☐ la Société psychanalytique de Paris
☐ l'école freudienne de Paris
☐ l'Association psychanalytique de France

6
Jacques Lacan joue aujourd'hui un rôle politique
☐ directement révolutionnaire
☐ directement conservateur
☐ très indirect

7
L'œuvre de Lacan est généralement considérée comme étant d'accès difficile. Cela tient surtout
☐ à son formalisme logico-mathématique
☐ à son style
☐ au nombre restreint de publications

8
Lacan présente son œuvre comme
☐ une révision de Freud à l'aide des données de la linguistique
☐ un retour au vrai sens de Freud

9
Pour Lacan comme pour Freud, le sujet humain ne s'assimile pas au « moi », au « je », à ce que lui-même perçoit de lui-même. Il faut, pour décrire le sujet, le situer dans trois registres ; ce sont
☐ le réel, l'imaginaire, et le symbolique
☐ le désir, la demande et le besoin

10
Pour Lacan, ce qui est déterminant dans la constitution du « je » et de l'imaginaire c'est
☐ le sevrage
☐ le « stade du miroir », moment où l'enfant commence à se reconnaître dans un miroir
☐ l'accès au langage

11
Dans un premier sens, le symbolique désigne, chez Lacan, « l'ordre des phénomènes auxquels la psychanalyse a affaire en tant qu'ils sont structurés comme langage » (Laplanche et Pontalis : « Vocabulaire de la psychanalyse », P.U.F.). Pour Lacan, en effet, formation de

l'inconscient et accès au langage sont simultanés. Il le montre à partir de l'analyse d'un exemple donné par Freud ; il s'agit
☐ d'un jeu enfantin décrit dans « Au-delà du principe de plaisir »
☐ de l'homme aux loups
☐ du petit Hans

12
Dans un second sens, le symbolique désigne, chez Lacan, l'ordre de la culture et de la loi. Le sujet y accède à travers la « castration ». Celle-ci peut se définir comme
☐ la découverte de la différence des sexes
☐ la peur de perdre le pénis
☐ le renoncement à être le phallus, ou symbole du désir de la mère

13
L'emploi du terme « symbolique », pour désigner à la fois l'ordre du langage et de la culture et de la loi, a été introduit dans les sciences sociales par
☐ Malinowski
☐ Marcel Mauss
☐ Claude Lévi-Strauss

14
L'inconscient, dit fréquemment Lacan, est structuré comme un langage. La métaphore et la métonymie, en particulier, jouent un grand rôle dans le discours de l'inconscient et il faut savoir à partir de quels axes du langage les définir. Comment feriez-vous correspondre
a) l'axe de la sélection du choix des mots employés à telle ou telle position dans la phrase
b) l'axe de la combinaison, de l'organisation de la phrase elle-même
1. la métonymie
2. La métaphore
Réponse : . . . .

15
A l'aide des concepts de métaphore et de métonymie, Lacan redéfinit les principaux mécanismes à l'œuvre dans les formations de l'inconscient (rêves, lapsus, actes manqués). Comment feriez-vous correspondre
a) métaphore
b) métonymie
1. condensation
2. déplacement
Réponse : . . . .

16
Chez Lacan, métaphore et métonymie ne désignent pas seulement certains mécanismes des formations de l'inconscient. La métaphore et la métonymie caractérisent le désir humain dans son ensemble. En ce sens, ce qui est premier, c'est
☐ la métaphore
☐ la métonymie

17
La contribution majeure de Lacan à la théorie des psychoses se développe autour d'un concept fondamental. Il s'agit de
☐ la dissociation ou désintégration de la personnalité psychique du sujet
☐ l'autisme ou repliement du sujet sur lui-même
☐ la forclusion ou rejet de certaines représentations qui ne sont même pas symbolisées

18
Lacan ne manque jamais, dans son œuvre, de souligner la rencontre de ses analyses avec certaines thèses philosophiques. Il se réfère en particulier à
☐ Descartes
☐ Hegel
☐ Heidegger

19
Tout un versant de l'œuvre de Lacan est polémique. Dans son retour à Freud, il s'en prend en particulier à
☐ Anna Freud
☐ Abraham
☐ la psychanalyse américaine

20
La revue que dirige actuellement Jacques Lacan s'appelle
☐ « l'Inconscient »
☐ « Scilicet »
☐ « la Nouvelle revue de psychanalyse »

Quiz

Réponses

1 Le 13 avril 1901.
Bien qu'une grande partie du public ne le connaisse que depuis quelques années, l'activité de Jacques Lacan ne date pas de la vogue récente du « structuralisme ». Il a appartenu au groupe qui a introduit la psychanalyse en France (« l'Évolution psychiatrique »). Sa pensée s'est formée du vivant même de Freud dont il traduisit, dès 1932, un article essentiel : « De quelques mécanismes névrotiques dans la jalousie, la paranoïa et l'homosexualité ».

2 Le surréalisme.
Lacan se lie, entre autres, avec Dali et Crevel. Eluard présente, comme « poésie involontaire », les productions littéraires d'une de ses patientes, Aimée. Il ne faut pas négliger non plus, d'ailleurs, les rapports que le psychanalyste entretient depuis longtemps avec le groupe de Bataille, Leiris, etc.

3 La paranoïa.
Lacan a d'abord fait des études de médecine, s'est spécialisé en psychiatrie sous la direction de Clérembault. En 1932, il publie sa thèse : « De la psychose paranoïaque dans ses rapports avec la personnalité » (Lefrançois, édit.). C'est son étude de la paranoïa, réalisée à partir de trente cas de psychotiques, qui le conduit à Freud et, jusqu'à aujourd'hui, ce sérieux clinique ne s'est jamais démenti.

4 D'une affaire judiciaire.
En 1933, Jacques Lacan écrit, pour la revue « Minautaure », un article sur le crime des sœurs Papin, auquel Jean Genêt a donné, dans « les Bonnes », une célèbre réplique théâtrale (cet article vient d'être republié par la revue « Obliques », n° 2, pp. 100-103). Christine et Léa Papin, qui étaient bonnes dans une famille bourgeoise du Mans, avaient assassiné, d'une manière horrible, leur maîtresse et sa fille. Comme leur raison ne semblait pas atteinte, elles furent condamnées à mort. Jacques Lacan, cependant, sur la base d'observations du Dr Logre, explique leur geste en montrant qu'il ne peut être que le fait de paranoïaques. Prolongeant l'analyse de Freud, il montre comment, chez certains enfants, la tendance agressive qui les oppose aux autres enfants se retourne, sous la pression des tensions sociales, en fixation amoureuse, *« fixation qui mérite d'être dite narcissique et où l'objet choisi est le plus semblable au sujet : telle est la raison de son caractère homosexuel ».*

5 L'école freudienne de Paris.
Toute l'histoire du mouvement psychanalytique français est marqué par une série de ruptures toujours provoquées par Lacan ou contre Lacan. La plus importante remonte à 1953, à l'époque de la préparation du Congrès des psychanalystes de langue romane qui devait se tenir, cette année-là, à Rome. Lacan devait présenter le rapport de la Société psychanalytique de Paris. Mais une divergence se manifesta dans ce groupe avant le congrès à propos de la formation des analystes. Quelques praticiens, groupés autour de Jacques Lacan et de Daniel Lagache, créèrent alors la Société française de psychanalyse, au nom de laquelle Lacan prononça, le 26 septembre 1953, son rapport, resté connu sous le nom de « rapport de Rome » : « Fonction et champ de la parole et du langage en psychanalyse ». Dix ans plus tard, une nouvelle rupture au sein de la Société entraînait la constitution de l'Association psychanalytique de France, d'une part, et, d'autre part, de l'école freudienne de Paris. Celle-ci, qui accueille à la fois analystes et non-analystes groupés les uns et les autres en « cartels », reste la plus fidèle à l'enseignement de Lacan, même

s'il faut bien dire que son influence dépasse le cadre de son école. Depuis quelques années, un « Quatrième groupe », connu d'ailleurs sous ce nom, s'est détaché de l'école freudienne.

6 Très indirect.
Bien qu'il ait toujours dénoncé les conceptions de la psychanalyse qui en font une adaptation du sujet à ce que les conditions sociales actuelles exigent de lui, bien qu'un certain nombre de ses disciples et de ses proches aient participé, depuis quelques années, à certaines luttes politiques (notamment aux côtés des maoïstes), Lacan n'intervient aucunement dans les luttes politiques particulières. Ce qui n'empêche d'ailleurs pas certains d'extrapoler à partir de ses analyses.

7 A son style.
Pendant très longtemps l'œuvre de Lacan était surtout connue comme une œuvre orale, élaborée peu à peu à l'occasion de conférences, de séminaires, de congrès. Cependant, en 1966, Lacan publiait son recueil fondamental, les « Ecrits » (éd. du Seuil), gros volume qui semblait devoir permettre de se former une idée du « système » lacanien. En fait, ce livre reprend surtout l'essentiel de l'enseignement de Lacan, enseignement dirigé vers les psychanalystes eux-mêmes. Or « *le style,* dit l'auteur des « Ecrits », *c'est l'homme* [...] *à qui l'on s'adresse* » (p. 9). Il s'agit donc, pour Lacan, de former à travers son œuvre les analystes au discours qu'ils ont à entendre, le discours de l'inconscient.

8 Un retour au vrai sens de Freud.
Jacques Lacan, qui a toujours combattu la tendance à réduire la psychanalyse à une partie de la biologie ou de la sociologie, ne prétend pas faire autre chose que de rappeler ce qu'est vraiment la théorie de Freud. Ainsi même son insistance sur l'importance du rôle du langage dans la psychanalyse lui paraît déjà une idée de Freud lui-même. « *L'œuvre complète de Freud,* écrit-il, *nous présente une page sur trois de références philosophiques* [...], *l'analytique langagière y renforçant encore ses proportions à mesure que l'inconscient y est plus directement intéressé* » (« l'Instance de la lettre dans l'inconcient », in « Ecrits », p. 509). Même lorsque les lacaniens emploient un concept emprunté à la linguistique, c'est toujours dans une perspective propre. Ainsi, comme les linguistes, ils distinguent dans le mot le signifié (le concept) et le signifiant (l'image acoustique psychique), pouvant ainsi, comme les linguistites étudier ce dernier à part. Mais, comme le rappelle O. Mannoni (« Clefs pour l'imaginaire », éd. du Seuil, pp. 38-39), « *le linguiste est surtout soucieux, au niveau du signifiant, de classer les différences significatives qui permettent le repérage des éléments proprement signifiants. En revanche, pour le psychanalyste, la représentation d'un désir inconscient peut se déplacer le long d'une chaîne signifiante en seule raison de la ressemblance au niveau des sons imprimés dans le psychisme* ».

9 Le réel, l'imaginaire, et le symbolique.
Dès son plus jeune âge, le sujet s'engage dans un jeu d'identifications qui le font désirer l'objet du désir de l'autre, attendre d'être reconnu par l'autre, entrer avec l'autre dans une lutte de pur prestige : il ne peut, à chaque moment, se définir qu'à travers les yeux de son semblable. Telle est la dimension imaginaire du sujet. Mais le plus important est encore l'entrée du sujet dans le symbolique que l'on peut désigner comme registre de l'ordre : ordre du langage, ordre de la culture, ordre de la loi, à commencer par la prohibition de l'inceste. Quant au « réel », c'est-à-dire à un homme que l'on tenterait de définir hors de ses identifications imaginaires, hors du langage par lequel il s'exprime, hors de la loi par rapport à laquelle il a à se situer, il est difficilement pensable. Pour le psychanalyste, dit Jacques Lacan, « *le réel est toujours à la limite de son expérience* » (Séminaire sur « la Relation d'objet et les structures freudiennes », compte rendu de J.-B. Pontalis agréé par Lacan, in « Bulletin de psychologie », t. X, n° 7).

10 Le stade du miroir.
C'est là un thème fondamental abordé par Jacques Lacan, dès 1936, au Congrès de Marienbad. Il le reprend dans une communication faite au Congrès de Zurich en 1949, « le Stade du miroir comme formateur de la fontion du Je » (« Ecrits », p. 93 sq). Lacan rappelle que l'enfant nouveau-né n'a pas la maîtrise de son corps qu'il ne se représente même pas comme une totalité unifiée. Il ne prendra conscience de lui-même comme unité qu'à travers son image qu'il rencontre dans le miroir, entre 6 et 18 mois, avec une intense satisfaction. Mais le fait que le « je » ne se constitue qu'à travers une identification « spéculaire », une identification à une image, va profondément marquer toute l'existence du sujet. Il produit le rapport fondamentalement narcissique du sujet à son moi. Il structure les relations dites « duelles » où le sujet est capté par l'image de son semblable auquel il s'identifie. (Par exemple : transitivisme : « L'enfant qui bat dit avoir été battu, celui qui voit tomber pleure » (« l'Agressivité en psychanalyse », in « Ecrits », p. 113). Agressivité : comment ne pas disputer l'objet de son désir à cet autre auquel on s'identifie comme à soi-même

dans le miroir. Jalousie : comment admettre que l'autre ait d'autres désirs que ceux dans lesquels on reconnaît son image). Ainsi le stade du miroir ne constitue ce que Freud appelle le moi qu'en le faisant entrer dans le système aliénant des relations imaginaires, où le sujet en vient à donner moins d'importance à son désir propre qu'au désir de l'autre, soit qu'il cherche à s'approprier les objets que désire l'autre, soit qu'il cherche à faire que l'autre le désire.

11 D'un jeu enfantin décrit dans « Au-delà du principe de plaisir ».
Dans ce texte, Freud, qui tente d'expliquer ce qui pousse l'homme à répéter des actes mêmes pénibles (compulsion de répétition), analyse le jeu qu'un enfant recommence sans cesse : il fait disparaître une bobine de fil en criant « fort » (parti, en allemand), il la fait réapparaître en criant « da » (voilà). Pour Freud, la bobine de fil symbolise la mère, souvent appelée hors de chez elle, et, en reproduisant son départ et son retour avec une bobine de fil, l'enfant tente de maîtriser une absence que, dans ce cas, il peut provoquer ou abréger à son gré. Pour Lacan, « *le sujet n'y maîtrise pas seulement sa privation en l'assumant, mais* [...] *il y élève son désir à la puissance seconde* » (« Ecrits », p. 319). En effet, le désir de l'enfant ne porte plus directement sur la mère ni même sur la bobine de fil. Il porte sur son action même qui la fait apparaître et disparaître. Il porte sur l'alternance du « o » et du « a » (approximations de « fort » et « da ») par lesquels il commence à se constituer en sujet parlant. Désormais la chose est remplacée par le mot. Le rapport immédiat, « duel », de l'enfant à son semblable (ici, sa mère) est remplacé par un rapport immédiat, culturel. Cela veut dire deux choses :
1) Le désir du sujet s'inscrit dans le symbolique : il est représenté par des mots, mais aussi bien, par exemple, par des symptômes de la névrose que Lacan considère comme des signifiants du désir.
2) Mais, en même temps, le sens de son désir se perd. Son désir, refoulé, devient inconscient ou, comme dit Lacan, devient le désir de l'autre.

12 Le renoncement à être le phallus.
L'accès au langage ne suffit pas à décrire l'accès au symbolique. Le jeune enfant, en effet, vit ses rapports avec sa mère dans le registre de l'imaginaire : il s'identifie à elle, croit être tout pour elle, croit qu'il comble tous ses besoins. Il va avoir à s'apercevoir qu'il n'est pas le phallus, c'est-à-dire le signifiant ou le symbole du désir de la mère. Il ne pourra guère prétendre qu'à l'avoir, ce dont il tentera plus tard de s'assurer soit en le donnant soit en le recevant (sexualité de l'homme et de la femme). Ainsi la « castration » ne met sans doute pas fin à l'aspect imaginaire des relations du sujet ; mais, en brisant la fascination pour la mère, elle permet au sujet de dépasser l'œdipe et d'accéder aux formes du désir qui sont comptatibles avec la « loi ». Notons que « *la castration peut prendre appui sur la privation, à savoir l'appréhension dans le réel* [...] *de l'absence de pénis chez la femme ; mais elle n'y est en aucun cas réductible* ». (Séminaire sur« la Relation d'objet et les structures freudiennes », compte rendu de J.-B. Pontalis agréé par Lacan, in « Bulletin de psychologie », publié par le groupe d'études de psychologie, t. X).

13 Claude Lévi-Strauss.
C'est lui, en effet, qui écrit que « *toute culture peut être considérée comme un ensemble de systèmes symboliques au premier rang desquels se placent le langage, les règles matrimoniales, les rapports économiques, l'art, la science, la religion* ». (Introduction à l'œuvre de Marcel Mauss, « Sociologie et anthropologie », P.U.F., 1950). Tous ces systèmes obéissent en effet, pour Lévi-Strauss, à des lois comparables à celles du langage.

14 Axe de sélection/métaphore.
Il faut comprendre la métaphore par référence à l'axe de la sélection dans le langage. Lorsque nous parlons, rappelle Jakobson, nous sélectionnons des mots par rapport à d'autres possibles. La métaphore consiste alors à remplacer un mot par un autre avec lequel le premier présente des rapports de similarité. Par exemple, dans le vers de Hugo, extrait de « Booz endormi » : « Sa gerbe n'était pas avare ni haineuse », gerbe, substitué à Booz évoque l'idée de fécondité. D'autre part, nous associons des mots dans des phrases. La métonymie consiste alors à remplacer un terme par un autre avec lequel on l'associe généralement (boire un verre, pour dire : boire l'eau ou le vin contenu dans un verre). Notons d'ailleurs que l'on peut retrouver le sens que les vieux traités de rhétorique donnaient à la métonymie : la partie pour le tout (« nous fit voir trente voiles », pour dire : nous fit voir trente bateaux).

15 Métaphore/condensation.
La condensation, chez Freud, est le processus psychique qui fait qu'une représentation unique peut représenter à elle seule plusieurs autres représentations (voir Freud : « l'Interprétation des rêves »). Ainsi, dans un rêve, une personne peut en représenter plusieurs autres (elle aura le nom de l'une d'entre elles, l'apparence d'une seconde, etc.). Pour Lacan, on peut dire que, dans ce cas, le contenu manifeste du rêve, qui symbolise un contenu latent, peut être

conçu comme métaphore de ce contenu latent. Quant au déplacement, il désigne, chez Freud, un processus psychique selon lequel l'intérêt ou l'intensité d'une représentation peut se détacher d'elle et passer à d'autres représentations reliées à la première par une chaîne associative. Ainsi, dans un rêve, une personne peut-elle être représentée par l'évocation de telle circonstance à l'occasion de laquelle on l'a connue, ou encore par tel vêtement qu'elle porte fréquemment. Pour Lacan, le contenu manifeste du rêve est alors une métonymie de son contenu latent.

16 La métaphore.
On peut en effet considérer le refoulement comme une métaphore : lorsqu'une représentation est refoulée, elle est représentée chez le sujet par une autre avec laquelle elle a une certaine similarité, comme, dans le vers de Hugo, la gerbe représente Booz. Le désir, qui portait sur la représentation refoulée, se reportera sur celle qui la remplace. Mais, puisque celle-ci n'est qu'un substitut, elle ne peut qu'imparfaitement lui convenir. Ainsi son désir se déplacera sans trêve, de représentation en représentation, de signifiant en signifiant, selon les lois de la métonymie.
De ce point de vue, le désir ne peut représenter que très partiellement le manque à être fondamental, le manque à être le phallus : « *Le désir,* dit Lacan, *est la métonymie du manque à être* » (« la Direction de la cure », in « Ecrits », p. 623).

17 La forclusion.
Ce concept caractérise, pour Lacan, la psychose par opposition à celui de refoulement qui spécifie la névrose. Chez le névrosé, une représentation refoulée a d'abord été reconnue et, lorsqu'elle a été repoussée, elle a été remplacée dans la chaîne signifiante par une autre qui en tient lieu (ou par un symptôme, qui joue exactement le même rôle, représentant le désir, mais sur le seul mode que permet la censure). En revanche, chez le psychotique l'élément repoussé, dont il ne reconnaît même pas l'existence, qui n'est pas inscrit dans le symbolique, revient dans le réel sous forme hallucinatoire. Cet élément vient souvent de l'œdipe ou de la castration. Prenons un exemple. L'homme aux loups, analysé par Freud, a présenté un épisode psychotique. C'est que tout un aspect de sa personnalité repoussait absolument l'idée que sa mère puisse ne pas avoir de pénis. L'idée du risque de l'absence d'un organe, qui est repoussée sans même être symbolisée, reparaît dans une hallucination que l'enfant a à cinq ans : il joue avec un canif et tout à coup voit son doigt coupé ne tenant plus à la main que par un fil.

18 Hegel.
Il est vrai que Lacan réinterprète la fameuse formule de Descartes : « Je pense donc je suis ». Il est vrai aussi qu'il se réfère souvent à Heidegger. Mais, entre tous les philosophes qu'il a lus, c'est sans doute Hegel qui détient la place la plus importante. Il suffit ici de remarquer que les analyses que produit Lacan de l'imaginaire, des relations duelles, sont souvent présentées à travers le thème hégélien de la dialectique du maître et de l'esclave : chez Hegel, les consciences entrent en lutte les unes avec les autres pour se faire reconnaître jusqu'à ce que l'une triomphe des autres et les réduise en servitude ; chez Lacan, l'attachement narcissique à son image engendre une lutte de prestige où chacun tente d'éclipser l'autre. De même, pour Lacan, le psychotique peut se comparer à la « belle âme » de Hegel, qui projette à l'extérieur le désordre dont son esprit est affecté.

19 La psychanalyse américaine.
Sur le plan théorique, Lacan s'en prend surtout à des conceptions semblables à celle de Heinz Hartmann (« la Psychologie et le problème de l'adaptation », P.U.F.). Celui-ci, pour lequel le moi ne se définit pas dans ses rapports avec le narcissisme mais dans sa fonction d'adaptation à la réalité, en fait une instance autonome que la cure analytique doit renforcer lorsque le sujet a des problèmes. (L'analysé est censé s'identifier au moi de l'analyste considéré comme plus « fort » que le sien.) Ainsi, sur le plan pratique, l'analyste devient-il une sorte d'« ingénieur des âmes », qui adapte le sujet aux tâches que l'on attend de lui dans la civilisation industrielle. « *La conception de la psychanalyse,* dit Lacan en parlant des Etats-Unis, *s'y est infléchie vers l'adaptation de l'individu à l'entourage social* » (« Ecrits », p. 245). Pour Lacan, en revanche, la psychanalyse ne peut être qu'une réduction du sujet au langage de son désir.

20 « Scilicet ».
Cette revue a une particularité : les articles ne sont pas signés. Ainsi, au-delà du « narcissisme de la petite différence », doit être assuré collectivement par les lacaniens ce retour à Freud dont ils font le but essentiel de leurs travaux. La revue présente, de plus, les résolutions adoptées lors des congrès de l'école freudienne. Notons enfin que Lacan dirige une collection aux éditions du Seuil, « le Champ freudien », où il a fait paraître dans ces dernières années plusieurs livres importants écrits par ses élèves.

» Citations «

Il faut feuilleter un album reproduisant l'ensemble et les détails de l'œuvre de Jérôme Bosch pour y reconnaître l'atlas de toutes ces images agressives qui tourmentent les hommes. La prévalence parmi elles, découverte par l'analyse, des images d'autoscopie primitive des organes oraux et dérivés du cloaque, a ici engendré les formes des démons. Il n'est pas jusqu'à l'ogive des angustiae *de la naissance qu'on ne retrouve dans la porte des gouffres où ils poussent les damnés, ni jusqu'à la structure narcissique qu'on ne puisse évoquer dans ces sphères de verre où sont captifs les partenaires épuisés du jardin des délices.*
Nous retrouvons sans cesse ces fantasmagories dans les rêves, particulièrement au moment où l'analyse paraît venir se réfléchir sur le fond des fixations les plus archaïques. Et j'évoquerai le rêve d'un de mes patients, chez qui les pulsions agressives se manifestaient par des fantasmes obsédants ; dans le rêve, il se voyait, lui étant en voiture avec la femme de ses amours difficiles, poursuivi par un poisson volant dont le corps de baudruche laissait transparaître un niveau de liquide horizontal, image de persécution vésicale d'une grande clarté anatomique.
Ce sont là toutes données premières d'une Gestalt *propre à l'agression chez l'homme et liée au caractère symbolique, non moins qu'au raffinement cruel des armes qu'il fabrique, au moins au stade artisanal de son industrie.*

Ecrits (*Paris, Le Seuil, collection «le Champ freudien», 1966*).

La linguistique peut nous servir de guide, puisque c'est là le rôle qu'elle tient en flèche de l'anthropologie contemporaine, et nous ne saurions y rester indifférents.
La forme de mathématisation où s'inscrit la découverte du phonème comme fonction des couples d'opposition formés par les plus petits éléments discriminatifs saisissables de la sémantique, nous mène aux fondements mêmes où la dernière doctrine de Freud désigne, dans une connotation vocalique de la présence et de l'absence, les sources subjectives de la fonction symbolique.
Et la réduction de toute langue au groupe d'un tout petit nombre de ces oppositions phonémiques amorçant une aussi rigoureuse formalisation de ses morphèmes les plus élevés, met à notre portée un abord strict de notre champ.
A nous de nous en appareiller pour y trouver nos incidences comme fait déjà, d'être en une ligne parallèle, l'ethnographie en déchiffrant les mythes selon la synchronie des mythèmes.
N'est-il pas sensible qu'un Lévi-Strauss, en suggérant l'implication des structures du langage et de cette part des lois sociales qui règle l'alliance et la parenté, conquiert déjà le terrain même où Freud assoit l'inconscient ?

Ecrits (*Paris, Le Seuil, collection «le Champ freudien», 1966*).

L'inconscient est ce chapitre de mon histoire qui est marqué par un blanc ou occupé par un mensonge : c'est le chapitre censuré. Mais la vérité peut être retrouvée ; le plus souvent déjà elle est écrite ailleurs. A savoir :
— dans les monuments : et ceci est mon corps, c'est-à-dire le noyau hystérique de la névrose où le symptôme hystérique montre la structure d'un langage et se déchiffre comme une inscription qui, une fois recueillie, peut sans perte grave être détruite ;
— dans les documents d'archives aussi : et ce sont les souvenirs de mon enfance, impénétrables aussi bien qu'eux, quand je n'en connais pas la provenance ;
— dans l'évolution sémantique : et ceci répond au stock et aux acceptions du vocabulaire qui m'est particulier, comme au style de ma vie et à mon caractère ;
— dans les traditions aussi, voire dans les légendes qui, sous une forme héroïsée, véhiculent mon histoire ;
— dans les traces, enfin, qu'en conservent inévitablement les distorsions nécessitées par le raccord du chapitre adultéré dans les chapitres qui l'encadrent, et dont mon exégèse rétablira le sens.

Ecrits (*Paris, Le Seuil, collection «le Champ freudien», 1966*).

L'Europe paraît plutôt s'être effacée du souci comme du style, sinon de la mémoire, de ceux qui en sont sortis, avec le refoulement de leurs mauvais souvenirs.
Nous ne vous plaindrons pas de cet oubli, s'il nous laisse plus libre de vous présenter le dessein d'un retour à Freud, tel que certains se le proposent dans l'enseignement de la Société française de psychanalyse. Ce n'est pas d'un retour du refoulé qu'il s'agit pour nous, mais de prendre appui dans l'antithèse que constitue la phase parcourue depuis la mort de Freud dans le mouvement psychanalytique, pour démontrer ce que la psychanalyse n'est pas, et de chercher avec vous le moyen de remettre en vigueur ce qui n'a cessé de la soutenir dans sa déviation même, à savoir le sens premier que Freud y préservait par sa seule présence et qu'il s'agit ici d'expliciter.
Comment ce sens pourrait-il nous manquer quand il nous est attesté dans l'œuvre la plus claire et la plus organique qui soit ? Et comment pourrait-il nous laisser hésitants quand l'étude de cette œuvre nous montre que ses étapes et ses virages sont commandés par le souci, inflexiblement efficace chez Freud, de le maintenir dans sa rigueur première ?
Textes qui se montrent comparables à ceux-là même que la vénération

humaine a revêtus en d'autres temps des plus hauts attributs, en ce qu'ils supportent l'épreuve de cette discipline du commentaire, dont on retrouve la vertu à s'en servir selon la tradition, non pas seulement pour replacer une parole dans le contexte de son temps, mais pour mesurer si la réponse qu'elle apporte aux questions qu'elle pose, est ou non dépassée par la réponse qu'on trouve aux questions de l'actuel.
Vous apprendrai-je quelque chose, à vous dire que ces textes auxquels je consacre depuis quatre ans un séminaire de deux heures tous les mercredis, de novembre à juillet, sans en avoir encore mis en œuvre plus du quart — si tant est que mon commentaire suppose leur ensemble —, nous ont donné à moi comme à ceux qui m'y suivent la surprise de véritables découvertes ? Elles vont de concepts restés inexploités à des détails cliniques laissés à la trouvaille de notre exploration, et qui témoignent de combien de champ dont Freud a fait l'expérience dépassait les avenues qu'il s'est chargé de nous y ménager, et à quel point son observation, qui donne parfois l'impression d'être exhaustive, était peu asservie à ce qu'il avait à démontrer. Qui n'a pas été ému parmi les techniciens de disciplines étrangères à l'analyse que j'ai conduits à lire ces textes, de cette recherche en action : que ce soit celle qu'il nous fait suivre dans la Traumdeutung, *dans l'observation de* l'Homme aux loups *ou dans l'*Au-delà du principe du plaisir ? *Quel exercice à former des esprits, et quel message à y prêter sa voix ! Quel contrôle aussi de la valeur méthodique de cette formation et de l'effet de vérité de ce message, quand les élèves à qui vous les transmettez vous apportent le témoignage d'une transformation, survenue parfois du jour au lendemain, de leur pratique devenue plus simple et plus efficace avant même qu'elle leur devienne plus transparente.*

Ecrits (*Paris, Le Seuil, collection «le Champ freudien», 1966*).

Le désir se produit dans l'au-delà de la demande, de ce qu'en articulant la vie du sujet à ses conditions, elle y émonde le besoin, mais aussi il se creuse en son en deçà, en ce que, demande inconditionnelle de la présence et de l'absence, elle évoque le manque à être sous les trois figures du rien qui fait le fond de la demande d'amour, de la haine qui va nier l'être de l'Autre et de l'indicible de ce qui s'ignore dans sa requête.

Ecrits (*Paris, Le Seuil, collection «le Champ freudien», 1966*).

Bibliographie

Ouvrages principaux :
Discours dans les Actes du Congrès de Rome, 1953, *in Psychanalyse, n° 1.*

De l'usage de la parole et des structures de langage dans la conduite et dans le champ de la psychanalyse (*Paris, P.U.F., 1956*).

Le Mythe individuel du névrosé (*Paris, C.D.U., 1964*).

Discussion de l'article de S. Leclaire et J. Laplanche : « L'inconscient, une étude psychanalytique », *in* l'Inconscient (VIe Colloque de Bonneval) (*Paris, Desclée de Brouwer, 1966*).

Ecrits (*Paris, Le Seuil, collection « le Champ freudien », 1966*). *Composé de :*
Au-delà du principe de réalité (*1936*).
Le Stade du miroir comme formateur de la fonction du « je » (*1937*).
L'agressivité en psychanalyse (*1948*).
Intervention sur le transfert (*1952*).
Variantes de la cure type (*1955*).
Le séminaire sur « la Lettre volée » (*1955*).
Fonction et champ de la parole et du langage en psychanalyse (*1956*).
Introduction au commentaire de Jean Hyppolite sur la « Verneinung » de Freud (*1956*).
La chose freudienne (*1956*).
Situation de la psychanalyse et formation du psychanalyste en 1956 (*1956*).
La psychanalyse et son enseignement (*1957*).
Instance de la lettre dans l'inconscient, ou la Raison depuis Freud (*1957*).
D'une question préliminaire à tout traitement possible de la psychose (*1957*).
La signification du phallus (*1958*).
Jeunesse de Gide ou la lettre et le désir (*1958*).
A la mémoire d'Ernest Jones : sur la théorie du symbolisme (*1960*).
Subversion du sujet et dialectique du désir dans l'inconscient freudien (*1960*).
La direction de la cure et les principes de son pouvoir (*1961*).
Remarque sur le rapport de D. Lagache : psychanalyse et structure de la personnalité (*1961*).
Kant avec Sade (*1963*).
Du « Trieb » de Freud et du désir du psychanalyste (*1964*).
Position de l'inconscient (*1966*).
La Science et la vérité (*1966*).

Revue « Scilicet » (*Paris, Le Seuil, coll. « le Champ freudien », n° 1, 1968, n° 2, 1969*).

Interview de Jacques Lacan *radiodiffusée le 14 décembre 1966.*

Séminaires, t. 1, recueil de l'enseignement de Jacques Lacan, 20 volumes prévus (*Paris, le Seuil,* (*1973*).

Ouvrages de référence :
Hesnard (A.) : De Freud à Lacan (*Paris, Editions sociales françaises, 1970*).

Rifflet-Lemaire (A.) : Lacan (*Bruxelles, Dessart, 1970*).

Palmier (J.-M.) : Lacan (*Paris, Editions Universitaires, collection « Psychothèque », 1969*).

WILHELM REICH

Librairie Plon

Biographie

24 mars 1897
Naissance de Wilhelm Reich à Dobscynica, village de la Galicie rattaché à l'empire autrichien. Ses parents, de riches propriétaires terriens d'origine juive, émigrent peu après en Ukraine.

1911
Il fréquente, à Czernowitz, un lycée de langue allemande. Sa mère se suicide.

1814-1917
Il est lieutenant dans l'armée autrichienne. La guerre lui fait perdre ses propriétés terriennes.

1918
Il s'installe à Vienne où il suit les cours de la faculté de médecine.

1920
Il fait la connaissance de Freud, et devient membre de la société psychanalytique de Vienne.

1921

Il épouse Annie Pink.

1922
Wilhelm Reich devient médecin et poursuit deux ans sa formation psychiatrique. Il collabore régulièrement à la *Revue internationale de psychanalyse.*

1922-1928
Il est premier assistant à la policlinique psychanalytique de Vienne, récemment créée, ce qui le met en contact avec la classe ouvrière.

1927
Il organise un centre de traitement dans la banlieue rouge de Vienne.
Il va soigner en Suisse un début de tuberculose pulmonaire.
Il s'inscrit au parti communiste autrichien.

1928-1930
Reich devient directeur adjoint de la policlinique de Vienne.

1929
Il fonde six cliniques d'hygiène sexuelle pour ouvriers et salariés. En septembre, il voyage en U.R.S.S.

Septembre 1930
Reich quitte Vienne pour Berlin.

1931
Reich crée un nouvel organisme, « l'Association pour une politique sexuelle prolétarienne », ou Sexpol, approuvée par le parti communiste.
Il fonde une maison d'édition, le Sexpol Verlag.

1931-1932
Le parti communiste allemand, l'attaque violemment. En décembre 1932, Reich quitte l'Allemagne pour le Danemark.

1933
Il est officiellement exclu du parti communiste ; sa vie familiale se désagrège. Du Danemark, il passe en Suède.

1935-1939
Il vit en Norvège, écrit d'innombrables articles.
Son exclusion provoque peu à peu en lui une sorte de délire de la persécution.

1938
Il renonce à la nationalité autrichienne.

Août 1939
Sur l'invitation d'un médecin américain, le Dr Theodore P. Wolfe, il s'installe aux Etats-Unis. A Noël, il se remarie avec Ilse Ollendorff.

1939-1941
Il enseigne à la New School for Social Research de New York. Son idée d'isoler l'« énergie biologique » prend une forme paranoïaque.

1942
Pour réaliser ses travaux, il crée un laboratoire géant, baptisé « Orgonon ». Ses recherches sont suivies avec intérêt.

Octobre 1951
Grave crise cardiaque.

1954
Son délire de la persécution s'aggrave ; il se sépare de sa femme. En février, une enquête de la Federal Food and Drug Administration révèle l'inanité des travaux de l'« Orgonon ». Reich est traduit en justice.

Mai 1956
Au terme du procès, il est condamné à deux ans de prison.

12 mars 1957
Il est incarcéré au pénitencier de Lewinsburg (Pennsylvanie).

3 novembre 1957
Il meurt, en prison, d'une crise cardiaque.

Wilhelm Reich: précurseur de Marcuse

De Wilhelm Reich on sait — lorsqu'on sait quelque chose à son sujet — qu'il est mort, en 1957, dans une prison américaine. Ces informations n'encouragent guère à en savoir davantage, car elles n'incitent pas à prendre l'homme qu'elles concernent au sérieux. Que la folie, à la fin d'une existence, s'empare d'un esprit qui a été fertile en inventions peut servir, de tradition reconnue, à consacrer un génie. Mais la prison ajoutée à la folie, c'est trop : la première détruit immanquablement le préjugé favorable attaché à la seconde. Cependant, on ne peut plus aujourd'hui ignorer le nom de Reich. Depuis 1968, il est souvent évoqué et cité. Ses idées et son nom ont été remis à la mode par Herbert Marcuse. Juste hommage rendu à un précurseur : en effet, Reich, quarante ans avant Marcuse, a formulé une synthèse du freudisme et du marxisme qui fut à l'origine de nombre de ses déboires. Grâce à Marcuse, Reich sortait de l'oubli, son purgatoire prenait fin. On s'est aussitôt souvenu qu'il était également le précurseur des thèses culturalistes d'Erich Fromm. On a découvert également que des expérimentalistes, et non plus seulement des théoriciens, s'étaient référés à ses travaux : Abram Kardiner, par exemple, le cite à plusieurs reprises dans son ouvrage fondamental : « l'Individu dans sa société ». Les recherches sexologiques de Masters et Johnson et leurs applications thérapeutiques s'inspirent directement des idées et des pratiques de Reich◆. C'est d'ailleurs parce qu'il a pressenti, annoncé et tenté, avec près d'un demi-siècle d'avance, qu'il mérite notre intérêt, plus que par ses découvertes. Reich a eu des idées et des intuitions, fortes les unes et les autres ; en revanche, ses contributions à la connaissance proprement dite sont faibles, sinon inexistantes. Il n'a pas, comme Freud, construit une science, il s'en faut ; mais il a vécu pleinement sa vie. Aussi, est-ce par sa biographie que nous étudierons l'œuvre et l'action de Wilhelm Reich, car ses idées et ses intuitions sont étroitement liées au déroulement, heurté et aventureux, de son existence.

◆ J. Mousseau : « Masters et Johnson », in *les 10 Grands de la Psychologie* (Paris, C.A.L. - Denoël, 1972).

Dès son enfance, Reich s'intéressa aux sciences naturelles

Il naquit le 14 mars 1897 dans un village de Galicie, cette région située aux confins de l'empire austro-hongrois. Il était donc autrichien, comme Freud, et conserva sa nationalité jusqu'en 1938. Son père était un petit propriétaire terrien aisé, qui put confier son fils à un précepteur, de l'âge de six ans à dix ans. Il manifesta très tôt un intérêt pour les sciences naturelles ; dès l'âge de huit ans, il avait constitué des collections d'insectes vivants dont il observait les modes de reproduction. Reich fréquenta ensuite un lycée de langue allemande, et il obtint un premier diplôme en sciences naturelles dès 1915. Son père meurt en 1914 et il doit terminer ses études tout en gérant le domaine familial.

Il serait peut-être devenu à son tour hobereau si la Première Guerre mondiale, qu'il termina comme lieutenant, ne lui avait fait perdre ses propriétés terriennes. En 1918, il s'installe à Vienne, s'inscrit à la faculté de médecine et gagne chichement sa vie en donnant des leçons particulières. Il dévore, avec une prodigieuse faculté d'assimilation, des ouvrages de biologie, de sexologie et de philosophie. Ses propres œuvres, plus tard, dans lesquelles se manifestera son penchant effréné pour la spéculation, feront étalage d'une érudition prodigieuse.

En 1919, il participe à un séminaire de sexologie auquel un psychanalyste est invité. Il est frappé d'emblée par la distinction établie par Freud entre la sexualité et la procréation. A l'époque, on considérait encore, dans de nombreux milieux médicaux, que la sexualité était strictement au service de la propagation de l'espèce et n'avait pas d'autre sens, ni fonction. Reich entreprend l'étude des théories freudiennes. Il reconnaîtra plus tard que la lecture des « Trois Essais sur la théorie de » sexualité » et de l'« Introduction à la psychanalyse » décida de sa profession : il serait médecin et psychanalyste. En 1920, il rend visite à Freud pour l'entretenir d'un séminaire de sexologie qu'il animait. De cette visite, devait-il écrire dans « la Fonction de l'orgasme◆ », « je sor- » tis avec un sentiment de plaisir et d'amitié. Ce fut le point de départ » de quatorze années de travail intensif dans et pour la psychanalyse ». Wilhelm Reich, méconnu ou dénié selon le cas, fut en effet, au même titre que Jung, Adler, etc., un très proche collaborateur de Sigmund Freud. Comme nombre de disciples, il allait s'opposer au fondateur de la psychanalyse. Mais Reich, s'il combattit certaines idées freudiennes, ne s'attaqua jamais à l'homme et ne chercha jamais à se séparer de lui ou de son école. En revanche, en 1934, c'est l'Association psychanalytique de Vienne qui décidera de se séparer de Reich, devenu encombrant, dans des conditions que nous verrons.

◆ W. Reich : *la Fonction de l'orgasme* (Paris, l'Arche, 1970).

Il fut d'abord un disciple enthousiaste de Freud

En 1920, alors qu'il n'est qu'étudiant en médecine, Wilhelm Reich devient membre de la société créée par Freud. Il est un tout jeune homme parmi des psychanalystes déjà adultes ; mais sa jeunesse ne l'empêche pas d'être extrêmement actif et vindicatif : il fera de nombreuses communications dans lesquelles il prendra ses collègues à partie. Lorsqu'il deviendra médecin, en 1922, il traite depuis deux ans des patients en appliquant à la lettre les préceptes freudiens. A l'époque, Freud était combattu ; la vérité de ses thèses était loin d'être reconnue par la science. Reich, qui s'engagea dans la défense de ces théories révolutionnaires, fut le témoin de ces luttes et un des disciples les plus enthousiastes, les plus passionnés, les plus désintéressés du maître.

Pourtant, dès son admission dans le milieu des médecins bourgeois qu'était la Société psychanalytique de Vienne, ce paysan commença à poser des questions gênantes. Parfois, des malades étaient tellement inhibés qu'ils restaient silencieux pendant plusieurs séances de cure : que fallait-il faire ? Attendre ; l'inconscient travaille en dehors du temps, répondait Freud. Attendre combien de temps ? Il était admis sans preuves à l'époque qu'une névrose pouvait être guérie en six mois ; mais Freud analysa « l'homme aux loups » pendant six ans. Combien de malades pouvaient supporter les frais d'une telle cure ? La psychanalyse n'était-elle qu'une médecine de riches ? Petit à petit, Reich en vint à douter de l'ambition, puis de l'efficacité de la cure psychanalytique telle qu'elle était pratiquée.
De janvier 1921 à octobre 1923, il s'occupa d'un garçon de café qui souffrait d'impuissance totale. Il réussit à reconstituer l'événement qui avait déclenché le trouble sexuel : le patient avait assisté à un accouchement de sa mère. Lorsqu'il communiqua le déroulement de l'analyse à ses collègues, lors d'une réunion de la Société psychanalytique, il fut chaudement félicité. Mais Reich, quant à lui, était frappé par un seul fait : le garçon de café était toujours impuissant. Comme le patient travaillait désormais normalement, était bien intégré à la réalité, personne ne s'inquiétait de son inertie amoureuse. Reich commença dès lors à s'intéresser plus spécialement à la fonction sexuelle. Dès 1922, il fait une communication sur le cas d'une femme qui souffrait d'un trouble du diaphragme : il disparut lorsque la masturbation fut possible à la patiente. Il s'attache à restaurer la fonction sexuelle chez ses patients et remarque que, dans chaque cas, cette étape franchie, le vécu du malade est considérablement amélioré. En novembre 1923, il expose à ses collègues sa première étude d'ensemble sur « la Génitalité » du point de vue du pronostic et de la thérapeutique psychanaly- » tiques ». On peut dès lors parler d'une « déviation reichienne» au sein de l'école viennoise. Le primat accordé à la génitalité dans la sexualité est en effet en contradiction avec l'orthodoxie freudienne.

La théorie de l'orgasme

Les autres membres de la Société psychanalytique écoutèrent Reich, une fois de plus, d'une oreille agacée et distraite. Si sa thèse était exacte, tous les névrosés devaient souffrir d'une perturbation de leur sexualité génitale, c'est-à-dire de leur comportement au cours du rapport sexuel. Or leur pratique quotidienne le leur confirme, de nombreux névrosés ne sont pas impuissants, s'agissant d'hommes, frigides, s'agissant de femmes. Reich ne se laissa pas démonter par cette critique. Il commença à interroger ses patients sur le détail de leur comportement

sexuel. Les autres psychanalystes répugnaient, en raison des tabous en vigueur, à multiplier les questions sur ce sujet et se satisfaisaient de réponses globales : « Oui, je fais l'amour », « je fais l'amour avec telle ou tel. » Un homme était considéré comme puissant s'il pouvait exécuter l'acte sexuel. Reich ne mit pas longtemps à comprendre que cette conception était trop étroite. Son enquête lui apprit bientôt que certains patients se livraient au coït sans plaisir, n'éprouvaient aucune sensation à l'instant de l'éjaculation. Il élabora sa théorie de l'orgasme, selon laquelle il importait de distinguer puissance éjaculatoire et puissance orgastique qu'il définit ainsi : « La puissance orgastique est la » capacité de décharger complètement toute l'excitation sexuelle conti» nue, au moyen de contractions involontaires agréables au corps. » Tous les névrosés, y compris ceux qui avaient des rapports sexuels avec éjaculation, étaient atteints d'impuissance orgastique et souffraient donc de troubles de la génitalité. Reich appela « stase sexuelle » l'énergie qui restait bloquée dans l'organisme faute d'abandon au plaisir ; il estima que cet engorgement fournissait aux symptômes névrotiques une source intarissable d'énergie. L'impuissance orgastique n'était pas un effet de la névrose, mais sa cause ultime. Dès lors, un des buts premiers du traitement était de rétablir la puissance orgastique chez le patient afin de le libérer de l'angoisse suscitée par l'énergie bloquée et qui alimentait constamment sa névrose.

La guérison de la névrose commence par la satisfaction sexuelle

En 1924, au Congrès psychanalytique de Salzbourg, il présenta de façon systématique ses thèses : la névrose est l'expression d'un trouble de la génitalité et non de la sexualité en général ; la rechute dans la névrose, après une cure psychanalytique, peut être évitée dans la mesure où la satisfaction orgastique dans l'acte sexuel est assurée. Lorsque, dans leur clinique de Saint Louis (Missouri), William Masters et Virginia Johnson traitent les patients qui leur rendent visite au niveau de leur satisfaction sexuelle, ils systématisent une intuition dont la paternité revient à Wilhelm Reich. Déjà, en 1924, celui-ci estimait que la tâche du thérapeute consistait à détruire les inhibitions (éducations culturelles, infantiles) qui empêchaient une totale satisfaction génitale et que, lorsque cette satisfaction était découverte ou recouvrée par le patient, un pas essentiel était franchi vers la guérison. C'était comme si, selon Reich, le plaisir réel dressait une barrière contre le retour en force des symptômes les plus graves du mal.
Ces découvertes cliniques conduisirent de surcroît Reich à attacher une importance croissante aux « névroses actuelles » par rapport aux « psychonévroses ». La distinction est due à Freud qui baptisa « névroses

actuelles » — essentiellement la neurasthénie et la névrose d'angoisse — celles qui sont provoquées par des perturbations actuelles dans la vie du sujet (par exemple, une continence prolongée, la pratique du coït interrompu, des relations sexuelles insatisfaisantes). Les psychonévroses sont beaucoup plus compliquées et sont liées à des causes lointaines, infantiles. Elles sont constituées en général par un conflit entre les exigences génitales et des inhibitions inconscientes. En pratique, chaque névrose relève à la fois de causes actuelles et de causes infantiles, les premières venant réactiver les secondes. Son intérêt pour l'aspect génital du mal, sa conviction que le rétablissement de la puissance orgastique était primordial et constituait la clé de toute guérison profonde, conduisit Reich à accorder de plus en plus d'importance aux causes actuelles dans l'analyse et il mit moins de fougue et d'ambition à rechercher l'enracinement des troubes psychiques dans la prime enfance.

La société est responsable de certains troubles psychiques

En mai 1922, s'était ouverte la policlinique psychanalytique de Vienne, dont le directeur était le Dr Edward Hitschmann. Reich y fut premier assistant jusqu'en 1928, puis directeur adjoint de 1928 à 1930. Ces huit années dans ce dispensaire qui accordait des consultations gratuites — chaque psychanalyste de la Société viennoise avait accepté de donner chaque jour une heure de son temps sans rémunération — jouèrent un rôle capital dans l'évolution de Reich et de sa pensée. Il découvrit que les troubles névrotiques proliféraient dans toutes les couches sociales : dès lors, l'application de la psychanalyse classique — longue, coûteuse et individuelle — lui parut limitée. Il s'aperçut surtout que les conditions de vie des êtres étaient fondamentales dans la réactivation des « névroses infantiles » et le développement des « névroses » actuelles ». Reich se demanda si, pour prévenir les névroses, il ne faudrait pas commencer par agir sur les conditions de vie des gens. Dans un compte rendu, il écrit◆ : « Un jour, une ouvrière jeune et » jolie vint à la clinique avec deux petits garçons et un bébé. Elle était » incapable de parler. Elle écrivit sur un bout de papier que, quelques » jours auparavant, elle avait subitement perdu la parole. L'analyse » était donc hors de question. Je tentai d'éliminer par suggestion le » trouble de la parole. Après quelques séances hypnotiques, la jeune » femme se mit à parler d'une voie basse et rauque, pleine d'appréhen» sion. Pendant des années, abandonnée par son mari, elle avait souffert » de l'obsession de tuer ses enfants qui mouraient de faim. » La suite de l'analyse révéla qu'elle reculait devant le crime par peur d'être pendue ; cette peur avait entraîné une contraction de la gorge et rendu la

◆ W. Reich : *la Foncti[on] de l'orgasme* (Paris, l'Arche, 1970).

parole impossible. Reich rendit plusieurs visites à cette patiente dans son taudis de la banlieue de Vienne : « Là, écrit-il◆, j'eus à me poser » non pas les nobles problèmes de l'étiologie des névroses, mais la question de savoir comment il était possible à un être humain de tolérer » aussi longtemps une vie semblable. Il n'y avait rien que la misère, la » solitude, les commérages des voisins, le souci du pain quotidien et, par » surcroît, les tracasseries criminelles du propriétaire et de l'employeur. » La capacité de travail de ma patiente était exploitée à l'extrême. Dix » heures de travail rapportaient un peu plus d'une centaine de francs. »

◆ W. Reich : *la Fonction de l'orgasme* (Paris, l'Arche, 1970).

Les malades qui viennent à la policlinique sont des cas comparables : ouvriers en chômage au bord du suicide, mères abandonnées et hantées par l'obsession de tuer leurs enfants, femmes souffrant des conséquences psychiques d'avortements successifs, jeunes filles exposées, sans être prévenues des réalités sexuelles, aux entreprises brutales d'adultes. Reich, devant ces cas, éprouve de moins en moins le besoin d'aller rechercher dans la petite enfance l'origine de l'impuissance, de la frigidité ou des multiples phobies. Cette attitude n'est sans doute pas conforme à la vérité de la science. Mais elle conduit, dès ces années vingt, le Dr Reich à poser des questions qui nous paraissent bien actuelles.

Le 12 décembre 1929, il donne une conférence sur « la Prophylaxie des névroses », à laquelle assiste Freud. Est-il normal que 60 à 80 % des jeunes souffrent de troubles névrotiques, demande-t-il. Est-il normal que 30 % à peine des malades puissent avoir recours à la psychanalyse ? Quels rapports existent entre la société moderne et la prophylaxie des névroses ? Quels rôles jouent l'éducation, la morale, le système capitaliste dans la genèse de cette misère psychique ? Est-il étonnant que 80 % des ouvriers de Vienne, vivant en famille dans une seule pièce, souffrent de conflits et d'inhibitions sexuelles ? Pour la première fois, le rapport entre psychanalyse et culture est posé ; il ne l'avait jamais été jusqu'en 1929. Le mérite en revient à Reich. Comme lui revient le mérite d'avoir suscité « Malaise dans la civilisation », l'acte le plus sévère que l'on ait dressé contre notre civilisation, dans lequel Freud développa les réponses qu'il improvisa alors.

Lorsque cette œuvre freudienne paraîtra, Reich s'indignera une fois de plus. Le bonheur n'est pas une valeur culturelle, dit Freud. Pourquoi, alors, a-t-on fait la Révolution française et la Révolution soviétique demande Reich. Son analyse scientifique conduisait Freud au pessimisme. Sa foi en l'homme et sa conviction qu'il lui est toujours possible de changer la vie nourrissait l'optimisme de Reich, attitude qu'il ne cherchait pas à ancrer scientifiquement. Comment, dans ces conditions de dialogue, se fait-il que Reich n'ait jamais rejeté Freud, et que Freud n'ait jamais en personne renié Reich ? C'est que Wilhelm Reich n'a jamais remis en question l'origine sexuelle des névroses, même s'il en discuta les modalités. On sait que Freud considérait l'attachement à la sexualité comme l'explication fondamentale des troubles psychiques. Jung et Adler se séparèrent du maître parce qu'ils n'accordaient pas — ou plus — cette place centrale à la sexualité dans la vie psychique. Reich se contenta de distordre la théorie freudienne de la sexualité en privilégiant la génitalité (troisième stade de la théorie freudienne, après les étapes orale et anale).

Au fil de ces années consacrées à la pratique et à l'approfondissement de la psychanalyse appliquée en milieu socialement défavorisé, plus Reich fréquente la misère, plus il se passionne pour la politique. Mais, pour lui, toute théorie politique qui ne comprendrait pas une politique sexuelle serait incomplète. « Lorsque, plus tard, écrit-il en se souvenant » de son expérience, les marxistes objectèrent que l'étiologie sexuelle » des névroses n'était qu'une fantaisie bourgeoise, que seul le « besoin » matériel » causait les névroses, je me rappelai les cas de ce genre. » Comme si le besoin sexuel n'était pas aussi un besoin matériel◆ ! » En 1927, il décide d'organiser dans la banlieue rouge de Vienne des centres dans lesquels, afin de faire une véritable prophylaxie des névroses, seraient données gratuitement des consultations sur l'avortement, la contraception, l'éducation sexuelle. Reich devient dès lors un pionnier du planning familial tel qu'il se développe de nos jours. Consulté, Freud accueillit favorablement le projet. Il s'inquiéta seulement de la multiplicité des activités de son disciple et lui demanda, avec un certain scepticisme, s'il comptait mener pendant longtemps toutes ces activités de front. Reich s'entêta et ajouta qu'il avait l'intention de s'attaquer au problème central de la genèse des troubles névrotiques : la famille. « Là, » vous allez vous fourrer dans un guêpier », l'avertit Freud.

◆ W. Reich : *la Fonctio[n] de l'orgasme* (Paris, l'Arche, 1970).

Révolution sexuelle et révolution politique

Les conférences de Reich — assisté de plusieurs médecins socialistes — dans la banlieue rouge de Vienne font scandale, mais enthousiasment les ouvriers et les jeunes gens. Les relations avec l'Association psychanalytique s'en dégradent un peu plus. Ses collègues craignent qu'il ne compromette le mouvement en l'engageant sur le terrain politique. A ces bourgeois viennois, il vient inlassablement tracer le tableau des conditions morales et matérielles dans lesquelles surgissent les troubles névrotiques. Il s'exaspère devant leur inconscience et leur indifférence, qu'il nomme mauvaise foi. Au cours de l'année 1929, assisté par quatre psychanalystes, trois gynécologues et un avocat, il fonde six nouvelles cliniques d'hygiène sexuelle. Il convainc les jeunes auxquels il s'adresse dans ses conférences, et on l'accusera de les corrompre. « La fonction

» de la jeunesse, à toute époque, est de représenter le pas suivant de la » civilisation », écrit-il dans « la Fonction de l'orgasme ». A cette jeunesse, il donne le droit à l'amour et les méthodes scientifiques (de l'époque) pour en user sans risque. Ainsi que le souligne Jean-Michel Palmier, auteur à la fois d'un ouvrage sur Reich et sur Marcuse, « c'est » Reich, bien avant Marcuse, qui a parlé de politiser le droit au » bonheur◆ ». Le décalage entre la valeur enseignée et la réalité de la vie sexuelle engendre une crise que rien ne peut combler. Reich mène une critique violente de la structure familiale, qui castre les enfants et qu'il rend responsable des troubles névrotiques. Le système familial élève les enfants en vue du mariage et de la procréation ; il nie la sexualité. Concrètement, cette éducation explique, selon lui, les névroses. Il développera ses idées dans plusieurs ouvrages : « Maturité sexuelle, continence morale matrimoniale » (1930), « le Combat sexuel de la jeunesse » (1932), « l'Irruption de la morale sexuelle » (1932). Ces livres tentent une synthèse des théories psychanalytiques, parfois simplifiées par Reich, et des théories marxistes.

◆ J.M. Palmier : *Wilhelm Reich* (Paris, U.G.E., coll. « 10/18 », 1969).

Reich devient un militant communiste

Depuis 1927, Wilhelm Reich est membre du Parti communiste autrichien, qui avait accueilli à bras ouverts ce psychanalyste célèbre — bien que détesté par la plupart de ses collègues de la Société psychanalytique de Vienne —, cet assistant de Freud. Le 15 juillet 1927, une manifestation de rue avait eu lieu pour protester contre le verdict d'un procès qui avait acquitté d'anciens combattants meurtriers d'ouvriers au cours d'une grève antérieure. La police avait tiré sur la foule et, à nouveau, plusieurs personnes avait été tuées. Reich avait assisté à cet affrontement sanglant du prolétariat et des forces de l'ordre. Le soir même, il s'inscrivait au Parti communiste. Depuis cette époque, il participe à toutes les grèves, à toutes les manifestations antifascistes ; il distribue des tracts à la sortie des usines ; il néglige de plus en plus sa clientèle privée pour se consacrer à ses dispensaires. Reich est une des figures les plus célèbres du communisme autrichien. Il entreprend de défendre la psychanalyse aux yeux des marxistes en montrant qu'elle est une critique radicale de la société et de son idéologie répressive ; il défend le marxisme aux yeux des psychanalystes en soulignant, avec de plus en plus de force et de conviction, l'importance des conditions matérielles et sociales dans l'étude du développement des névroses. Ainsi que le souligne Jean-Michel Palmier◆, « c'est en unis» sant cette double critique marxiste et psychanalytique qu'il fonde » cette arme que sera le freudo-marxisme tel que Marcuse le dévelop» pera aux Etats-Unis ».

◆ Jean-Michel Palmier : *Wilhelm Reich* (Paris, U.G.E., coll. « 10/18 », 1969).

Reich, en son temps, irrite à la fois les psychanalystes, qui voient dans ses thèses une menace pour leur science à travers une menace de l'ordre établi, et les marxistes, qui considèrent que les préoccupations sexuelles sont propres à la décadence petite-bourgeoise. A Vienne, Reich, écrivant, discourant, agissant avec une force et une générosité infatigables, finit par se mettre tout le monde à dos : l'Eglise, le Parti social-démocrate au pouvoir, l'Association psychanalytique ; le P.C. autrichien même finit par s'inquiéter.

En septembre 1930, il quitte Vienne pour Berlin : le P.C. allemand, plus puissant et plus révolutionnaire que le P.C. autrichien, lui offre un champ d'action plus vaste. Au cours des trois années précédentes, Reich a fait plusieurs séjours en Union soviétique. A Moscou, il a eu plusieurs entretiens officiels avec les responsables de l'Office pour la santé populaire. Il a étudié avec eux la possibilité d'une prophylaxie collective des névroses. A Berlin, il va expliquer systématiquement l'action à la fois médicale et politique commencée à Vienne. Dès septembre 1930, il devient membre de la cellule communiste « Bloc rouge », à laquelle appartient également Arthur Koestler. Il participe au IIIe Congrès international pour la réforme sexuelle. Dès le début de 1931, il commence à bâtir une organisation baptisée « Association pour une politique sexuelle prolétarienne ».

Il veut regrouper tous les mouvements qui, en Allemagne, militent pour la légalisation de l'avortement et l'élaboration d'une politique d'éducation sexuelle. Le P.C. allemand adopte sa plate-forme. A l'issue du Congrès de Düsseldorf, en 1931, huit associations, représentant vingt mille membres, adhèrent à la Sexpol fondée par Wilhelm Reich. Dans le même temps, Reich rédige des articles, des brochures qu'il diffuse dans les milieux ouvriers et étudiants. Il met surtout au point un ouvrage plus ambitieux, « la Lutte sexuelle des jeunes », dont le manuscrit expédié au Kremlin pour obtenir l'imprimatur revient avec avis favorable. Mais toute cette agitation, et le succès personnel de Reich parmi les jeunes prolétaires, finissent par inquiéter le P.C. allemand. D'autant plus que Reich ne ménage pas ses critiques au P.C. soviétique qui, avec l'arrivée de Staline au pouvoir, réglemente de nouveau les mœurs et revient à une morale stricte.

Trois ans plus tard, il est exclu du P.C. et de l'Association psychanalytique

En décembre 1932, les journaux du P.C. allemand l'attaquent ouvertement. Peu de temps après, il est officiellement exclu du parti. En août 1934, l'Association psychanalytique internationale se prépare à tenir son congrès à Lucerne. Reich à l'intention de s'y rendre. La veille de l'ouver-

ture du congrès, il apprend qu'il ne sera pas admis à y assister, encore moins à y faire une communication : il est exclu. Freud n'a pas personnellement condamné son ancien assistant ; il s'en est seulement désintéressé. Les membres de l'Association psychanalytique, qu'il a si souvent critiqués et irrités, ont fait le reste. A la suite de ses différends avec le P.C. allemand, Reich a quitté Berlin et s'est installé au Danemark, à la fin de 1932. Mais après quelques mois passés à Copenhague, le renouvellement de son permis de séjour est refusé à ce communiste notoire. Il émigre alors en Suède, jusqu'en 1935, puis en Norvège, où il restera jusqu'en 1939. Il semble ne plus s'intéresser à la politique et être retourné à la clinique et au laboratoire. En fait, la double exclusion dont il a été l'objet a fait éclater en lui un délire de persécution, accélérant un processus pathologique qui était sans doute en germe depuis longtemps. On pourrait sans dommage arrêter l'étude de la vie, de la pensée et de l'action de Reich à 1932. Il est des êtres qui, pour la survie de leur œuvre, ont intérêt à disparaître jeunes. Reich a vécu jusqu'en 1957, et ce sont malheureusement ses activités, le plus souvent délirantes, de la fin de sa vie qui sont les plus connues.
Au Danemark, le Dr Reich a rencontré le Dr Schljderup, directeur de la section de psychologie à l'Université d'Oslo. Celui-ci lui offre une chaire et un laboratoire dans son université. L'histoire ne nous dit pas s'il s'en est ou non repenti par la suite. En 1935, Reich est persuadé qu'il a isolé l'énergie sexuelle et qu'elle a la forme d'un fluide bleuté. En Norvège, pendant quatre ans, il se consacre presque entièrement à l'étude de cette énergie sexuelle qu'il a baptisée « bion ». Son délire paranoïaque s'organise et se structure. Il construit des appareils d'une complexité extrême qui lui font découvrir l'« orgone », radiation des « bions ».

Sur le chemin de l'exil, de la folie et de la prison

En 1939, un médecin américain, le Dr Théodore P. Wolfe le convie à se rendre aux Etats-Unis. La presse médicale scandinave s'est déchaînée contre lui ; persuadé qu'il s'agit là d'un nouveau et vaste complot, Reich quitte l'Europe pour n'y plus revenir. Il est accueilli aux Etats-Unis comme un grand savant de langue allemande, persécuté par le nazisme. Il s'agit en fait d'un malade dont la raison vacille de plus en plus. De 1939 à 1941, il enseigne à la New School for Social Research de New York. Il fonde une maison d'édition, l'Orgone Institute Press, et une revue l'« Orgone Energy Bulletin ». Il se démène et va jusqu'à rendre visite à Einstein pour l'intéresser à ses travaux sur la biologie sexuelle. Le grand savant, qui croit recevoir un collègue, ex-assistant de Freud, ne tarde pas à s'apercevoir qu'il a affaire à un illuminé, mais l'écoute patiemment tout un après-midi. En 1942, Reich, qui a trouvé de nombreux disciples, achète un immense domaine à la frontière canadienne et y construit un laboratoire géant. C'est dans ce laboratoire qu'il invente le condensateur d'orgones qui doit guérir les malades sexuels, particulièrement les impuissants. L'Orgone Energy Accumulator est une cabine en acier — orgonophobe — et en bois — orgonotrope. Les orgones atmosphériques, réfléchis par les parois d'acier, sont condensés dans le bois et pénètrent ensuite dans le corps du patient installé au centre de l'appareil. Bientôt, Reich prétend que son appareil peut guérir aussi bien le cancer que la schizophrénie.

Le plus étonnant, c'est que l'accumulateur d'orgones est commercialisé avec un succès foudroyant jusqu'en 1954. A cette date, la Federal Food and Drug Administration, organisme chargé de contrôler les produits pharmaceutiques et de dénoncer les fraudes, se préoccupe de l'invention du Dr Reich. Les experts qui l'examinent déclarent, et pour cause, que l'appareil ne recèle pas la moindre trace d'énergie. L'inventeur, sommé de se présenter devant le tribunal, envoie un long plaidoyer écrit. La vente de l'appareil est interdite sur tout le territoire américain, et le Dr Reich condamné à retirer tous ses livres de la circulation. Ce second attendu du jugement paraît inexplicable en démocratie. Reich, dans sa paranoïa, évidemment, ne s'exécute pas. Il est de nouveau condamné en 1957 et il est incarcéré le 11 mars au pénitencier de Lewinsburg, en Pennsylvanie. Cette sévérité de la justice américaine, ainsi que l'interdiction à la vente des livres de Reich, s'expliquent par le climat politique de l'époque. Nous somme en plein maccarthysme ; la chasse aux sorcières fait rage. En 1957, Reich n'est plus aux yeux du gouvernement américain un savant persécuté par les nazis ni un maniaque ; il est un ancien communiste, qu'il faut réduire au silence.

Il meurt le 3 novembre 1957 dans sa prison, « épilogue lugubre, aberra-
» tion qui ne doivent pas nous faire sous-estimer l'acuité de certaines
» des intuitions de "la Révolution sexuelle" », écrivait Jean-François Revel◆.

◆ J.F. Revel : «le Cercle vicieux», in *l'Express*, numéro du 30 septembre 1968.

Le Dr Wilhelm Reich, nous pensons l'avoir montré, méritait un autre destin que cette fin ignominieuse. Jusqu'à une date récente, on s'est surtout gaussé des quinze dernières années de sa vie, ce qui permettait d'insister sur la crédulité des Américains, leurs obsessions sexuelles, leur malaise social. Depuis peu, on commence à se pencher sur l'homme qui a pensé, écrit et agi de 1920 à 1934 : ces quinze années sont riches en découvertes cliniques, en intuitions sociologiques, en action et efficacité sociales. Justice commence vraiment à être rendue au Dr Wilhelm Reich, maudit avant d'être fou, pour avoir aimé ses semblables plus que la science.

J. M.

Quiz

Le degré d'insatisfaction de la libido que l'homme moyen peut supporter est limité.

Connaissez-vous Wilhelm Reich ?

1
Wilhelm Reich est né :
☐ en Galicie
☐ à Vienne
☐ aux Etats-Unis

2
Dans son enfance, Wilhelm Reich s'intéressait particulièrement
☐ à l'arithmétique
☐ aux sciences naturelles
☐ à la littérature

3
Vers 1918, un événement influence d'une manière notable l'orientation de la vie de Reich. Il s'agit
☐ d'une maladie
☐ de la perte de ses biens

4
Reich aborde la psychanalyse à partir
☐ d'une analyse personnelle
☐ d'une réflexion sur les problèmes de la civilisation
☐ de l'étude des problèmes de la sexologie

5
Reich adhère à la Société psychanalytique de Vienne
☐ en 1920
☐ en 1922
☐ en 1924

6
Les premières critiques faites par Reich aux psychanalystes de Vienne concernent
☐ leur sous-estimation des causes génétiques des névroses
☐ leur sous-estimation des problèmes sexuels des névrosés
☐ leur sous-estimation des problèmes sociaux et de leur importance dans les névroses

7
Lorsqu'il montre l'importance des problèmes sexuels des névrosés, Reich insiste surtout sur
☐ l'impuissance masculine et l'abstinence féminine
☐ l'incapacité à atteindre le plaisir, ou impuissance orgastique

8
Insister, comme le fait Reich, sur l'importance des facteurs sexuels actuels dans la névrose, est-ce éliminer tous les autres facteurs et, en particulier, le refoulement de certaines représentations et désirs pendant l'enfance ?
☐ oui
☐ non

9
Pendant l'époque où il exerce à Vienne, Reich introduit dans sa technique psychanalytique des innovations fondamentales. Il s'agit
☐ de l'allongement de la durée de la séance
☐ de la priorité donnée à l'analyse des résistances et du caractère
☐ de l'abandon de la règle de l'association libre

10
Chez Reich, le « caractère », mécanisme de protection à la fois contre l'extérieur et contre les excitations internes, est formé par
☐ le ça, ou instance des pulsions
☐ le moi
☐ le sur-moi, ou instance des interdits

11
Entre 1924 et 1927, quelque chose rapproche Reich des problèmes sociaux. Il s'agit de
☐ son travail au dispensaire psychanalytique de Vienne

ou policlinique
☐ sa lecture de Marx et d'Engels

12
En 1927 Reich adhère
☐ au parti social démocrate
☐ au Secours ouvrier, sorte de Croix-Rouge du parti communiste

13
Pendant les dernières années de son séjour à Vienne, Reich fonde une société qui organise
☐ des cures psychanalytiques gratuites pour ceux qui n'ont pas les moyens de se payer ce long traitement
☐ des centres d'hygiène sexuelle

14
A l'époque où il pratique encore la psychanalyse, à Vienne, Reich est amené à rejeter une des théories que Freud formule à partir de 1920. Il s'agit
☐ du narcissisme
☐ de la pulsion de mort

15
En 1931 Reich quitte Vienne ; il se rend
☐ au Danemark
☐ à Berlin
☐ aux Etats-Unis

16
Au début des années trente, Reich commence à être convaincu de l'importance de la « famille patriarcale » dans le développement des névroses. Dans son ouvrage sur « l'Irruption de la morale sexuelle », il s'inspire largement des travaux de
☐ Engels
☐ Morgan
☐ Malinowski

17
Dans son ouvrage fondamental sur la « Psychologie de masse du fascisme », Reich met en œuvre une méthode qui s'inspire à la fois des théories psychanalytiques et du matérialisme historique, ou théorie marxiste de l'Histoire. L'une de ces deux doctrines, cependant, est subordonnée à l'autre. Il s'agit :
☐ de la psychanalyse
☐ du matérialisme historique

18
La « Psychologie de masse du fascisme » met en relief les conditions psychiques du développement du nazisme ; elle les trouve essentiellement dans
☐ le développement de la famille patriarcale
☐ le retour à la surface du sadisme refoulé des masses
☐ l'identification au Führer des hommes dépersonnalisés par la société moderne.

19
Les thèses de Reich qui sont à présent les plus célèbres sont celles qui sont énoncées dans « la Révolution sexuelle ». Il y défend le droit des gens, et notamment des jeunes, à une sexualité libérée. Aussi préconise-t-il :
☐ une liberté totale jusque et y compris l'acceptation de tout ce que l'on a l'habitude d'appeler « perversions »
☐ une « économie » sexuelle saine, non répressive, mais favorisant les attachements durables à dominante génitale

20
En 1933, Reich est exclu du parti communiste allemand. On lui reproche, en effet,
☐ son rôle au sein de la Sexpol, ou Association pour une politique sexuelle prolétarienne
☐ les thèses énoncées dans la « Psychologie de masse du fascisme »
☐ son appartenance à une « fraction » trotskiste

21
Est-il vrai que Reich ait été formellement condamné par Freud ?
☐ oui
☐ non

22
Reich se rend aux Etats-Unis en
☐ 1933
☐ 1935
☐ 1939

23
Entre 1935 et 1939, Reich se persuade qu'il a isolé l'énergie sexuelle et qu'il peut la mesurer, notamment avec un compteur Geiger. Il lui donne le nom
☐ d'orgone
☐ de fluide végétatif
☐ de libido orgastique

24
Reich meurt en 1957
☐ dans sa villa
☐ dans un pénitencier
☐ dans un hôpital psychiatrique

25
L'œuvre de Reich, depuis sa mort,
☐ n'a influencé en rien, pour l'instant, le développement des sciences humaines
☐ a eu une certaine influence tant sur le plan pratique que sur le plan théorique

Quiz

Réponses

1 En Galicie.
Reich naquit le 24 mars 1897 dans cette région qui faisait alors partie de l'Empire austro-hongrois. Son père, propriétaire foncier aisé, lui donna un précepteur entre 6 et 10 ans, puis l'envoya dans un lycée de langue allemande.

2 Aux sciences naturelles.
Il se passionna très tôt pour elles. Dès l'âge de huit ans, il avait constitué des collections d'insectes vivants et il observait leurs modes de reprodution. Cet intérêt pour les sciences de la vie ne se démentira jamais. Plus tard, il reprochera à la majorité des psychanalystes de n'avoir que très peu de connaissances en biologie voir « Reich parle de Freud », Payot).

3 De la perte de ses biens.
En 1914, la mort de son père amène Reich à gérer le domaine familial. Mais la guerre survient : elle lui fera perdre ses propriétés terriennes. Dès lors, forcé de gagner sa vie, Reich choisit la médecine vers laquelle ses goûts l'entraînent.

4 De l'étude des problèmes de la sexologie.
Inscrit à la Faculté de médecine de Vienne, Reich, qui gagne sa vie en donnant des leçons particulières, révèle des facultés de travail et d'assimilation exceptionnelles. Il dévore tout, biologie, philosophie, mais surtout sexologie. Son intérêt pour la sexualité, qui va dominer toute son œuvre, se forme, en effet, très tôt. En 1919, il participe à un Séminaire de sexologie auquel un psychanalyste a été invité. Il s'enthousiasme pour les théories freudiennes. D'accord avec le fondateur de la psychanalyse, il estime que la libido, l'énergie sexuelle, a une importance de premier ordre dans la vie humaine. Animant le Séminaire, il y prononce, dès 1919, une communication sur *les Concepts d'instinct et de libido, de Forel à Jung*. Enfin, en 1920, il rend visite à Freud lui-même.

5 En 1920.
Dès cette date, en effet, alors qu'il n'est pas encore médecin (il le deviendra en 1922), Reich commence à pratiquer la psychanalyse. En 1922, il devient premier assistant du dispensaire psychanalytique de Vienne et, en 1924, directeur du Séminaire sur la technique psychanalytique, séminaire dont il avait pris l'initiative. Mais très vite aussi Reich va formuler des thèses qui ne seront guère appréciées par la majorité des psychanalystes. Elles seront exposées, en novembre 1923, dans une communication sur *la Génitalité, du point de vue du pronostic et de la thérapeutique psychanalytiques* et systématisées lors du Congrès psychanalytique de Salzbourg.

6 Leur sous-estimation des problèmes sexuels et, en particulier, génitaux.
Reich affirme qu'à l'époque où il commença à pratiquer la psychanalyse la plupart des membres de la Société psychanalytique de Vienne se préoccupaient peu d'entrer dans le détail au sujet du comportement sexuel des malades. A la limite, on considérait qu'un malade était « guéri » lorsque ses principaux troubles névrotiques avaient pris fin, lorsqu'il était bien « intégré à la réalité », même s'il n'atteignait que très imparfaitement à la satisfaction sexuelle. (Dans « la Fonction de l'orgasme », pp. 72-73, il affirme même avoir été félicité pour avoir reconstitué un événement traumatisant arrivé à un malade dans son enfance... alors que le patient restait impuissant). A l'inverse de cette position, Reich affirme qu'il suffit souvent de restaurer la fonction sexuelle d'un malade pour que les autres troubles

névrotiques disparaissent. Ainsi une femme souffrait d'un trouble du diaphragme ; celui-ci disparut lorsqu'elle put se masturber. En bref, on trouve toujours, chez un patient névrosé, des problèmes actuels non seulement sexuels, mais même, plus précisément, génitaux.

7 L'incapacité à atteindre le plaisir, ou impuissance orgastique.
Affirmant que tous les névrosés présentaient des troubles de la fonction génitale, Reich devait bien vite rencontrer la critique des autres psychanalystes. Bien des névrosés, en effet, semblaient capables de faire l'amour sans problème. Cependant Reich se sent capable de donner à ses contradicteurs une réponse qu'il estime décisive. Il y a peut-être des névrosés capables de faire l'amour, mais aucun d'entre eux n'atteint véritablement à l'orgasme. Ainsi Reich est-il amené à distinguer entre puissance érective, puissance éjaculatoire et puissance orgastique qu'il définit ainsi : *La puissance orgastique est la capacité de s'abandonner au flux de l'énergie biologique sans aucune inhibition, la capacité de décharger complètement toute l'excitation sexuelle contenue, au moyen de contractions involontaires agréables au corps* (la Fonction de l'orgasme, p. 85). Lorsque le sujet n'atteint pas à l'orgasme ou ne le fait que trop rarement, il s'accumule dans l'organisme de l'énergie bloquée : c'est la « stase sexuelle » qui se transforme en angoisse ou se traduit par divers symptômes névrotiques.

8 Non.
Il est certain que Reich attache beaucoup d'importance à ce que Freud appelle les « névroses actuelles », celles qui sont provoquées par des perturbations actuelles de la vie sexuelle du sujet (coït interrompu, relations sexuelles insatisfaisantes, abstinence prolongée), mais il reconnaît que ces perturbations actuelles surgissent le plus souvent sur un fond déjà préparé par les refoulements infantiles. De plus, lors même que le patient parvient à une satisfaction génitale réelle, l'amélioration de son état ne peut être durable que s'il rencontre autour de lui des conditions favorables au développement de sa vie sexuelle.

9 De la priorité donnée à l'analyse des résistances et du caractère.
En liaison avec les jeunes analystes qui participaient au Séminaire sur la technique psychanalytique, Reich mit très vite l'accent sur la nécessité d'analyser d'abord les résistances, c'est-à-dire les procédés par lesquels le sujet, inconsciemment, tente de faire échouer l'analyse. On sait, en effet, que le névrosé trouve souvent dans sa maladie un certain « bénéfice » et, en tout cas, qu'il lui est souvent plus attaché qu'il ne croit : ces désirs secrets de ne pas guérir se traduisent par des résistances à l'analyse. De même, l'intensité du refoulement de certaines représentations se prolonge le plus souvent dans la cure, ou elle fait obstacle à l'accès du sujet à son inconscient. Pour Reich, les résistances peuvent se manifester sous les formes les plus diverses : tel homme, par exemple, mettra au jour, en cours de traitement, un matériel inconscient assez important, mais sans se départir d'une attitude ironique et incrédule qui ruine l'importance de la cure. Dans le prolongement de telles remarques, Reich introduit alors une nouvelle idée : la résistance majeure que l'analyse doit percer, c'est le caractère, la « cuirasse caractérielle » à l'aide de laquelle le sujet se protège contre le monde extérieur mais étouffe aussi la force de ses propres pulsions. C'est le caractère tout entier qu'il faut analyser chez le névrosé et non pas seulement le symptôme.

10 Le moi.
C'est lui qui, selon Reich, introjette, c'est-à-dire intériorise les interdits extérieurs. Ce mécanisme permet au moi de ne pas ressentir ces interdits comme extérieurs, mais il les laisse peser sous la forme d'une série d'inhibitions, de dégoûts, de hontes qui constituent la cuirasse caractérielle. « *Le moi, partie de la personnalité exposée au monde extérieur, est le lieu de la formation du caractère ; il est un tampon dans le conflit entre le ça et le monde extérieur* [...] *; le moi, cherchant à concilier les deux côtés, introjette les objets frustrateurs du monde externe* [...]. *Le caractère du moi consiste en divers éléments du monde extérieur, en interdits, inhibitions instinctuelles et identifications de toutes sortes. Les contenus de l'armure caractérielle sont donc d'origine extérieure, sociale* » (W. Reich, « Analyse du caractère », cité et commenté par Constantin Sinelnikoff : « L'œuvre de Wilhelm Reich », t. I, pp. 105-106).

11 Son travail au dispensaire ou policlinique psychanalytique de Vienne.
C'est lui, en effet, qui met en évidence l'enracinement social de bien des troubles névrotiques. Lorsqu'on voit des gens qui n'ont même pas de quoi vivre, pense Reich, des couples qui ne disposent même pas d'une chambre particulière où ils pourraient faire l'amour en toute quiétude, faut-il vraiment chercher plus loin les causes des névroses qui abondent dans la grande ville ? Voilà ce qui motive l'intérêt de Reich pour les problèmes sociaux. La

lecture de Marx et d'Engels ne viendra que plus tard.

12 Au Secours ouvrier, sorte de Croix-Rouge du parti communiste.
Le 15 juillet 1927, une manifestation de rue a lieu à Vienne pour protester contre l'acquittement d'anciens combattants monarchistes qui avaient tué des ouvriers. La police ouvre le feu et fait de nouveaux morts. Le parti social-démocrate montre son incompétence à organiser les luttes. Reich décide de se rallier aux communistes. Désormais, il tentera de défendre le marxisme devant les psychanalystes en insistant sans cesse davantage sur l'importance des conditions sociales dans le développement des névroses, mais il défendra aussi la psychanalyse aux yeux des marxistes, en montrant que celle-ci peut constituer une critique radicale des structures répressives de la société.

13 Des centres d'hygiène sexuelle.
Après son adhésion au Secours ouvrier, Reich prononce des conférences devant des auditoires assez larges. Il parle d'abord des problèmes classiques de la psychanalyse, de l'inconscient, du complexe d'Œdipe, etc., mais il s'aperçoit que les gens sont plus immédiatement sensibles à des problèmes plus quotidiens, celui des troubles sexuels, celui de l'éducation des enfants, celui de la famille. Il décide vite d'aider les gens à résoudre leurs problèmes les plus immédiats. Il fonde une Société socialiste de conseil sexuel et de sexologie qui ouvre, en janvier 1929, six centres d'hygiène sexuelle (quatre jeunes psychanalystes et trois obstétriciens vont y être employés). Ces centres jouent un rôle d'avant-garde dans tous les domaines qui ont rapport avec la sexualité et avec les mœurs. Ils favorisent, par exemple, l'avortement des femmes qui ne désirent pas vraiment leur enfant. Ils font prendre conscience aux jeunes de l'effet perturbateur d'une trop grande continence sexuelle.

14 De la pulsion de mort.
Pour Reich, il est clair que seuls les interdits sociaux peuvent être à l'origine des inhibitions de la vie génitale. Si l'homme ne développe pas toute sa libido, s'il est victime de l'impuissance orgastique et de tous les troubles qui l'accompagnent, c'est qu'il intériorise tous les interdits sociaux qui pèsent sur la sexualité. Or, à partir de 1920, Freud va commencer à développer l'idée que l'homme ne tend pas seulement vers la la satisfaction sexuelle, vers Eros, mais vers un état de repos semblable à celui de la mort, vers Thanatos. Cette idée est inacceptable pour Reich : si quelque chose d'intérieur s'oppose à notre satisfaction complète, même une révolution sociale ne pourra nous apporter le bonheur.

15 A Berlin.
En 1931, cette ville paraît à Reich plus favorable pour développer un travail de politique sexuelle. De plus, les psychanalystes allemands sont plus favorables à sa théorie de l'importance de l'orgasme. En Allemagne, Reich va collaborer plus encore qu'à Vienne avec les communistes. Il prononce des conférences, donne des cours de psychologie et de sexologie à l'École marxiste des travailleurs. Mais il s'aperçoit, notamment en participant à des réunions des jeunesses communistes, de toutes les erreurs des communistes allemands. Ceux-ci ne savent pas tenir vraiment compte des besoins des masses et, en particulier, des jeunes, victimes d'une répression sexuelle intense. De plus, ils sont incapables de comprendre quels sont les mécanismes inconscients qu'exploite la propagande nazie et donc incapables de lutter efficacement contre elle. Reich, qui ne manque pas d'exposer ses thèses, est très vite critiqué.

16 Malinowski.
Celui-ci avait montré que bien des peuples « sauvages », et en particulier les Trobriandais, ne connaissent pas les formes de répression sexuelle que l'Occident subit depuis des siècles. Cela s'explique, pense Reich, par le fait que cette société ne connaît pas la famille patriarcale (centrée autour du père, portant le nom du père) et autoritaire. Dans notre société, en revanche, les biens qui appartiennent à la famille patriarcale ne doivent pas en sortir, ce qui oblige à réprimer toute sexualité extra-conjugale. Encore faut-il préparer le sujet à accepter cette discipline, c'est là la fonction de la répression des pulsions des enfants et des adolescents (nul n'empêche, en revanche, dans la société trobriandaise, les enfants de se livrer à leurs jeux sexuels).

17 De la psychanalyse.
Reich part de la conception marxiste de l'Histoire, selon laquelle ce qui est déterminant en dernière instance dans les sociétés humaines, c'est l'économie. Cependant les marxistes admettent un effet en retour de l'idéologie sur l'économie (l'idéologie peut, par exemple, inspirer une révolution qui transformera les structures économiques). Cependant, demande Reich, « *s'il est vrai qu'une idéologie agit en retour sur le processus économique* », elle a dû se transformer en une puissance matérielle. « *Si elle devient une puissance matérielle dès qu'elle s'empare de l'homme, une autre question se pose aussitôt : par quelle voie cela se produit-il ?* » (« Psychologie de masse du

fascisme », p. 40). Reich répond que l'idéologie ne peut jouer un rôle historique important que si elle s'enracine dans les structures psychiques, inconscientes des hommes. Si le nazisme a pu séduire même le peuple, les ouvriers, c'est qu'il trouvait des résonances dans les structures psychiques formées par des siècles de domination de la famille patriarcale.

18 Le développement de la famille patriarcale.
C'est celle-ci, en effet, qui constitue le laboratoire où se prépare le fascisme, en tant qu'elle conditionne les hommes à une obéissance aveugle à l'autorité. Cependant, dans son grand ouvrage sur « la Psychologie de masse du fascisme », Reich complète cette thèse. Il montre, en particulier, que la peur de la sexualité ancrée depuis des siècles chez l'homme se traduit en racisme : les juifs, les noirs fonctionnent dans l'inconscient du nazi comme symboles de la syphilis. Quant aux pulsions sexuelles, elles peuvent réapparaître, mais elles sont totalement déformées, muées en sadisme. Bref, l'analyse de Reich, dans ce qui est peut-être son meilleur livre, n'est pas du tout simplificatrice et mérite d'être lue en détail.

19 Une économie sexuelle saine, non répressive, mais favorisant les attachements durables à dominante génitale.
Pour Reich, les diverses perversions de la société moderne ne sont pas des libérations, mais n'existent que parce que la sexualité normale, génitale, est réprimée. Une organisation non répressive de la sexualité (ce qu'il appelle une « économie » sexuelle saine) devrait permettre d'en finir avec la perversion en même temps qu'avec la névrose, toutes deux considérées comme des maladies. D'autre part, Reich critique la fidélité absolue fondée sur une peur névrotique de perdre son partenaire, mais affirme que les attachements durables, qui permettent une plus grande connaissance sexuelle réciproque, favorisent la satisfaction.

20 Son rôle au sein de la Sexpol, ou association pour une politique sexuelle prolétarienne.
En automne 1931, en effet, Reich a fondé cette association qui, en quelques mois, compte 40 000 membres : elle se proposait de lutter contre les conditions économiques de la répression sexuelle (absence de logement pour les jeunes ouvriers, etc.), mais aussi contre ses conditions idéologiques et psychiques. L'initiative, d'abord approuvée par le parti communiste, fut bientôt condamnée lorsque celui-ci ne put plus la contrôler. Reich fut exclu du parti et, malgré les avances des trotskistes, il ne prit plus part directement à aucun combat politique.

21 Non.
Freud n'a jamais condamné personnellement Reich, mais a laissé l'Association psychanalytique internationale l'exclure en 1934 pour ses positions jugées hérétiques.

22 1939.
A partir de 1933, Reich ne retourne plus en Allemagne et séjourne dans différents pays du nord de l'Europe (Danemark, Suède, Norvège). C'est là qu'il commence à élaborer ses dernières thèses, jusqu'au jour où un médecin américain, le Dr Théodore P. Wolf, le convie à se rendre aux Etats-Unis.

23 D'orgone.
A partir de 1935, les thèses de Reich sont systématisées d'une manière que l'on peut bien dire délirante (ceux qui l'ont connu à cette époque ont même affirmé qu'il était paranoïaque). Il prétend tout soigner, des troubles sexuels au cancer, à l'aide de l'Orgone Energy Accumulator, cabine en acier et en bois qui réfléchit l'orgone (énergie sexuelle) et la fait pénétrer dans le corps du patient.

24 Dans un pénitencier.
Il y avait été enfermé parce qu'il commercialisait son invention que les experts déclaraient inefficace.

25 A eu une certaine influence tant sur le plan théorique que sur le plan pratique.
Reich est, en effet, le précurseur du freudo-marxisme d'Herbert Marcuse et, sans doute, des thèses culturalistes d'Eric Fromm. De plus, la pratique expérimentaliste et thérapeutique que Masters et Johnson ont introduite en sexologie s'inspire directement de l'œuvre de Reich (voir n° 7 de « Psychologie », août 1970).

»Citations«

Dans son désir de se distancer du travailleur manuel, la petite bourgeoisie citadine, qui sur le plan économique n'est pas mieux lotie que les travailleurs de l'industrie, ne peut guère compter que sur ses formes de vie familiales et sexuelles auxquelles elle imprime une certaine direction. Ce qui lui fait défaut sur le plan économique doit trouver une compensation sur le plan de la moralité sexuelle. Ce mobile est l'élément le plus efficace de l'identification du fonctionnaire avec le pouvoir de l'Etat. Comme la fonction publique ne jouit pas des avantages dont bénéficie la grande bourgeoisie à laquelle elle s'identifie, l'idéologie — morale — sexuelle remplace ce qui fait défaut en matière économique. Les formes de vie sexuelles et les formes de vie culturelles qui en sont tributaires servent essentiellement à la démarcation vers le bas. La somme de ces attitudes morales, gravitant autour du domaine sexuel et qu'on désigne communément par « esprit philistin », se trouve concentrée dans l'idée — nous parlons bien ici de leurs « idées » et non pas de leur comportement ! — que ces personnes se font de l'honneur et du devoir. Il faut avoir une vue juste de l'impact de ces deux mots sur la petite bourgeoisie pour les juger dignes d'un examen approfondi. Ce n'est pas un hasard s'ils reviennent sans cesse dans l'idéologie de la dictature fasciste et la théorie raciale. Dans la pratique, le genre de vie petit-bourgeois et les transactions commerciales petites-bourgeoises imposent souvent une attitude diamétralement opposée à l'idée de l'honneur et du devoir. Sur le plan du commerce privé, un minimum de malhonnêteté est même nécessaire pour survivre. Le paysan achète-t-il un cheval, il tentera par tous les moyens de lui trouver des défauts. Revend-il le même cheval un an plus tard, il lui découvrira un regain de jeunesse, de qualité, de robustesse. Le « devoir » repose sur des intérêts commerciaux et non sur des qualités de caractère nationales. La marchandise qu'on offre soi-même sera toujours la meilleure, celle des autres, la plus mauvaise. Le dénigrement du concurrent, pratique essentiellement malhonnête, est un auxiliaire précieux en « affaires ». Les manières et le comportement des petits commerçants, leur obséquiosité et leur soummission au client mettent en évidence les cruels impératifs de l'existence économique qui, à la longue, pervertissent le meilleur caractère. Il n'empêche que les notions d'« honneur » et de « devoir » tiennent un rôle capital dans la petite bourgeoisie. Cela ne s'explique pas par la seule intention, imposée par des intérêts grossièrement matériels, de dissimuler sa vraie nature. Hypocrisie ou non, l'extase qui l'accompagne est authentique. Reste la question de savoir quelles sont ses sources.

La Psychologie de masse du fascisme *(Paris, Payot, 1972).*

L'expérience mystique transporte l'homme dans un état d'excitation

végétative qui n'aboutit jamais à la satisfaction orgastique sexuelle. Ainsi, le jeune développe une tendance passive-homosexuelle ; l'homosexualité passive est, du point de vue de l'énergie pulsionnelle, l'antidote le plus efficace à la sexualité virile naturelle, car elle remplace l'activité et l'agression par la passivité et des attitudes masochistes, c'est-à-dire précisément celles qui déterminent la base structurale de masse du mysticisme patriarcal-autoritaire. Ainsi, on prépare le jeune homme à la servilité, au renoncement à tout sens critique, à la croyance en l'autorité, à l'acceptation docile de l'institution patriarcale du mariage imposé. Le mysticisme religieux oppose donc une force pulsionnelle sexuelle à une autre. Il se sert, pour aboutir à ses fins, de mécanismes sexuels. Ce sont donc ces motions sexuelles non génitales que le mysticisme a pour part éveillées, pour part développées, qui déterminent ensuite la psychologie de masse de ses adeptes : le masochisme moral (souvent aussi nettement physique) et la servilité passive. La religion puise sa puissance dans la répression sexuelle génitale dont l'effet secondaire est la régression sur la ligne de l'homosexualité passive et masochiste. Sur le plan de la dynamique pulsionnelle, elle s'appuie sur l'angoisse génitale et le remplacement de la génitalité par des tendances pulsionnelles secondaires devenues anormales pour l'adolescent. Pour mener à bien sa tâche parmi la jeunesse mystique-religieuse, l'économie sexuelle devra opposer les exigences génitales naturelles aux pulsions secondaires (homosexuelles) et mystiques. Cette tâche, qui relève de la psychologie de masse, est en accord parfait avec les tendances évolutives objectives du progrès social en matière d'économie sexuelle visant à la suppression de l'abnégation génitale et à la promotion de la vie sexuelle génitale parmi les jeunes.

La Psychologie de masse du fascisme *(Paris, Payot, 1972).*

L'éducation sexuelle traditionnelle procédait d'une valorisation négative de la sexualité et d'une argumentation morale et non médicale ; névroses et perversions en sont la conséquence. Faire objection à une éducation admettant la nudité, c'est donc donner agrément à l'éducation antisexuelle traditionnelle. D'autre part, accepter la nudité tout en conservant les fins de l'éducation sexuelle dans leur intégrité, ferait naître une contradiction qui rendrait toute tentative pratique soit impossible, soit plus désagréable pour l'enfant que la situation antérieure. Un compromis en matière d'éducation sexuelle est impossible, parce que les pulsions sexuelles suivent leurs propres lois internes. Avant d'affronter le problème de l'éducation sexuelle en général, il faut d'abord prendre clairement position pour ou contre la sexualité, pour ou contre la morale sexuelle en vigueur. Une prise de conscience nette par chacun de son propre point de vue sur la question conditionne tout

accord des opinions ; sans elle, toute discussion du problème sexuel est vouée à l'échec.

La Révolution sexuelle *(Paris, Plon, 1968).*

Si l'on n'a pas de honte à se montrer nu devant l'enfant, celui-ci ne produira pas de crainte et de lascivité sexuelles ; cependant, il voudra sans aucun doute satisfaire sa curiosité sexuelle : il sera difficile de contrecarrer ce désir, et cela ne pourrait se faire qu'au prix d'un conflit beaucoup plus difficile à résoudre pour l'enfant, ainsi que d'un risque accru de perversion. Bien entendu, il serait dès lors impossible de faire objection à l'onanisme, et il serait nécessaire d'expliquer à l'enfant le processus de la procréation. On pourrait également rejeter la requête de l'enfant voulant assister aux relations sexuelles ; mais cela signifierait déjà une restriction de l'attitude d'acceptation de la sexualité (Sexualbejahung). *Car que pourrait-on répondre à un moraliste cynique qui demanderait pourquoi l'enfant ne devrait pas assister au rapport sexuel, en précisant que, de toute façon, comme le confirme l'expérience psychanalytique, presque tout enfant en a une connaissance intuitive ? Il pourrait ajouter aussi que l'enfant a observé le rapport sexuel entre animaux. Pourquoi donc lui en refuser le spectacle ? Ces questions nous mettraient en face de notre incapacité à élever des objections, sauf peut-être d'ordre moral, ce qui ne ferait que renforcer la position de notre moraliste. Nous pourrions alors reconnaître hardiment que notre refus de laisser l'enfant assister à l'acte sexuel n'est pas motivé par l'intérêt de l'enfant, mais par le désir de ne pas être dérangés dans notre plaisir. Nous sommes donc condamnés à choisir entre le recours réitéré à la morale sexuelle — qui est nécessairement antisexuelle — et la reconsidération de la question la plus délicate de toutes, celle de notre attitude à l'égard du rapport sexuel. Dans cette dernière hypothèse, il faudrait nous assurer que M. le Procureur de la République n'en a pas été informé, car il nous ferait inculper d'attentat à la pudeur.*

IDEM, *ibid.*

La vie sexuelle n'est pas une affaire privée quand elle remue les jeunes et quand elle gêne, dans ses formes actuelles, la lutte politique. Que dirions-nous, à propos de tout autre problème, d'une telle prise de position ? Nous dirions, avec raison, que c'est une échappatoire, et nous combattrions à juste titre tous ceux qui emploient de tels faux-fuyants. Nous défendrions notre point de vue de façon conséquente, à savoir qu'il n'y a pas de difficultés insurmontables pour un bolchevik, que nous ne connaissons pas de problèmes insolubles, que de telles opinions ne sont qu'un prétexte bourgeois opportuniste. Lorsque ces problèmes surgissent, ils ne tombent pas du ciel, mais proviennent des contradic-

tions de notre système social et exigent une réponse. Nous avons rangé dans la lutte de classes des problèmes du sport, du théâtre, de la religion et de la radio, pourquoi ne restons-nous pas conséquents dans le problème sexuel des jeunes ? Si nous admettons que nous éludons ce problème, nous devons à présent expliquer pourquoi.
Une raison superficielle est que nous croyons pouvoir nous consacrer totalement au travail révolutionnaire en éliminant ce problème sexuel et que nous voulons nous démarquer du type bourgeois chez qui le problème sexuel est au centre des préoccupations et qui ne connaît que le bavardage sur la sexualité. Nous avons commis une lourde erreur parce que beaucoup d'entre nous ont voulu exclure la sexualité en général, comme quelque chose d'inessentiel, de bourgeois même. Nous avons eu tort, c'est ce que nous apprend la réalité. Nous devons résoudre le problème sexuel d'une manière révolutionnaire, en parvenant à une théorie de politique sexuelle claire, et ensuite à une praxis sexuelle révolutionnaire, en les intégrant toutes deux à l'ensemble du mouvement prolétarien. C'est, nous en sommes convaincu, la véritable voie pour une solution définitive.

La Lutte sexuelle des jeunes *(Paris, Maspero, 1972).*

*Le monde schizoïde fond en une seule expérience ce qui est soigneusement dissocié chez l'*homo normalis. *L'homme normal « bien acclimaté » est fait des mêmes expériences que le schizophrène. La psychiatrie des profondeurs ne laisse aucun doute à ce sujet. L'*homo normalis *ne se distingue du schizophrène que par le fait que les différentes fonctions sont rangées dans un ordre différent. Dans la journée, l'« homo normal » est un commerçant ou un employé bien acclimaté et « socialement adapté » ; il est bien ordonné en surface. Il donne libre cours à ses tendances perverses secondaires, quand il quitte la maison pour voyager dans une ville étrangère, quand il assiste, occasionnellement, à des orgies sadiques ou sexuelles. C'est là, la « couche moyenne » de son existence, qui est entièrement séparée de la couche superficielle, du vernis. Il croit en l'existence d'une puissance personnelle surnaturelle et en son contraire, le diable et l'enfer, dans une troisième couche de sa conscience tout aussi nettement séparée des deux autres. Ces trois couches ne se confondent jamais les unes avec les autres. L'*homo normalis *ne croit plus en Dieu quand il se livre à quelque activité louche, du genre de celles que les prêtres qualifient de « péché » dans leurs prônes du dimanche. L'*homo normalis *ne croit pas au diable quand il se fait le promoteur de quelque objectif scientifique ; il n'est pas sujet à des tendances perverses quand il agit en soutien de famille ; mais il oublie sa femme et ses enfants quand il se rend au bordel.*

L'Analyse caractérielle *(Paris, Payot, 1971).*

Bibliographie

Ouvrages principaux :
La Crise sexuelle, *suivi de* Matérialisme dialectique et psychanalyse (*Paris, Ed. anonyme, 1965*).

La Révolution sexuelle (*Paris, Plon, 1968*).

La Fonction de l'orgasme (*Paris, l'Arche, 1970*).

Qu'est-ce que la conscience de classe ? (*Paris, Lausanne, édition anonyme, 1970*).

L'Analyse caractérielle (*Paris, Payot, 1971*).

La Lutte sexuelle des jeunes (*Paris, Maspero, 1972*).

La Psychologie de masse du fascisme (*Paris, Payot, 1972*).

L'Irruption de la morale sexuelle (*Paris, Payot, 1972*).

Reich parle de Freud (*Paris, Payot, 1972*).

People in Trouble (*Orgone Institute Press, 1953*).

Uber Genitalität vom Standpunkt der psychoanalystischen Prognose and Therapie (*Internationale Zeitschrift für Psychoanalyse, 10, 1923*).

Der triebhafte Charakter (*Vienne, Internationaler Psychoanalytischer Verlag, 1925*).

Geschlechtsreife, Enthalsamkeit, Ehemoral (*Vienne, Münster Verlag, 1930*).

Ouvrages de référence :
Cattier (M.) : La vie et l'œuvre du docteur Wilhelm Reich (*Paris, La Cité, 1969*).

Fraenkel : Pour Reich, in *Revue Partisans nos 32-33* (*Paris, Maspero, 1966*).

Guérin (D.) : Essai sur la révolution sexuelle (*Paris, Belfond, 1969*).

Neill (A.S.) : Wilhelm Reich (*Cottingham, the Ritter Press, 1958*).

Palmier (J.M.) : Wilhelm Reich (*Paris, U.G.E., coll. 10/18, 1969*).

Reich (Ilse Ollendorff, Mme Wilhelm) : Wilhelm Reich (*Paris, Belfond, 1970*).

Sinelnikoff (C.) : L'œuvre de Wilhelm Reich (*Paris, Maspero, 1970*).

Sinelnikoff (C.) : « Histoire du mouvement Sexpol », *in Perspectives psychiatriques, n° 25.*

Société et répression sexuelle. L'œuvre de Wilhelm Reich (*Bruxelles, Liaisons, 20, 1968*).

Voyer (J.P.) : Reich, mode d'emploi... (*Paris, édition Champs Libres, 1971*).

JACOB LEVY MORENO

Keystone

Biographie

1892
Naissance, à Bucarest, de Jacob Levy Moreno, dans une famille juive d'origine ibérique.
Après ses études secondaires, le jeune homme entreprend sa médecine à Vienne.

1910-1914
Il commence à réunir, au Kindersgarten de Vienne, les enfants en groupes, et il improvise avec eux. Il fonde « The Impromptu School ».

1912
Rencontre brève avec Freud, à l'issue du cours de celui-ci sur les rêves télépathiques.

1913-1914
Il réunit les prostituées du Spittelberg, quartier de Vienne, en groupes de discussion.

1914-1920
Premiers travaux.
Il fonde son concept de la « rencontre ».

1917
Il est docteur en psychiatrie.

1918-1920
Il fonde le *Daimon*.

1921-1922
Le 1er avril 1921, première séance de psychodrame devant mille spectateurs, dans un théâtre proche de l'Opéra de Vienne.

1925
Il émigre, en octobre, aux Etats-Unis.

1929-1931
Débuts d'un théâtre de groupe improvisé à New York (Carnegie Hall).
Moreno ouvre une clinique psychiatrique à Beacon, au nord de l'État de New York.

1932
Le 31 mai, Ier Congrès des psychothérapeutes, tenu à Philadelphie dans le cadre de la Société américaine de psychiatrie. Moreno, à propos de la rééducation des prisonniers de Sing Sing, forge le terme de « psychothérapie de groupe ».

1934
Moreno fait des recherches sur les relations interpersonnelles entre les jeunes délinquants de Houston.

1935
Rencontre avec Roosevelt.
D'autres chercheurs commencent à se grouper autour de lui pour appliquer les méthodes de la psychothérapie de groupe.

1936
La femme de l'acteur Franchot Tone lui fait construire à Beacon le premier théâtre thérapique psychodramatique.

1937
Moreno fonde la revue *Sociometry*, qu'il dirige jusqu'en 1956 ; il enseigne à l'université de Columbia, puis à celle de New York.

1941
Il crée à Washington un théâtre thérapique psychodramatique à l'hôpital Sainte-Elizabeth.

1944
Fondation de l'Institut Moreno de New York.

1948
Il écrit, en collaboration avec J. Enneis, *Hypnodram and Psychodram.* (*Hypnodrame et psychodrame*).

1954
Premier Congrès de psychothérapie de groupe, à Toronto. Moreno fait une première démonstration de psychodrame, en France, à la Salpêtrière.

1956
Sociometry devient la revue officielle de l'Association américaine de sociologie.
Sociometry and the Science of Man (*la Sociométrie et la science de l'homme*).

1959
Démonstration de psychodrame en U.R.S.S.

1960
Gruppenpsychotherapie und Psychodrama (*Psychothérapie de groupe et psychodrame*).

1964
En août, Ier Congrès international de psychodrame, tenu à la faculté de médecine de Paris.

1966
Du 29 août au 3 septembre, IIe Congrès international, centré sur la dynamique des groupes, à Barcelone.
Depuis lors, Moreno n'a pas cessé d'écrire tout en donnant des conférences et en continuant à traiter ses clients de la clinique de Beacon.

Jacob Levy Moreno : l'inventeur du psychodrame

« Je suis Dieu, Père créateur de l'Univers » : ainsi commence, écrit en allemand et à l'encre rouge sur les murs d'un vieux château autrichien, le premier livre de Jacob Levy Moreno, né en 1892 à Bucarest, longtemps professeur dans une des plus grandes universités américaines. « Je voulais montrer, expliqua-t-il plus tard, qu'ici se trouve un homme » qui a tous les signes de la paranoïa et de la mégalomanie, de l'exhi- » bitionnisme et de l'inadaptation sociale, et qui peut cependant être » fort bien contrôlé et normal, et même plus manifestement capable de » création en extériorisant complètement ses symptômes qu'en s'effor- » çant de les contraindre et de les résoudre◆. »

◆ J.L. Moreno : *Psychothérapie de groupe et psychodrame* (Paris, P.U.F., 1965).

Devant une telle complaisance de soi, on réagit un peu comme devant Salvador Dali, et on se demande si Moreno est « génial ou mystifiant ». Sa contribution à la psychologie contemporaine est double : la sociométrie et le psychodrame. La sociométrie est la « science de la mesure des relations entre les hommes » : ses applications sont universelles — en pédagogie, dans l'armée, dans l'industrie — et indiscutées. En revanche, le psychodrame est discuté : il consiste à faire jouer à un individu son propre rôle devant un public de profanes ou de spécialistes et à le laisser improviser soit d'après ses souvenirs, soit d'après ses fantasmes. Pour Moreno, le psychodrame est la « troisième voie » de la psychanalyse, qu'il oppose à la psychanalyse « de confession » (à Freud) et à la psychanalyse « machiavélienne » (à base d'électrochocs, de chirurgie cérébrale, de chimiothérapie). Un certain nombre de disciples, dans de nombreux pays, l'ont suivi dans cette voie. On parle beaucoup du psychodrame. On le découvre.

Dès l'enfance, Moreno aime à jouer un rôle de premier plan

Moreno avait quatre ans et demi. Un jour, avec d'autres enfants, il joue « à Dieu et aux anges ». Il monte sur une table, dresse des chaises sur la table et s'installe tout en haut. Il est Dieu. En bas, les autres enfants, les pieds sur terre, miment le vol des anges. L'un d'eux défie « Dieu » de voler. Jacob Moreno ne résiste pas à la tentation. Il s'élance... et se casse un bras.

Le petit Jacob est issu d'une famille juive en provenance de la péninsule ibérique, qui a émigré successivement vers la Turquie, la mer Noire, Bucarest et, enfin, Vienne. La capitale de l'Autriche-Hongrie est alors en pleine effervescence mondaine et intellectuelle. C'est le temps des valses de Strauss, mais aussi des débuts de la psychanalyse. La fin d'un monde. Le début d'un autre. Sissi et Freud. Mayerling et Kafka. Moreno étudie la médecine et se promène dans les jardins publics de Vienne où errent des enfants abandonnés. Il les rassemble autour de lui, leur raconte des histoires, écoute leurs histoires. Il est aussi pas-

sionné de métaphysique que de théâtre : « L'homme, écrira-t-il plus » tard, est un acteur de Dieu sur la scène de l'univers. »
Et toute sa vie, comme à quatre ans, il se référa aux premiers rôles...
En 1912, Moreno rencontra Freud à la clinique psychiatrique de l'université de Vienne. Comme Freud lui demandait ce qu'il faisait, Moreno lui aurait répondu : « Eh bien, docteur Freud, je commence là où vous » vous arrêtez. Vous rencontrez les autres dans le cadre artificiel de » votre cabinet ; je les rencontre dans la rue, ou chez eux, dans leur » milieu habituel. Vous analysez leurs rêves. J'essaie de leur insuffler le » courage de rêver encore. J'apprends aux gens comment jouer Dieu◆. »

◆ J.L. Moreno : *Psychothérapie de groupe et psychodrame* (Paris, P.U.F., 1965).

Le psychodrame naquit le « Jour des Fous »

Que voulait-il dire par là ? Il anticipait un peu sur l'avenir, semble-t-il, car c'est en 1913 que se place sa première expérience psychologique d'une certaine envergure. Avec un médecin et un journaliste, il entreprit, en effet, de rendre leur dignité aux prostituées du quartier réservé de Vienne, la rue de Spittelberg, qui était alors un véritable ghetto. Il ne voulait, dit-il, ni les « amender » ni les « analyser », mais leur « don» ner une nouvelle signification pour qu'elles puissent s'accepter elles» mêmes ». « Le secret de la méthode était d'encourager ces jeunes » femmes à être ce qu'elles étaient, des prostituées. »
Mais ce n'est, en fait, qu'après la Première Guerre mondiale — faisant la synthèse de ses études médicales et psychanalytiques, de ses expériences pédagogiques et de ses enquêtes sociologiques — que Moreno fonde réellement le « psychodrame ». Sa première tentative fut un échec complet. C'était le 1er avril 1921 — jour prédestiné, puisqu'il s'agit, en Autriche, du « jour des fous ». Moreno pensait que l'Autriche, dans l'anarchie de l'après-guerre, manquait d'un chef véritable. Il se proposa de le trouver. Il appela cette tentative « le roman du roi ». Près de mille personnes s'étaient rendues dans la salle. Sur la scène, il y avait un trône et une couronne. Moreno invita chaque spectateur à venir jouer le rôle du roi. Aucun ne fut convaincant. Ce fut, en fait, de 7 heures à 10 heures du soir, une séance assez lamentable dont le lendemain tout Vienne riait. Nous parlerions maintenant d'un « happening » manqué. Mais Moreno ne se découragea pas pour autant. Il fonda alors le « Stegreftheater », le « théâtre impromptu ».
En fait, il ne s'agit pas encore d'improvisation complète. Il y a un dramaturge, un directeur de jeu et des acteurs. C'est plutôt un avatar moderne de la *commedia dell'arte* italienne. Moreno s'était attribué, et a toujours gardé depuis ces temps lointains, le rôle de directeur de jeu : il établissait le contact entre l'auteur, les acteurs et le public, modifiant le scénario au fur et à mesure des réactions des uns et des

autres. Il fallait un canevas dramatique par jour. Le problème se posa rapidement. Il fut résolu par le « journal vivant ». La lecture des quotidiens fournissait toujours un fait divers assez dramatique, susceptible de servir de base à une représentation. C'est alors que, grâce aux réactions d'une des actrices, Barbara, Moreno découvrit rapidement que le théâtre « improvisé » était « thérapeutique ».

L'histoire de Barbara est un classique du psychodrame. Il convient donc de la connaître en détail.
« Au théâtre impromptu, la meilleure actrice était Barbara ; elle se destinait au métier de comédienne et participait à l'expérience, alors à » ses débuts, du journal vivant. Elle excellait dans les rôles d'ingénue » romantique et attirait le public. Georg, poète et auteur dramatique, » était son spectateur le plus assidu. Une idylle naquit entre eux, qui » s'acheva dans le mariage. Ils continuaient à fréquenter le théâtre » impromptu quand, un jour, Georg confia ses ennuis à Moreno : "*Cette* » *créature douce et angélique, que tout le monde admire, se conduit en* » *démon sauvage quand elle est seule avec moi. Elle parle le dernier des* » *langages et, si je me mets en colère, elle me frappe à coups de poing.*"
» Moreno a alors l'idée de faire jouer à Barbara, dès le soir même, des » rôles cyniques et vulgaires. Elle accepte, avec la crainte de ne point » réussir. Le journal fournit un fait divers : une fille, qui faisait des propositions aux hommes dans une rue d'un quartier mal famé de Vienne, » a été attaquée et tuée par un métèque. Barbara mène la scène de » façon inattendue : elle se met en colère sur la question d'argent, » devient grossière et frappe son partenaire à coups de poing et de » pied ; pour finir, celui-ci simule de l'égorger sauvagement, à la grande » épouvante du public.
» Barbara exulte et embrasse Georg. Moreno comprend qu'il a trouvé la » solution. Il continue à faire jouer à Barbara des rôles de fille à soldats, de servante de café, de maîtresse haineuse, de femme en proie à » la vengeance. Après quelques jours, Georg lui apprend qu'elle est en » train de changer : à la maison, ses accès de colère perdent de leur » intensité ; il lui arrive d'en sourire en plein milieu et de les rapprocher des scènes improvisées au théâtre ; ils en rient ensemble ; elle en » rit même à l'avance quand elle sent la crise venir.
» Moreno a une nouvelle idée : il fait jouer les époux ensemble et leur » propose des scènes qui se rapprochent progressivement de la réalité » quotidienne du couple ; ils jouent enfin leur famille, leur enfance, » leurs rêves, leurs projets d'avenir. De plus en plus nombreux, les » spectateurs viennent dire à Moreno combien ces scènes les touchaient » plus profondément que les improvisations habituelles. Barbara et » Georg reconquirent en quelques mois leur harmonie◆. »

◆ J. Anzieu : *le Psychodrame analytique chez l'enfant* (Paris, P.U.F., 1956).

Moreno est aussi le théoricien de la sociométrie

En 1925, Moreno émigre aux Etats-Unis. Le contact de son romantisme d'Europe centrale avec l'esprit rationnel nord-américain provoque chez lui une mutation. Le psychodrame était jusque-là un art. Moreno veut lui donner un fondement scientifique. La sociométrie, qui est l'étude de la mesure des relations interpersonnelles des individus à l'intérieur d'un groupe, va le lui donner.

« Une douzaine de personnes, dit Marx dans « le Capital », travaillant » ensemble pendant douze heures, produiront davantage dans leur tra- » vail collectif de cent quarante-quatre heures que douze hommes tra- » vaillant seuls douze jours chacun ou qu'un seul homme travaillant » douze jours de suite. » Il y a là un phénomène dont ne rendaient compte ni la psychologie de l'individu ni la sociologie de la collectivité — mais qu'étudie maintenant le psychosociologue◆.

◆ Voir «Mon expérience de dynamique des groupes», in *Psychologie*, n° 1.

Rapidement intégrée dans le vaste mouvement psychosociologique qui a connu un essor continu, la sociométrie a échappé à Moreno — alors que le psychodrame est resté plus ou moins directement lié à lui. La sociométrie est devenue un instrument d'investigation applicable à n'importe quel groupe et a aidé à préciser des notions maintenant courantes : leadership, participation, circulation de l'information, etc.

Le psychodrame est une technique thérapeutique entourée d'un halo mystérieux. C'est qu'il est difficile de comprendre son mode d'action. On comprend que la « confession » (religieuse ou psychanalytique) puisse soulager une névrose ou résoudre un conflit. On comprend qu'une médication d'urgence puisse calmer une crise violente ou éviter sa manifestation. Mais on ne voit pas comment la représentation dramatique de l'un ou l'autre de ses problèmes par le sujet lui-même peut avoir ces mêmes effets bénéfiques.

Il faut, pour cela, remonter loin, plus précisément au théâtre grec. « La » tragédie, dit Aristote, est l'imitation d'une action [...], imitation qui » est faite par des personnages en action et non au moyen d'un récit, et » qui, suscitant pitié et crainte, opère la « purgation » (catharsis) propre » à de pareilles émotions. » Cette notion subsistait encore, intacte, à notre époque classique. Racine a écrit : « La tragédie, excitant la ter- » reur et la pitié, purge et tempère ces sortes de passions. C'est-à-dire » qu'en excitant ces passions elle leur ôte ce qu'elles ont d'excessif et » de vicieux et les ramène à un état de modération conforme à la rai- » son. » Pour Corneille, la tragédie nous fait faire un retour sur nous-mêmes et nous incite à purger, modérer, rectifier et même déraciner en nous la passion qui, à nos yeux, plonge dans le malheur les personnes que nous plaignons. C'est pourquoi la catharsis est la clé de voûte du psychodrame.

Lors de ses débuts américains, Moreno avait ouvert à New York un théâtre psychodramatique. N'importe qui pouvait monter sur scène se raconter. Moreno et ses collaborateurs improvisaient immédiatement et entouraient le spectateur volontaire. On a souvent dénoncé l'exhibitionnisme de ces séances et leur peu de valeur thérapeutique. Moreno lui-même raconte très longuement un de ces psychodrames qui dura des semaines et fut réellement un feuilleton improvisé. Il s'agissait d'un certain « Franck » qui, marié depuis plusieurs années à « Anna », venait de tomber amoureux d'« Hélène ». Ce qui peut paraître extrêmement étrange, c'est que non seulement Franck, mais les deux femmes (rarement ensemble, certes, mais parfois, quand même) participèrent aux séances. Moreno leur faisait reconstituer des épisodes importants : rencontre de Franck et d'Hélène, aveux de Franck à Anna, annonce par Anna qu'elle attend un enfant, etc.
Or qu'advint-il ? Moreno le dit avec sincérité : « Quand ils quittent tous » trois le théâtre, ils se quittent amis, mais chacun poursuit son propre » chemin, solitaire [...]. L'histoire des quinze années suivantes confirme » au moins l'innocuité du traitement. Anna s'est remariée deux ans » après le divorce et son mariage est heureux. Franck, lui aussi, est » remarié, et il est devenu un professeur d'université estimé dans sa » spécialité. Il a rempli ses obligations à l'égard du petit garçon et le » voit régulièrement. Franck et Hélène se rencontrent occasionnelle- » ment. Hélène est restée célibataire◆. » Innocuité, peut-être, encore qu'on puisse en discuter. Mais quant à la légitimité... On comprend que, depuis, le psychodrame ait adopté la règle du secret.

◆ J.L. Moreno : *Psychothérapie de groupe et psychodrame* (Paris, P.U.F., 1965).

Une notion fondamentale : la spontanéité

A la fin de la Seconde Guerre mondiale, quelques psychologues français font un voyage d'études aux Etats-Unis. Ils entendent parler du « théâtre de Moreno » et veulent y assister. L'entrée coûte un dollar. Ils sont fascinés par ce qui se passe sur la scène. Dans les maladresses d'improvisation, dans le désir des participants de jouer leur propre rôle, dans leur exhibitionnisme plus ou moins fort, dans les soudains éclats et les brusques révélations, il y a une intensité humaine extraordinaire.
Le protocole même d'une séance de psychodrame rend cette intensité inévitable. Le protagoniste est l'« ego primaire », le héros de l'action. « On lui recommande d'être lui-même et non un comédien, alors que » l'on exige du comédien qu'il sacrifie son « moi » au rôle assigné par le » dramaturge. Lorsque le patient s'est échauffé pour prendre en charge » cette fonction, il lui devient assez facile de rendre compte de sa vie » intérieure, car il est à lui-même son autorité suprême. Il doit agir

» librement, selon son humeur : il lui faut donc la liberté d'expression, » c'est-à-dire la spontanéité◆. »

◆ A. Ancelin-Schutzenberger : *Précis de psychodrame* (Paris, Editions universitaires, 1966).

Le psychodramatiste ou psychodramaturge, selon sa personnalité ou selon le moment, joue ou ne joue pas un rôle dans la séance. Il équivaut au coryphée, le chef de chœur dans le théâtre grec. Il commente l'action ou l'infléchit, éclaire le protagoniste. Les « ego-auxiliaires » ou « moi-secondaires » jouent les autres rôles : ce sont les assistants du psychodramatiste ou des spectateurs. Le public est passif ou actif, mais pas « spectateur » au sens où on l'entend dans le théâtre ordinaire.
Le psychodrame fait renaître la spontanéité figée du ou des rôles d'un individu en le conduisant à l'expression vécue ou « acting out ». Le concept du « rôle » est devenu clair pour beaucoup. Les rôles sont en effet ressentis comme de plus en plus astreignants, et des compensations se sont créées collectivement qui permettent aux individus de s'en libérer provisoirement (week-ends, vacances). En revanche, la notion de « spontanéité », par laquelle Moreno veut remplacer la notion d'inconscient de Freud et celle d'intelligence de la psychologie expérimentale, apparaît floue et composite : « La spontanéité, dit-il, est une réponse » adaptée à une situation nouvelle ou une réponse originale à une situa- » tion ancienne [...]. Dans son évolution, elle est sans doute plus » ancienne que la sexualité, la mémoire ou l'intelligence. »

Le psychodrame s'inspire des tragédies grecques et orientales

Qu'en est-il actuellement du psychodrame ? Il faut d'abord préciser qu'il y a, d'une part, le psychodrame morénien proprement dit, d'autre part, le psychodrame analytique. Le premier, tout en ayant un but cathartique (la libération d'une passion), garde un souci esthétique dans la mesure où il est une représentation improvisée. Le second, qui ne veut être qu'une psychothérapie — de groupe, certes —, reste conforme aux méthodes freudiennes. Le psychodrame morénien, si l'on s'en tient aux résultats, est une méthode aussi efficiente que les autres Or, son extension n'est pas considérable. En France, par exemple, on ne compte qu'une centaine de psychologues spécialistes — et c'est encore beaucoup par rapport à d'autres pays.

Le psychodrame de Moreno effraie encore

Comment expliquer cette relative désaffection pour une technique psychologique par ailleurs entourée d'une telle renommée ? Le psychodrame fait peur. Sa charge émotive apparaît sûrement trop considérable. Autant un individu dit « normal », mais désireux de se connaître, envisagera de pouvoir se faire psychanalyser, autant l'expérience du psychodrame l'effraiera ou le traumatisera. Notre émotivité est devenue fragile. La catharsis dramatique — besoin, on l'a vu, de toute société — est assurée par le cinéma ou la télévision qui mettent un » écran » (et le terme a, là, toute sa valeur sémantique) supplémentaire entre le spectateur et l'acteur. Un des chemins du psychodrame est pourtant résolument esthétique.

Par le « warning up », c'est-à-dire la mise en train d'une séance et de ses participants, et par l'entraînement à la spontanéité, le psychodrame rejoint très nettement le théâtre et l'interprétation théâtrale : Stanislavski◆ ou Elia Kazan◆ sont, en ce sens, très proches de Moreno. Rappelons aussi que celui-ci n'a pas été ignoré de Pirandello : la correspondance entre les secrétaires des deux hommes fait apparaître l'influence que le récit de Moreno sur l'incident du drame de Zarathoustra aurait eue sur l'œuvre de Pirandello, « Six personnages en quête d'auteur ».

◆ *Stanislavski* (1863-1938) : acteur et metteur en scène russe né à Moscou, animateur du Théâtre d'art de Moscou.

◆ *Elia Kazan* : metteur en scène et écrivain, longtemps animateur de l'Actor's Studio à New York.

Quant au happening, c'est purement et simplement un psychodrame, très exactement ce que les spécialistes appellent le « drame psychomusical organique ». Voici ce qu'en dit un de ses spécialistes : « Le psycho» dramatiste produit ou chante de très courtes chansons de quelques » secondes chacune, accompagnées de gestes théâtraux, de mouvements » de la tête, des bras, des jambes, des pieds, de mouvements rythmiques » qui donnent corps au chant [...]. C'est une sorte de gag qui entraîne » l'auditoire. Puis un des participants monte sur le podium et présente » une situation, le dialogue étant remplacé par des gestes et des excla» mations [...]. Ces séances d'improvisation, avec mélanges des genres, » actions, chants, gestes, mouvements, se rapprochent des jam-sessions » de jazz ou des séances d'improvisation et de création artistique [...]. » Cette technique, vulgarisée dans les milieux artistiques américains et » européens sous le nom de « happening », peut ne pas être sans dan» ger◆. »

◆ A. Ancelin Schutzenberger : *Précis de psychodrame* (Paris, Editions Universitaires, 1966).

Or, malgré des débuts fracassants il y a quelques années, et une flambée immédiate de manifestations diverses, le happening s'est presque éteint. Il semble que, même dans des milieux d'avant-garde habitués à ce genre d'expériences, les chocs émotifs inhérents au psychodrame lui-même et, à plus forte raison, au happening, « psychodrame sauvage », aient paru insupportables.

Cela mis à part, le psychodrame a maintenant deux principaux domaines d'application : les enfants et les psychotiques◆. Dans l'un et l'autre cas, il aboutit à des résultats remarquables.

◆ *psychotique* : terme scientifique servant à désigner les fous.

L'enfant entre volontiers dans le jeu du groupe

Le psychodrame est particulièrement utilisé avec les enfants inadaptés mais dans le cadre même des thèses psychanalytiques : « Les enfants,

» dit un spécialiste, manifestent un véritable appétit social qui rend plus » facile avec eux l'action de groupe que l'action individuelle. La psychothérapie de groupe fournit les conditions idéales pour le passage du » sur-moi infantile, qui résulte de l'intériorisation des interdits parentaux, au sur-moi social, expression du désir d'être accepté par le » groupe. C'est ce passage que la psychothérapie de groupe a pour mission d'obtenir quand il ne s'est pas normalement effectué dans la vie » [...]. Sauf dans les cas où plusieurs séances préliminaires sont nécessaires à titre d'entraînement, la première séance prend une importance capitale. L'enfant y exprime de façon plus ou moins déguisée » son problème personnel, ou bien il extériorise la façon dont il se représente la réadaptation, les sentiments et les fantasmes qui y sont » liés◆. »

◆ D. Anzieu: *le Psychodrame analytique chez l'enfant* (Paris, P.U.F., 1956).

L'enfant menteur, voleur ou fugueur, amené à jouer son propre rôle, prend, de ce fait même, un tel recul par rapport à ses pulsions mauvaises qu'il décidera par lui-même de changer. C'est une prise de conscience que, souvent, aucune intervention n'est susceptible de procurer.

Les psychotiques retrouvent spontanément les anciens mythes

Le psychodrame, en tant que traitement de la folie (c'est-à-dire des psychoses), a un illustre prédécesseur : le marquis de Sade lui-même, qui organisa à Charenton, au début du XIXe siècle, des séances de théâtrothérapie (qui se distinguaient du psychodrame en ce qu'elles n'étaient pas improvisées). L'expérience dura huit ans.

Avec les « psychotiques », égarés dans leur propre délire et fermés à tout contact humain, le psychodrame aboutit parfois à des séances prodigieuses d'invention et de poésie. Les malades retrouvent spontanément les plus vieux archétypes et les plus anciens mythes, de même que les grands thèmes culturels. On a posé de tout temps les rapports du génie et de la folie. Moreno prend nettement position... en faveur de la folie. Ce sont ces positions outrées qui expliquent les critiques qu'on lui adresse.

Voici le récit◆ d'un psychodrame de psychotique particulièrement remarquable. Sans doute mieux que des explications (« au-delà des paroles, l'acte », dit Moreno), ce récit fera comprendre ce qu'est le psychodrame.

◆ J.L. Moreno: *Psychothérapie de groupe et psychodrame* (Paris, P.U.F., 1965).

Le psychodrame délivre le malade de son isolement

Une jeune psychotique, Linda, se trouvait, il y a de nombreuses années, dans la clinique de Moreno, à Beacon, près de New York. Cette jeune fille avait très peur pendant les repas. Elle ne mangeait guère.

Moreno explore la situation psychodramatiquement, en jouant la scène du repas, une scène très simple : six ou sept personnes réunies autour d'une table. Linda ne voulait ni parler ni manger. Sa voisine lui dit (en psychodrame) : « Linda, passe-moi le sel. » Linda fixe quelque chose, elle ne répond pas. Moreno lui dit : « Que regardez-vous, Linda ? » D'une voix chuchotante et apeurée, elle répond : « Ne les voyez-vous pas ? » Moreno, entrant complètement dans l'hallucination et acceptant le monde de la malade, dit : « Oui, je les vois. Mais combien y en » a-t-il ? » Linda : « Trois. » Moreno : « Comment sont-ils habillés ? » Linda : « Ils sont noirs et en cagoule. » Moreno : « Où sont-ils ? » Linda : « Ils marchent au plafond. » Moreno : « Est-ce qu'ils représentent » quelque chose ? » Linda : « Oui, la haine, la peur, la mort. » Moreno : « Est-ce qu'ils sont seuls ? » Linda : « Non, chacun est debout devant » son cercueil. » Moreno : « Ces cercueils sont-ils vides ? » Linda : « Non. » Moreno : « Y a-t-il des gens dedans ? » Linda : « Oui. »

Moreno fait alors choisir à Linda, dans le groupe, les esprits de la haine, de la peur et de la mort. Puis il fait placer devant Linda un objet représentant le cercueil et lui dit : « Qu'y a-t-il dans ce cercueil ? » Linda : « Je vois ma mère dans le cercueil de la mort. » Moreno fait alors jouer par Linda le rôle de sa mère : elle se couche dans le cercueil de la mort. Linda s'étend, les yeux fermés, les bras le long du corps, représentant un repos serein. Moreno accepte son monde et son délire ; il s'adresse donc à la « mère » de Linda dans le « cercueil de la mort » et lui dit : « Madame X..., je suis désolé de vous voir ici. Qu'est- » ce qui vous est arrivé ? » La mère (Linda elle-même) répond d'un ton » sépulcral : « Je suis morte, massacrée ; ma fille m'a tuée à force de » me contrarier, elle m'a donné une maladie de cœur et je suis morte. » Je suis beaucoup mieux ainsi, d'ailleurs. » Moreno : « Je comprends », et il ajoute : « Où est Linda maintenant ? » La « mère », dans le cercueil : « Elle est morte aussi après m'avoir assassinée. » Moreno s'adresse alors à Linda : « Vous êtes Linda maintenant ; vous êtes vous- » même. » Et il dit à l'esprit de la mort (joué par un malade schizophrène) : « Que pensez-vous de la situation, esprit de la mort ? » L'esprit de la mort répond : « Linda est trop jeune et trop jolie pour mourir. » Moreno : « Va-t-on lui pardonner ses péchés et la laisser vivre ? » « L'es- » prit ne te retient plus ». Moreno, à « l'esprit de la mort » : « Va-t'en, » esprit de la mort ! » Et on le renvoie de la scène. — Il s'en va.

Moreno tient Linda par la main et, se dirigeant vers le cercueil suivant, dit à Linda : « Qu'est-ce que c'est ? » Linda : « C'est l'esprit de la peur. » Moreno dit à Linda : « Entrez dans le cercueil et montrez-nous comment » il est. » Linda se couche, comme un animal effrayé, en se protégeant la tête de ses bras. Moreno dit à Linda : « Qui êtes-vous ? » Elle répond : « Je suis tous les malades de tous les hôpitaux psychiatriques. » Moreno

se tourne vers l'ego-auxiliaire qui joue « l'esprit de la peur » et lui dit : « Qu'en pensez-vous, esprit de la peur ? » L'esprit de la peur (qui est aussi un autre malade schizophrène) répond : « Je lui montre seulement les craintes qu'elle se crée pour elle-même. » Moreno se tourne vers Linda : « Est-ce vrai, Linda ? » Linda : « Partiellement. » Moreno fait signe à tout le groupe de répondre d'une seule voix à Linda, comme un chœur antique ; le groupe répond : « Nous te promettons de t'aimer, » Linda. N'aie plus peur. Nous t'acceptons, nous te défendrons. » Cela est répété de plus en plus fort. Moreno dit à Linda : « Sortez de ce » cercueil. L'esprit de la peur peut partir puisque nous allons t'aider. » — L'esprit de la peur quitte la scène.

Moreno fait lever Linda du cercueil de la crainte, l'amène devant le troisième cercueil et dit : « Qu'est-ce que c'est ? » Linda : « C'est l'esprit » de la haine. » Moreno dit à Linda : « Entrez dans le cercueil et mon- » trez-nous ce que ressent la haine. » Linda se couche en s'entourant de ses bras et de ses jambes, comme si elle s'emprisonnait par des liens. Moreno lui dit : « Qui êtes-vous, Linda ? » Linda : « C'est moi lorsque » je n'obtiens pas ce que je veux. » Moreno : « Quoi, par exemple ? » Linda : « Lorsque je ne peux les empêcher de me faire de l'électro- » choc. » Moreno : « Esprit de la haine, qu'est-ce que vous en pensez ? » L'esprit de la haine (qui est encore un autre malade) : « Les électro- » chocs, c'est censé aider les gens. » Moreno : « Est-ce que cela a aidé » Linda, à votre avis ? » L'esprit : « Je suppose, sinon on ne lui en aurait » pas fait. » Moreno, à Linda : « Que pensez-vous de tout cela ? » Linda : « C'est un traitement trop affreux, inhumain. » Moreno : « Est-ce qu'on » en a jamais fait ici ? Est-ce que vous craignez qu'on vous en fasse » maintenant ? » Linda : « Non. » Moreno : « Y a-t-il longtemps qu'on » vous en a fait ? » Linda : « Il y a un an, dans un autre hôpital. » Moreno : « Nous vous promettons que nous ne vous ferons pas d'élec- » trochocs ici. » Il fait un geste, et l'esprit de la haine quitte la scène.

Linda semble s'être, tout au moins « ici et maintenant », débarrassée des hallucinations de haine et d'angoisse. On a réussi, par cette séance, à entrer à l'intérieur du monde de la malade, à comprendre comment ce monde était ressenti par la malade, quelles étaient « ses craintes » ; acceptée par le thérapeute et par le groupe, elle pouvait sortir du domaine de l'incommunicable pour entrer dans le domaine du communicable.

Enfin, les techniques psychodramatiques (si variées puisqu'on en compte plusieurs centaines) ont donné lieu au « role playing », le « jeu de rôle », utilisé aujourd'hui communément dans la formation des cadres, le recyclage, etc.

Il permet de tester les capacités individuelles dans divers domaines. Il date de la Seconde Guerre mondiale : à la demande du général Jenkins, Moreno mit au point le « test de l'incendie », qui permet de détecter l'esprit d'initiative et le sang-froid des futurs officiers. Le test, maintenant utilisé dans le civil, comprend cinq situations successives, de plus en plus difficiles, que chaque sujet doit jouer et résoudre au fur et à mesure : sauver les enfants, puis la mère qui s'évanouit, récupérer des objets précieux, prendre une décision lorsque l'escalier s'écroule... En général, 5 % des candidats arrivent seulement à franchir le cinquième échelon et sont considérés comme doués de spontanéité et d'adaptabilité.

Du « transfert » de Freud à la « rencontre » de Moreno

C'est dans l'interprétation des données du psychodrame, et non dans la méthode elle-même, que Moreno se distingue de Freud et des analystes. Au « transfert », il oppose la « rencontre », à l'inconscient, le coïnconscient ou les « états inconscients », à la sublimation, la « créativité spontanée », etc. Il est difficile à des non-spécialistes d'entrer dans le détail de ces querelles d'école. Il est en revanche passionnant d'opposer la personnalité de Moreno à celle de Freud.

« Campagnard tôt transplanté à la ville, enfant de commerçant ruiné qui » veut faire carrière dans les sciences pures, juif aux prises avec les » poussées d'antisémitisme, fils aîné d'un deuxième lit dont le demi- » frère a l'âge de sa jeune mère, Sigmund Freud se replie sur lui-même » et développe des qualités aiguës d'observateur — de la cellule vivante, » des humains, de soi-même. Archéologue qui reconstitue l'histoire à » partir des traces actuelles de son drame. Les expériences personnelles » de Moreno se sont déroulées dans un autre domaine ; son intérêt pour » les enfants abandonnés dans les jardins de Vienne, pour les prosti- » tuées que la société tient à l'écart, pour les personnes déplacées du » camp de Mitterndorf, son expérience de psychiatre en rupture avec » la médecine officielle, d'acteur en conflit avec le théâtre traditionnel, » de mystique en dehors des religions établies, enfin son expérience » d'immigrant nous paraissent converger vers le problème du rejet » social. Moreno est préoccupé par tous ceux qui ont du mal à se faire » accepter d'un groupe : les Noirs en face des Blancs, les juifs en face » des Allemands, les isolés dans une classe, un atelier ou une escadrille...

« Quand il écrit : "*L'individu est épouvanté par les puissants courants » d'émotion que la société peut diriger contre lui*", il est bien difficile » de ne pas entendre là un accent personnel. Enfin, quand lui-même » administre à l'inadapté — c'est-à-dire au rejeté — les ressources du » psychodrame, par une réaction curieuse il se retire de la scène, il » s'isole par rapport aux courants psychosociaux qu'il vient de déclen-

» cher, et il adopte, sur le monde en miniature des acteurs spontanés, » le point de vue de la contemplation démiurgique◆. »

◆ A. Ancelin Schutzenberger : *Précis de psychodrame* (Paris, Editions universitaires, 1966).

Moreno découvre un prolétariat thérapeutique ou affectif

« Le monde plein de vicissitudes dans lequel nous sommes a besoin » d'une thérapie mondiale. » Ainsi s'exprime Moreno. Il ne se veut pas un technicien psychique. L'élan messianique de son enfance ne l'a jamais abandonné. Autant l'arsenal technique de la sociométrie et du psychodrame est admis et utilisé, autant la philosophie morénienne qui les sous-tend est rejetée. Moreno, dans l'expression de ses théories, manque de rigueur, mais il déborde de générosité. C'est en toute innocence qu'il s'avoue magicien — mais toute la psychologie opérative n'a-t-elle pas pour but plus ou moins avoué de manipuler les hommes ?

L'homme, pense-t-il, est un être cosmique : « Il est plus qu'un être psy- » chologique, social ou culturel. En limitant ses responsabilités aux » seuls domaines psychologiques, sociaux ou biologiques de la vie, on en » fait un banni. Ou bien il partage les responsabilités de l'univers » entier, de toutes les formes et de toutes les valeurs, ou sa responsabi- » lité n'a aucun sens. L'existence de l'univers est importante, elle est, en » fait, la seule chose qui ait de l'importance. Elle est plus importante » que la vie ou la mort de l'être humain comme individu, comme forme » de civilisation, comme espèce. Après la « volonté de vivre » de Scho- » penhauer, la « volonté de valeur » de Weininger, la « volonté de puis- » sance », de Nietzsche, je postule une « volonté de la valeur suprême » » que toutes les créatures pressentent et qui les unit toutes. J'en déduis » l'hypothèse que le cosmos en devenir représente l'existense première » et dernière, la valeur suprême ; lui seul peut donner signification et » valeur à la vie d'un élément quelconque, qu'il soit homme ou proto- » zoaire...

« La destination de l'esprit scientifique a été de détruire les croyances » magiques et de payer cette destruction par une perte de spontanéité, » d'imagination et une philosophie de l'existence sans unité. Mais il se » produira une évolution cyclique. Même si nous ne revenons pas au » monde magique de nos ancêtres, nous créerons sur de nouvelles bases » une magie nouvelle. La science elle-même nous y amènera. L'éternel » enfant qui est dans l'homme ne disparaîtra pas de son imagination. La » science trouvera de nouveaux moyens de peupler l'univers de créa- » tures fantastiques, même si elle doit les créer elle-même. Nous » sommes à mi-chemin de cette évolution [...]. Le psychodrame lui- » même est une des formes de cette magie nouvelle◆. »

◆ J.L. Moreno : *Psychothérapie de groupe et psychodrame* (Paris, P.U.F., 1965).

S. P.

Quiz

Connaissez-vous Jacob Levy Moreno ?

1
Les deux prénoms de Moreno sont
☐ Arthur Levy
☐ Abraham Jacob
☐ Jacob Levy

2
Il est né en 1892 à
☐ Prague
☐ Budapest
☐ Bucarest

3
Dès l'enfance, ses goûts et ses aptitudes le portent vers
☐ la musique
☐ le théâtre
☐ la poésie
☐ l'ethnologie et la préhistoire
☐ le folklore

4
A Vienne, où sa famille s'installe, il fait des études de
☐ sociologie
☐ philosophie
☐ médecine
☐ mathématiques

5
En 1912, il rencontre à la clinique psychiatrique de l'Université de Vienne
☐ Sigmund Freud
☐ Alfred Adler
☐ Sandor Ferenczi
☐ Ludwig Binswanger

6
L'année suivante, sa première expérience de psychosociologie s'adresse
☐ à un bataillon d'élite de l'armée austro-hongroise
☐ aux prostituées de Vienne
☐ aux étudiants de la Faculté de médecine de Vienne
☐ à des chômeurs tyroliens venus manifester dans la capitale

7
Après l'échec du premier psychodrame organisé en public, Moreno fonde son propre théâtre et lui donne le nom de
☐ théâtre d'improvisation
☐ psychodrame et vie nouvelle
☐ théâtre populaire et thérapeutique de Vienne

8
Dans ce théâtre, les intrigues qui sous-tendent l'improvisation sont
☐ tirées de l'œuvre des grands tragiques grecs
☐ fournies par les faits divers de la presse quotidienne
☐ laissées à la libre initiative des participants
☐ sélectionnées par les participants à l'issue d'un brainstorming

9
Une jeune actrice, célèbre depuis la littérature psychodramatique, aide Moreno à découvrir l'effet thérapeutique consécutif à l'improvisation dramatique. Elle est connue sous le prénom de
☐ Ursula
☐ Hélène
☐ Barbara
☐ Gertrud
☐ Sophie

10
1925 marque un tournant important dans l'existence de Moreno
☐ il émigre aux U.S.A.
☐ il découvre *le Capital* et s'inscrit au parti communiste
☐ il épouse une star hollywoodienne
☐ il se convertit au catholicisme

11
Pouvez-vous restituer à chacune de ces disciplines la définition qu'en a donnée Moreno ?
a) sociométrie
b) sociatrie
c) sociodynamique
d) socionomie
1. science de la structure des groupes sociaux, isolés ou liés
2. science de la thérapie des groupes sociaux
3. science de la mesure des relations entre les hommes
4. essai d'approche quantifiable, expérimentale, mesurable et métrique des relations humaines et des propriétés psychologiques d'une population donnée

12
Quel est, de ces trois termes, celui qui fut adopté, défini et imposé par Moreno ?
☐ transfert
☐ télé
☐ empathie

13
La représentation graphique du choix sociométrique s'appelle
☐ sociogramme
☐ organigramme
☐ aristotélé
☐ sociomatrice

14
Le test perceptuel sociométrique mesure la popularité ou l'impopularité d'un membre du groupe en se référant aux évaluations fournies par
☐ le psychothérapeute principal et les thérapeutes auxiliaires
☐ tous les membres du groupe à l'exception des thérapeutes
☐ l'intéressé lui-même

15
« Les points de cristallisation de ce que nous appelons le moi sont les... dans lesquels il se manifeste ». Lequel, parmi les termes proposés, complète la phrase ci-dessus ?
☐ comportements
☐ rôles
☐ conduites
☐ signes

16
Afin d'apprécier le sang-froid et l'initiative des futurs officiers, Moreno met au point, à la demande du général Jenkins, un test appelé test
☐ de l'incendie
☐ du naufrage
☐ de l'attaque aérienne

17
« Dès qu'il atteint l'âge adulte, l'homme s'accomplit dans un rôle déterminé qui exprime sa personnalité tout entière ». D'après Moreno, cette proposition est
☐ vraie et satisfaisante
☐ fausse et nocive
☐ socialement vraie mais psychologiquement nocive

18
La clé de voûte de l'action thérapeutique du psychodrame réside en la vertu
☐ d'un traumatisme affectif salutaire
☐ d'une confession librement consentie
☐ d'un effet de catharsis
☐ de l'expression autorisée de la volonté de puissance

19
Moreno distingue trois types de rôles qu'il qualifie ainsi : psychosomatiques, sociaux et psychodramatiques. Dans quelle catégorie ranger les rôles suivants ?
☐ docteur
☐ dormeur
☐ fée
☐ pilote
☐ Dieu
☐ père
☐ mangeur
☐ policier
☐ ange
☐ buveur
☐ rôle sexuel
☐ instituteur

20
Dans la situation psychodramatique, le moi-auxiliaire est
☐ un personnage irréel né d'un dédoublement passager de la personnalité du protagoniste
☐ un membre du groupe qui joue des rôles différents de celui du protagoniste que, par ailleurs, il soutient et guide.
☐ un membre du groupe qui reproduit exactement les gestes, mimiques et paroles du protagoniste, afin que celui-ci puisse se voir « en miroir »

21
Le « facteur S » donne la mesure de
☐ la sociabilité
☐ la spontanéité
☐ l'intensité des affects
☐ du succès auquel peut actuellement prétendre un individu.

22
Les méthodes qu'utilise le psychodrame étaient déjà présentes dans les chefs-d'œuvre de la littérature universelle, dit Moreno. A quel auteur attribuer la connaissance intuitive de
a) la méthode du miroir

b) la méthode du double
c) la méthode du rêve
d) le changement de rôles
1. Shakespeare
2. Dostoïevski
3. Socrate
4. Calderon

23
Moreno explique l'amnésie totale des trois premières années de l'enfance par
☐ un refoulement massif des affects et surtout des pulsions sexuelles
☐ l'intensité que l'enfant apporte à chacun de ses actes et qui l'absorbe au point qu'il ne peut s'observer ni, de ce fait, mémoriser
☐ la maturation insuffisante du cortex cérébral

24
Pour les psychanalystes en général, et Otto Rank en particulier, la naissance est un événement traumatique, source de toutes les angoisses de la vie future
☐ Moreno partage cette opinion
☐ il la nuance avec preuves à l'appui
☐ il s'inscrit en faux et invoque sa philosophie optimiste de l'existence

25
La différence fondamentale entre psychothérapie de groupe et psychodrame porte sur
☐ la présence obligatoire ou facultative d'un thérapeute dans le groupe
☐ le choix des membres : malades mentaux dans un cas et, dans l'autre, individus relativement sains d'esprit
☐ l'objet et l'intensité des relations entre les différents membres du groupe

26
L'attitude idéale du thérapeute est, comme celle du psychanalyste freudien, caractérisée par la neutralité bienveillante et la passivité
☐ vrai
☐ faux
☐ partiellement exact

27
La durée d'une psychothérapie de groupe varie en fonction
☐ du nombre de membres que compte le groupe
☐ d'un programme, établi après diagnostic par le thérapeute, des besoins des membres

28
Les méthodes psychodramatiques mises au point par Moreno
☐ évoluent constamment avec l'accord et parfois à l'initiative de celui-ci
☐ se modifient contre son gré ; leur évolution lui a échappé
☐ demeurent intangibles et rigoureusement observées

29
Qu'appelle-t-on, en psychodrame, « renversement des rôles » ?
☐ l'acteur principal inverse la scène précédente et mime la colère après avoir exprimé sa soumission passive
☐ l'acteur principal prend la place du thérapeute et observe à distance le thérapeute qui joue son rôle
☐ deux acteurs échangent leur rôle respectif

30
L'expression « jeu de rôle » est réservée
☐ à des démonstrations de psychodrames réalisés par des acteurs professionnels
☐ à un jeu dramatique stéréotypé et appliqué par principe à un certain nombre de rôles sociaux
☐ aux applications du psychodrame dans l'industrie

Quiz

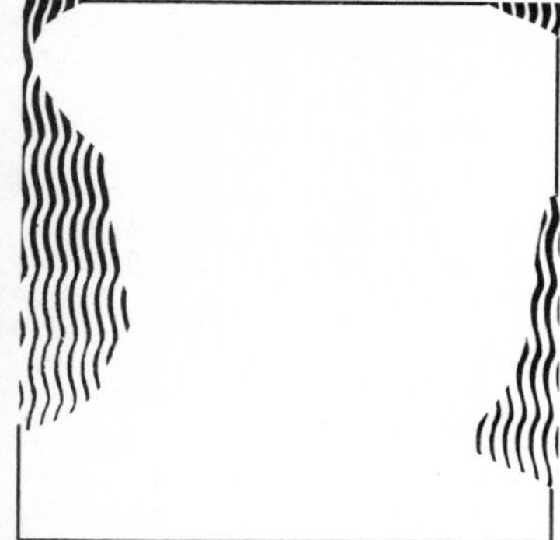

Réponses

1 Jacob Levy.

2 Bucarest.
Il est issu d'une famille juive originaire de la péninsule ibérique et qui émigra successivement vers la Turquie, la mer Noire, Bucarest, puis enfin Vienne.

3 Le théâtre.
« *Moreno aime à raconter comment, à quatre ans, il inventa le psychodrame. Après avoir réparti les rôles d'anges entre ses camarades de jeu, il monta sur une pile de chaises pour prendre le rôle de Dieu et, en s'effrondrant, il se cassa le bras droit.* » (Gennie et Paul Lemoine, in « le Psychodrame », Paris, Robert Laffont).

4 Médecine.
Par la suite, ses études et ses intérêts s'appliquèrent à la psychanalyse, à la pédagogie, à l'histoire du théâtre ainsi qu'au répertoire classique et, enfin, à la sociologie. Professeur de sociologie à l'université de New York, il est directeur de l'Institut Moreno et président de l'Association internationale de psychothérapie de groupe et de psychodrame.

5 Sigmund Freud.
Moreno raconte lui-même sa réponse à la question de Freud qui l'interrogeait alors sur ses occupations : « *Eh bien, docteur Freud, lui dit-il, je commence là où vous vous arrêtez. Vous rencontrez les autres dans le cadre artificiel de votre cabinet ; je les rencontre dans la rue ou chez eux, dans leur milieu habituel. Vous analysez leurs rêves. J'essaie de leur insuffler le courage de rêver encore. J'apprends aux gens comment jouer Dieu.* » (J.L. Moreno, in « Psychothérapie de groupe et psychodrame », Paris, P.U.F.).

6 Aux prostituées de Vienne.
« *Il y avait à Vienne* [...] *un quartier réservé aux prostituées dans la célèbre rue du « Spittelberg », une sorte de ghetto ; on trouvait là toute une catégorie de personnes séparées du reste de la société, non point à cause de leur statut économique ou de leur appartenance ethnique, mais à cause de leur « commerce »* [...]. *C'est en 1913 que j'ai commencé* [...] *à me rendre chez elles. Mes visites n'étaient pas motivées par le désir d'amender ces jeunes femmes ou de les analyser* [...]. *Nous voulions donner aux prostituées une nouvelle signification, afin qu'elles puissent s'accepter elles-mêmes.* » (J.L. Moreno, in « Psychothérapie de groupe et psychodrame », Paris, P.U.F.).

7 Théâtre d'improvisation.
Le nom allemand de ce théâtre était *das Stegreif Theater ;* la traduction anglaise adoptée fut *the Theater of Spontaneity*. On parle aussi, en France, pour le désigner de « théâtre impromptu » et encore « théâtre d'expression spontanée ».

8 Fournies par les faits divers de la presse quotidienne.
Il ne s'agit pas encore, en effet, d'improvisation totale. « *Il y a un dramaturge, un directeur de jeu et des acteurs. C'est plutôt un avatar moderne de la* commedia dell arte *italienne. Moreno s'était attribué et a toujours gardé, depuis ces temps lointains, le rôle de directeur de jeu. Il établissait le contact entre l'auteur les acteurs et le public, modifiant le scénario au fur et à mesure des réactions des uns et des autres. Il fallait un canevas dramatique par jour. Le problème se posa rapidement. Il fut résolu par le « journal vivant ». La lecture des quotidiens fournissait toujours un fait divers assez dramatique, susceptible de servir de base à une représentation.* » (Sarah Peltant : « Jacob Lévi Moreno, l'inventeur du psychodrame », in *Psychologie*, n° 4).

9 Barbara.
Elle était exquise et douce et remplissait à ravir les rôles d'ingénue et de tendre héroïne romantique. Un jeune poète venait régulièrement la voir jouer, s'éprit d'elle et l'épousa. Mais le pauvre garçon, après une brève lune de miel, vint trouver Moreno pour se plaindre du caractère atroce de Barbara. L'angélique jeune première se transformait, au foyer, en une redoutable furie, injuriait son époux dans un langage de corps de garde et passait sans scrupules aux sévices physiques. Moreno eut alors l'intuition sans doute la plus riche de sa carrière. Il offrit à Barbara de sortir de ses rôles éthérés pour endosser des personnages de prostituée, de fille à soldats, de mégère haineuse, etc. Le naturel de Barbara fut saisissant dans la vulgarité, la bassesse et la méchanceté au point que son public coutumier hésitait à la reconnaître. Dans le même temps, son mari récupérait à la maison une femme adoucie, apaisée, capable de critique à l'égard de sa conduite et, bientôt aussi, capable de maîtriser ses

emportements. L'effet thérapeutique du psychodrame était découvert.

10 Il émigre aux Etats-Unis.
« *Le contact de son romantisme d'Europe centrale avec l'esprit rationnel nord-américain provoque chez lui une mutation. Le psychodrame était, jusque-là, un art. Moreno veut lui donner un fondement scientifique. La sociométrie, qui est l'étude de la mesure des relations interpersonnelles des individus à l'intérieur d'un groupe, va le lui donner.* » (Sarah Peltant : « Jacob Levi Moreno, l'inventeur du psychodrame », in *Psychologie*, nº 4).

11 c1-b2-a3-d4.

12 Télé.
« *Le télé (du grec « lointain, agissant à distance ») a été défini comme une liaison élémentaire qui peut exister aussi bien entre des individus et des objets et qui développe en l'homme, de façon progressive à partir de la naissance, le sens des relations sociales. Le télé peut être par là considéré comme le fondement de toutes les relations interpersonnelles saines et l'élément essentiel de toute méthode efficace de psychotérapie.* » Cette pesante et obscure définition est due à Moreno. On le comprend mieux lorsqu'il explique que « le télé est le facteur de cohésion de tout groupe, quel qu'il soit. » Sans trop s'éloigner de la vérité, le langage populaire conclurait simplement : le télé, ce sont les atomes crochus.

13 Sociogramme.
Un questionnaire ou de courtes questions posées à tous les membres du groupe permettent de situer la position de chacun à l'intérieur de ce groupe. A qui est-il sympathique, antipathique ou indifférent ? Et envers qui lui-même éprouve-t-il de la sympathie, de l'antipathie ou de l'indifférence ? Le sociogramme est *la représentation symbolique des relations réciproques qui existent entre les membres d'un groupe. Si A choisit B, ce n'est que la moitié de la relation entre A et B. B peut choisir A, le rejeter ou l'ignorer. Le sociogramme est un graphique établi selon un critère de choix, tantôt librement en dessin sur une feuille avec des flèches, tantôt en cible, les étoiles et « leaders » étant au centre, tantôt en un tableau à double entrée (sociomatrice) [...]. Classiquement, le sociogramme indique à la fois les rapports sexués (cercle pour une fille, triangle pour un garçon) et la qualité (positive, négative, réciproque) du rapport.* » (Anne Ancelin Schutzenberger in « Vocabulaire des techniques de groupe », Paris, éd. de l'Epi).

14 L'intéressé lui-même.
Au sein d'un groupe, l'individu perçoit intuitivement les réactions de sympathie ou d'antipathie que sa personne suscite chez les autres membres du groupe. Le test perceptuel sociométrique consiste à obtenir du sujet l'évaluation des sentiments des autres à son égard. Cette évaluation est ensuite comparée aux résultats obtenus par le sociogramme objectif. L'adéquation entre sociogramme perceptuel et sociogramme objectif révèle généralement une bonne adaptation sociale.

15 Rôles.
Moreno écrit encore, à propos du rôle : « *Nous définissons ainsi le rôle comme la manière d'être et d'agir que l'individu assume au moment précis où il réagit à une situation donnée, dans laquelle d'autres personnes ou objets sont engagés. Le rôle dépend donc de la manière d'être au monde d'un individu, de sa situation et de la position prise par lui dans un groupe donné ou une situation donnée, et de leurs relations réciproques.* »

16 De l'incendie.
« *Le test, maintenant utilisé dans le civil, comprend cinq situations successives, de plus en plus difficiles, que chaque sujet doit jouer et résoudre au fur et à mesure : sauver les enfants, puis la mère qui s'évanouit, récupérer des objets précieux, prendre une décision lorsque l'escalier s'écroule [...]. En général, 5 % des candidats seulement arrivent à franchir le cinquième échelon et sont considérés comme doués de spontanéité et d'adaptabilité.* » (Sarah Peltant, in « Jacob Lévi Moreno, l'inventeur du psychodrame », in *Psychologie*, nº 4).

17 Socialement vraie, mais psychologiquement nocive.
« *La vie sociale a tendance à attribuer un rôle défini à un individu déterminé, si bien que ce rôle devient le rôle majeur dans lequel l'individu est enfermé* », s'indigne Moreno. Il dit encore à ce sujet : « *On attend de chacun qu'il vive conformément au rôle social qu'il joue dans la vie ; un professeur doit agir en professeur, un élève en élève, etc. Mais l'individu désire incarner beaucoup plus de rôles que ceux qui lui sont permis dans la vie, et, de plus, à l'intérieur d'un même rôle en tenir plusieurs aspects. Tout individu porte en lui un éventail de rôles qu'il voudrait jouer et qui restent potentiellement présents aux différents stades de son développement.* » (J.L. Moreno, in « Psychothérapie de groupe et psychodrame », Paris P.U.F.).

18 D'un effet de catharsis.
« *Ce mot fut emprunté par Aristote à son père, médecin, et transposé par lui* » *de la purification du corps à la*

purification de l'âme [...]. Nous pourrions dire que la catharsis est un soulagement après un état de tension extrême, un bouillonnement, un sommet émotionnel avec rupture de résistance, dégel des sentiments, expulsion des scories produisant une libération du passé et une modification à partir de laquelle une action de reconstruction est possible [...]. La catharsis peut arriver en cours de jeu psychodramatique sur scène, comme en cours de discussion dans la salle de groupe, ou parfois après la séance [...]. La catharsis n'est pas en soi une guérison totale, mais un soulagement. » (Anne Ancelin Schutzenberger, in « Vocabulaire des techniques de groupe », Paris, éd. de l'Epi).

19 Psychosomatiques : dormeur, mangeur, buveur, rôle sexuel ;
psychodramatiques : fée, Dieu, ange ;
sociaux : docteur, pilote, père, policier, instituteur.

20 Un membre du groupe qui joue des rôles différents de celui du protagoniste que, par ailleurs, il soutient et guide.
Le concept de Moi-auxiliaire trouve son fondement dans la relation primordiale de l'enfant à sa mère: « Pour l'enfant, tout ce que fait la mère est une part inconsciente de son Moi ; à un degré beaucoup moins élevé, tout ce que fait l'enfant est, pour la mère, une part inconsciente de son Moi, la mère est un Moi-auxiliaire de son enfant ; elle est un cas particulier de sa vie inconsciente. » Comment agissent les Moi-auxiliaires dans le psychodrame ? « *Les Moi-auxiliaires sont, en fait, des personnes réelles, mais, comme des fées bienveillantes, ils pénètrent par leurs sortilèges dans l'âme de l'être à la dérive ; comme des esprits frappeurs, bons ou mauvais, ils secouent et effraient parfois le patient, le surprennent et le consolent à d'autres moments.* »
(J.L. Moreno, in « Psychothérapie de groupe et psychodrame », Paris, P.U.F.).

21 La spontanéité.
« *Le premier acte spontané d'un être, c'est de naître* », écrit Moreno qui attache au concept de spontanéité une valeur fondamentale. Il distingue quatre formes de spontanéité : un élan, une acquisition culturelle, une création de libre expression de la personnalité et, enfin, une réponse nouvelle et adéquate à une situation nouvelle et souvent difficile. La spontanéité est la matrice de la créativité et le lieu de naissance du « Je ».

22 La méthode du rêve :
Calderón (*la Vie est un songe*) ;
Le changement de rôle :
Socrate à travers les dialogues de Platon ;
La méthode du double :
Dostoïevski (*le Double*) ;
La méthode du miroir :
Shakespeare (*Hamlet*).

23 L'intensité que l'enfant apporte à chacun de ses actes et qui l'absorbe au point qu'il ne peut s'observer ni, de ce fait, mémoriser.
« *On peut considérer l'expérience de l'enfant comme équivalente mais à une plus grande échelle, de ce qui se passe chez le sujet totalement spontané sur la scène psychodramatique. On peut admettre que nous voyons, en psychodrame, lorsque la spontanéité se libère totalement dans le feu de l'action, les mêmes phénomènes que l'on pourrait observer dans le développement de l'enfant. Nous admettons que l'enfant se prépare à ces actes spontanés avec une telle intensité que chaque particule de son être y participe, qu'aucune partie de lui-même ne peut être laissée de côté pour une distanciation comme observateur. Lorsqu'il n'y a pas eu enregistrement de l'action ou de l'événement, lorsqu'il n'y a pas trace mesique, il n'y a pas de remémoration possible.* » (J.L. Moreno, in « Psychothérapie de groupe et psychodrame », Paris, P.U.F.).

24 Il s'inscrit en faux et invoque sa philosophie optimiste de l'existence.
Premier acte spontané de l'enfant, la naissance ne saurait être un traumatisme, d'autant que l'enfant et sa partenaire maternelle s'y sont préparés pendant neuf mois. Face à la théorie psychanalytique, le bel optimisme de Moreno s'exprime en ces termes : « *Une théorie de la spontanéité du développement de l'enfant évalue la croissance de l'enfant en termes positifs et en termes de progression et d'accession à la maturité, plutôt qu'en termes négatifs et en termes de retard et de régression.* »

25 L'objet et l'intensité des relations entre les différents membres du groupe.
« *L'opposition décisive entre ces deux formes réside dans le fait que, dans la psychothérapie de groupe, les relations entre les membres sont constituées par ce qui est dit (la discussion) et son analyse, alors que dans le psychodrame, c'est « la vie elle-même » qui tient lieu de discussion et d'analyse* »
(J.L. Moreno, in « Psychothérapie de groupe et psychodrame », Paris, P.U.F.).

26 Faux.
« *Le thérapeute n'est pas [...] l'auditeur passif et tranquille qu'est le psychanalyste ; il doit, lui aussi, lutter pour amener le patient à produire. Ainsi le transfert s'établit parfois du côté du directeur, et il est violent, comme lorsqu'un homme aime une femme et prend l'initiative : le thérapeute et le patient s'enflamment l'un à*

l'autre ; c'est une rencontre vraie, un combat de l'âme », écrit Moreno qui, dans un autre texte, attribue au thérapeute trois fonctions : médecin, chercheur et copatient. Cette dernière éventualité : le thérapeute devenu copatient, loin d'être pudiquement passée sous silence, est examinée avec loyauté.

27 Des besoins des membres. Moreno classe ainsi les traitements selon leur durée :
a) certains groupes ont rempli leurs besoins thérapeutiques après dix à douze séances ;
b) d'autres durent un an à deux ans à raison d'une séance hebdomadaire. Les problèmes traités dépassent alors de beaucoup le cercle étroit du groupe ;
c) il y a des groupes constants. Ce sont ceux qui prennent le caractère synthétique et durable d'une famille. Les patients qui appartiennent à ces familles thérapeutiques ne peuvent se passer du groupe pour atteindre au bien-être social.
Quant à la durée habituelle des séances, Anne Ancelin Schutzenberger précise : « *On utilise en France souvent 15 à 50 minutes pour du psychodrame individuel, 50 minutes ou 1 h 30 pour du groupe avec un intervalle de 15 minutes, permettant une adaptation au groupe.* »

28 Evoluent constamment avec l'accord et parfois à l'initiative de celui-ci.
Car, de l'avis même de Moreno, « *les méthodes psychodramatiques n'ont pratiquement pas de limite à leur application : le noyau de la méthode reste, quoi qu'il advienne, inchangé* ». Au cours des années se sont développés toute une série de modes d'utilisation :
a) le psychodrame thérapeutique individuel et collectif,
b) le psychodrame dans l'existence (au sein d'une famille, par exemple),
c) le psychodrame analytique (synthèse de psychodrame et de psychanalyse) ;
d) l'hypnodrame (synthèse de psychodrame et d'hypnose) ;
e) le sociodrame et le « jeu de rôle » (traitant les relations entre groupes et les idéologies collectives) ;
f) l'ethnodrame (synthèse du psyhodrame et de thèmes de recherches ethniques, de conflits de groupes ethniques) ;
g) l'axiodrame (synthèse du psychodrame et de la science des valeurs, ou axiologie) ;
h) le psychodrame de diagnostic qui explore le syndrome d'un groupe ou d'un individu par les méthodes psychodramatiques ;
i) le psychodrame didactique ou pédagogique destiné à la formation des psychodramatistes ;
j) la psychodanse ;
k) la psychomusique.
Cette liste, dressée par Moreno, se termine par un « etc. » libéral. D'autres formes de psychodrames ont éclos en Europe comme en Amérique. Chaque école dispose de sa propre nomenclature.

29 Deux acteurs échangent leurs rôles respectifs.
Cette technique du psychodrame tend à mettre en relation l'inconscient des deux acteurs : A et B dialoguent au cours d'un psychodrame. Admettons qu'ils soient en désaccord et que le psychodramatiste leur demande à cet instant d'échanger leurs rôles et de poursuivre la dispute. Les deux protagonistes, pour trouver leurs répliques et arguments, se trouveront dans l'obligation d'entrer dans la peau, dans la mentalité de leur partenaire. Ils découvriront mieux leurs points de vue réciproques et seront amenés à une meilleure compréhension mutuelle.

30 Aux applications du psychodrame dans l'industrie (tout au moins dans la terminologie strictement morénienne). Le jeu de rôle permet au joueur de prendre conscience des points de vue d'autrui par la représentation du rôle de l'autre sur la scène et dans le vie courante. En voici un exemple rapporté par Moreno : « La compagnie General Electric utilise le jeu de rôle sous forme de « la perte en chaîne » pour faire prendre conscience au personnel de surveillance du danger qu'il y a régler oralement des incidents graves. Cette méthode est utilisée de la façon suivante : on demande à un membre du groupe d'examiner une image pendant deux minutes, tranquillement, et de la décrire ensuite à un autre membre du groupe, celui-ci au suivant, etc., jusqu'à ce que l'image ait été décrite au dernier. Le groupe est formé en général de dix à vingt membres. Enfin le dernier membre décrit l'image qui est ensuite projetée devant tous sur un écran. (Une des images utilisées pour ces expériences montrait) l'intérieur d'un wagon de métro. Un Blanc en costume élimé menace d'un couteau un Noir bien habillé. A côté est assis un rabbin, dans le fond, une femme blonde avec un bébé. Le directeur commercial de la G.E. raconte que la dernière description de l'image avait été : « *C'est une femme blonde avec un bébé qui paraît être son propre enfant.* » La morale de cette histoire, pour les employés de la G.E., est la suivante : « *Lorsque vous devez faire un rapport à d'autres, vous ne devez pas faire confiance à votre mémoire, mais uniquement à votre description écrite de ce que vous avez vu.* »
(J.L. Moreno, in « Psychothérapie, de groupe et Psychodrame », Paris, P.U.F.).

» Citations «

La psychothérapie de groupe tire son origine de trois sources différentes. Elle est tout d'abord une branche de la médecine : ce n'est certes pas par hasard que les précurseurs et les pionniers de la psychothérapie de groupe ont été des médecins. L'expression même de psychothérapie indique une discipline médicale. La psychothérapie de groupe est ainsi une forme particulière de traitement qui s'est donné pour objectif de guérir aussi bien le groupe considéré comme un tout que ses membres par l'intermédiaire du groupe. La psychothérapie de groupe a débuté comme une science du groupe thérapeutique et non du groupe en soi...
La psychothérapie de groupe est une branche de la sociologie, qui peut être considérée comme sa deuxième origine. Il faut découvrir un principe scientifique qui dépasse les frontières de l'individu et qui englobe en un tout la santé mentale de plusieurs individus. Une difficulté reste : aux alentours de 1920, la sociologie ne possède pas de méthodes objectives d'investigation capables de permettre des analyses de groupes. Nous nous trouvons ici dans le no man's land *entre la psychologie et la sociologie. Pour combler cette lacune, nous avons dû créer un nouvel instrument de mesure, la méthode sociométrique, c'est-à-dire une sociologie dynamique des petits groupes, une microsociologie qui ne soit pas purement académique et livresque, mais qui soit fondée sur l'étude patiente de groupes concrets, expérimentaux ou réels. Cette science, à l'origine de nature thérapeutique, est devenue peu à peu une science générale du groupe : la sociométrie. Elle essaie, entre autres, de déterminer la structure du groupe, le choix des patients qui se prêtent au traitement, les syndromes caractéristiques du groupe et de trouver des méthodes permettant de traiter avec succès groupes et individus...*
La troisième origine du psychodrame se trouve dans la religion. Religion est dérivé de religare, *lier ; c'est le principe de l'inclusion universelle, de la communion, de l'aspiration à une universalité cosmique. Dans une représentation du monde très clos comme le sont les systèmes catholique ou indo-bouddhique, une psychothérapie de groupe serait religieuse, c'est-à-dire que ses motifs et ses buts seraient déterminés d'avance par le système religieux correspondant. Quand de telles structures font défaut, le psychothérapeute est obligé d'analyser les valeurs de son époque et de se consacrer à des systèmes de valeur qui reposent sur des fondements scientifiques...*

Psychothérapie de groupe et psychodrame *(Paris, P.U.F., 1965).*

Le fondement théorique de la psychothérapie : il existe trois directions fondamentales :
1) le principe de la rencontre est à la base de toutes les formes de psychothérapie de groupe ;

2) la structure d'interaction commune des individus conditionne leur position réciproque variable et leur appartenance qui se manifeste dans des tensions psychiques multiples ;
3) les expériences du conscient commun et de l'inconscient commun. Plus un groupe artificiel dure, plus il commence à ressembler à un groupe naturel, à développer une vie culturelle et sociale commune et inconsciente, dont les membres retirent leur force, leurs connaissances et leur sécurité. Ce système « d'inconscient ensemble », qui s'exprime dans la répartition des rôles et qui lie et identifie plus ou moins les membres d'un groupe, peut être comparé au lit d'un fleuve. C'est dans le « courant » du « conscient ensemble » et de « l'inconscient ensemble » de deux ou plusieurs personnes que se déversent, comme des affluents, les histoires des individus ;
4) le renversement de rôle d'un membre avec un autre : plus ces membres sont étrangers les uns aux autres et différents, plus il est nécessaire qu'ils changent de rôle pour atteindre à une thérapie réciproque efficace. L'échange du rôle est la crise de la rencontre entre le « je » et le « tu », c'est un « se rencontrer ». Il est le point culminant qui donne sa plénitude à l'unité, à l'identité et à l'appartenance commune au groupe.

Psychothérapie de groupe et psychodrame *(Paris, P.U.F., 1965)*

Une erreur très répandue est de vouloir donner à toutes les méthodes de psychothérapie de groupe le même dénominateur commun, ce qui dissimule les oppositions productives des fondements dans ce domaine scientifique. On ne gagne rien à considérer le psychodrame comme une méthode à l'intérieur de la psychothérapie de groupe ou celle-ci comme une méthode à l'intérieur du psychodrame. Il est plus important de mettre en évidence leurs différences profondes.
L'opposition décisive entre ces deux formes réside dans le fait que, dans la psychothérapie de groupe, les relations entre les membres sont constituées par ce qui est dit (la discussion) et son analyse, alors que, dans le psychodrame, c'est la « vie elle-même » qui tient lieu de discussions et d'analyse. Dans le psychodrame, ce sont les méthodes de la vie réelle qui sont transférées en psychothérapie.

Psychothérapie de groupe et psychodrame *(Paris, P.U.F., 1965).*

Le processus thérapeutique du psychodrame ne peut être compris si l'on ne prend pas en considération les méthodes de mise en train. Comme on le sait, la possibilité qu'a un athlète de s'échauffer facilement et librement par des exercices comme la course, la natation, la boxe, a des rapports très étroits avec sa forme et son rendement...
Dans le domaine du psychodrame, la psychopathologie de la mise en

train joue peut-être un rôle encore plus grand qu'en culture physique. Pour pouvoir mener à bien un rôle psychodramatique, il faut prendre un bon départ et se concentrer sur les divers groupes de muscles qui soutiendront toute la représentation. Chaque fois que le rôle change (agressif ou timide, prudent, observateur ou attentif, amoureux, etc.), c'est une autre combinaison de muscles qui est mise en mouvement. Pendant le traitement, on représente bien des rôles que l'individu n'a jamais remplis dans la vie courante ; il les a peut-être évoqués, mais rarement, au cours de ses rêves nocturnes ou de ses rêveries éveillées. Un individu peut fort bien être limité dans sa routine quotidienne à un petit nombre de rôles, alors que les potentialités de sa personne sont pratiquement illimitées. Nous ne vivons qu'une part réduite des rôles de notre personnalité ; l'essentiel reste inutilisé et embryonnaire. Au cours d'un traitement, le malade peut vivre des centaines de rôles et de situations.

Psychothérapie de groupe et psychodrame *(Paris, P.U.F., 1965).*

Il semble que les enfants choisissent leurs amis d'après les qualités nécessaires à la poursuite commune de buts communs et bien définis. Leurs jugements sont plus pragmatiques qu'auparavant. Les motivations sont données surtout sous forme narrative. Les enfants racontent avec ferveur combien leurs amitiés leur sont chères et combien ils sont peinés lorsque leurs partenaires ne semblent pas faire attention à eux. En étudiant les motivations, on se rend compte, par endroits, que le développement du groupe a atteint un point critique. L'enfant commence à s'apercevoir que les sentiments d'amitié qu'il porte à un autre ne sont pas réciproques ; il désire surmonter son désappointement et cherche quelque compensation. Nous avions déjà remarqué que certains enfants n'étaient pas choisis par les autres, mais nous n'avions pas encore rencontré un cas comme celui de la petite Anna qui exprime des sentiments de solitude. En même temps que ce sentiment de solitude, le sens de la distance augmente et un sentiment de crainte envers les personnes plus grandes, plus fortes ou intellectuellement supérieures (comme les adultes), ou pour les personnes physiquement différentes (comme celles du sexe opposé), commence à se faire jour chez l'enfant. La déception d'un amour non partagé, pour un parent par exemple, ne donne pas seulement lieu à des réactions subjectives comme la peur, la fuite, les larmes, mais aussi à la recherche d'une expression plus poussée qu'elle ne le serait dans des conditions naturelles en s'associant à des enfants de son âge. On peut dire que l'impression globale du groupe social qui l'entoure demeure à peu près semblable, pour l'enfant, depuis sa plus tendre enfance jusqu'à ce niveau d'âge. Mais au fur et à mesure qu'il grandit, des différences internes s'élaborent chez l'enfant,

qui prend conscience de différences plus poussées dans la représentation globale qu'il a de son entourage. Le sentiment de ces différences doit atteindre un certain point de saturation, chez lui et chez ses associés, avant qu'il puisse exercer son influence sur la structure du groupe.

Fondements de la sociométrie (*Paris, P.U.F., 1970*).

L'anxiété est fonction de la spontanéité. Comme nous l'avons défini précédemment, la spontanéité est la réponse adéquate à la situation présente. Si la réponse à la situation présente est adéquate, s'il y a « plénitude » de spontanéité, l'anxiété diminue et disparaît. Par contre, lorsque la spontanéité diminue, l'anxiété augmente et, quand il y a perte totale de spontanéité, l'anxiété atteint son maximum d'intensité : elle devient déroute ou panique. Quand, en présence d'une certaine situation, un acteur libère sa spontanéité, l'anxiété peut prendre deux directions opposées : elle peut se manifester dans les efforts que fait l'acteur pour se libérer d'une situation ancienne ou bien elle peut apparaître avec la soudaineté d'une force « venue du dehors » qui l'arracherait à la situation ancienne et l'abandonnerait sans soutien, à la dérive. Ce qui est terrible pour un acteur, c'est ce ballottement entre une situation qu'il vient d'abandonner et à laquelle il ne peut retourner et une situation qu'il lui faut atteindre pour retrouver son équilibre et se sentir en sécurité. Le bébé qui vient de naître nous présente le plus remarquable exemple de ce phénomène. Il ne peut retourner dans le sein maternel, il lui faut rester là, dans ce monde nouveau, et il ne peut avoir assez de spontanéité, être à la hauteur de ce que ce monde exige de lui. Dans cet état de total délaissement, c'est pour le bébé une impérieuse nécessité que de mobiliser toutes ses ressources ou d'être pris en charge par une autre personne, un « ego auxiliaire ». On pourrait évoquer d'autres exemples, celui du soldat soudainement attaqué par un nombre écrasant d'ennemis, ou celui du protagoniste d'une situation psychodramatique en face de partenaires qui refusent d'entrer dans le jeu, ou encore d'un homme qui est en proie à un accès de désespoir et qui cherche à sauver sa vie.
Ce serait donc une faute dialectique que de poser d'abord la négation, l'anxiété. Le problème consiste à mettre en lumière le facteur dynamique qui fait surgir l'anxiété. En fait, il y a anxiété quand la spontanéité fait défaut : ce n'est pas l'anxiété qui apparaît d'abord et entraîne à sa suite, l'affaiblissement de la spontanéité.

Fondements de la sociométrie (*Paris, P.U.F., 1970*).

Bibliographie

Ouvrages principaux :
Psychothérapie de groupe et psychodrame (*Paris, P.U.F., 1965*).

Fondements de la sociométrie (*Paris, P.U.F., 1970*).

The Creative Act (*New York, Impromptu Magazine, 1931*).

Psychodrama (*New York, Beacon House, 1946, t. 1-1959, t. 2*).

Hypnodram and Psychodram (*New York, Beacon House, 1956*).

The First Book of Group Psychotherapy (*New York, Beacon House, 1957*). *Il s'agit de la réédition, sous un autre titre, de :* Plan and Technique of Developing a Prison into a Socialized Community (*New York, Beacon House, 1932*).

The International Handbook of Psychotherapy (*New York, Philosophical Library, 1966*).

Das Stegreiftheater (*Berlin, G. Kiepenheue, 1923*).

Die epochale Bedeutung der Gruppenpsychotherapie (*Berne, Hans Huber Verlag, 1957*).

De très nombreux articles parus dans différentes revues, surtout *Sociometry.*

Ouvrages de référence :
Anzieu (D.) : le Psychodrame analytique (*Paris, P.U.F., 1956*).

Schutzenberger (A.A.) : Précis de psychodrame (*Paris, Editions Universitaires, 1966*).

CARL ROGERS

Psychology Today

Biographie

8 janvier 1902
Naissance de Carl Rogers, dans la banlieue de Chicago. Son père est ingénieur agronome.

1919
Rogers entre au collège du Wisconsin pour se préparer à l'agronomie.

1922
Il est désigné pour aller, en Chine, participer à une « World Student Christian Federation Conference ». Il délaisse l'agronomie pour l'histoire et veut être pasteur.

1924
Il se marie en août, après avoir obtenu le grade de bachelier en histoire. Il va vivre à New York et entre, pour deux ans, à l'Union Theological Seminary.

1926
Rogers choisit le domaine de la psychopédagogie clinique ; et il passe au Teachers College de l'université de Columbia.

1927
Il obtient une bourse pour l'Institute for Child Guidance de New York.

1928
Il devient psychologue au Child Study Department de l'Association pour la protection de l'Enfance, à Rochester.

1930
Il est nommé directeur du Child Study Department.

1931 et suivantes
Thèse sur la *Mesure de la personnalité chez les enfants.* Ces années sont consacrées au service de psychothérapie des enfants délinquants.

1934 et suivantes
Rogers enseigne au Teachers College de Columbia.

1937-1938
Il crée à Rochester un centre de psychopédagogie, le Rochester Guidance Center.

1939
The Clinical Treatment of the Problem-Child.

1940
L'université de l'Ohio lui offre une chaire de professeur.

1942
Counseling and Psychotherapy (*Relation d'aide et psychothérapie*).

1944-1945
Il devient président de l'American Association for Applied Psychology.

1945
Il rejoint l'université de Chicago pour fonder un centre de counseling.

1946-1947
Il est nommé président de l'American Psychological Association.

1954
En collaboration avec R.F.F. Dymond : *Psychotherapy and Personality Change*

1955
Il reçoit la médaille d'argent Nicholas Murray Butler de l'université de Columbia.

1956
Rogers est fait docteur « honoris causa » ès lettres du Lawrence College, et devient, pour deux ans, président de l'American Academy of Psychotherapists.

1957
Il quitte Chicago et est nommé, par l'université du Wisconsin, professeur des facultés de psychiatrie et de psychologie.

1961
On Becoming a Person (*le Développement de la personne*).
Il devient membre de l'American Academy of Arts and Sciences.

1962
En collaboration avec G.M. Kinget : *Psychotherapy and Human Relationship*

1964
Rogers quitte la carrière universitaire pour la recherche, au sein du Western for Advanced Study in the Behavioral Sciences Institute, à La Jolla (Californie).

Avril-mai 1966
Il séjourne en France, participe au séminaire de Dourdan et à un colloque à Paris.

1967
Il publie son autobiographie.

1969
Freedom to Learn

1970
Avec d'autres chercheurs du Western Behavioral Sciences Institute, Rogers quitte le centre pour former le Center for the Studies of the Person.

Carl Rogers : la tentative d'être soi-même

Non seulement l'œuvre de Carl R. Rogers se confond avec sa vie, mais elle est l'analyse et l'application de cette vérité existentielle : chacun porte seul en lui-même la possibilité d'être soi-même, de se changer positivement et d'exprimer son expérience. En conséquence, pour comprendre autrui, il faut se faire le miroir de l'expression totale de sa vie. Si l'on veut comprendre Rogers en étant fidèle à son message, il faut — plutôt qu'analyser ses écrits ou déchiffrer et interpréter les faits connus le concernant — l'écouter parler lui-même en l'acceptant comme tel dans l'originalité de sa personne, bref, avoir à son égard, selon la terminologie rogérienne, « une considération positive inconditionnelle ». C'est seulement à partir de cette compréhension primordiale — en prenant du champ à l'égard de la personne et en envisageant alors la démarche scientifique et technique dans son contexte historique — que nous pourrons dégager l'apport réel de cette œuvre, ses difficultés, et apprécier les recherches théoriques et pratiques dites « non directives » qui prétendent, à tort ou à raison, en être les héritières légitimes.

Cette écoute de Rogers nous est facilitée par Rogers lui-même qui, en pleine cohérence avec lui-même et aussi à la demande d'étudiants perspicaces, a raconté « comment il était devenu la personne qu'il était », « l'évolution de sa pensée personnelle et de sa philosophie profession- » nelle » à partir des événements concrets et détaillés de sa vie. D'où le premier chapitre — si surprenant pour qui connaît la pudeur et la discrétion habituelles des hommes de science contemporains — de son livre « On Becoming a Person◆ » : « Qui suis-je ? ». A cette question, Rogers donne d'abord une réponse globale et vague : « Un psychologue » qui, depuis plusieurs années, s'intéresse principalement à la psycho- » thérapie. » Mais, ajoute-t-il, « qu'est-ce que cela signifie ? » Ainsi est-il conduit à narrer les « premières années de sa vie ».

◆ *Le Développement de la personne* (Paris, Dunod, 1968).

Rogers connut une enfance très protégée

Pour Rogers, comme pour Hugo, « ce siècle avait deux ans◆ ». Il est né à Chicago, le 8 janvier 1902, quatrième d'une famille de six enfants. Cette famille a imprégné fortement sa personnalité, à la fois par la rigueur de sa morale et son austérité religieuse et par la chaleur affective et l'harmonie « close » que les parents y faisaient régner. Rogers dit lui-même : « J'ai été élevé dans une famille très unie où régnait une » atmosphère religieuse et morale très stricte, très intransigeante, et ce » qu'on pourrait décrire comme un culte de la valeur du labeur [...]. » Nous étions très aimés de nos parents, dont notre bien-être était le » souci constant. D'autre part, ils contrôlaient étroitement notre compor- » tement par bien des moyens à la fois subtils et affectueux. Ils consi-

◆ Comme le note A. de Peretti dans *les Contradictions de la culture et de la pédagogie* (Paris, Ed. de l'Epi, 1959).

» déraient (et j'acceptais cette idée) que notre famille était différente » des autres ; pas d'alcool, pas de réunions dansantes, pas de jeux de » cartes ni de spectacles, peu d'activités mondaines et beaucoup de » travail◆. »

◆ C.R. Rogers : *le Développement de la personne* (Paris, Dunod, 1968).

Il convient de souligner ici que ce rappel du climat familial suffit déjà pour nous faire comprendre l'origine et l'intensité des trois composantes essentielles de la personnalité de Rogers : d'une part, le sens aigu et le respect des valeurs morales et religieuses, dont le travail est, pour un protestant, une expression particulière ; d'autre part, le besoin ardent d'affectivité et, enfin, l'aspiration à une communication avec autrui.

Cette aspiration, dont le milieu familial « surprotecteur » le privait de par sa trop forte intégration affective et son isolement, Rogers va, d'abord, tenter de la réaliser avec la nature. Son père, « ayant fait » fortune dans les affaires » et préoccupé « des influences néfastes de la » vie citadine », achète une ferme où la famille s'installe. Rogers a douze ans. Il s'abandonne à la passion de l'observation de la nature et des croissances animales ou végétales. Il éprouve, dit-il, « les joies et les » frustrations du naturaliste » en observant les papillons de nuit, les élevant, soignant les chenilles et conservant les cocons. De plus, avec ses frères et encouragé par ses parents, il possède un poulailler, il élève des agneaux, des cochons et des veaux, suivant rigoureusement les conseils de nombreux ouvrages d'agriculture achetés par son père. « C'est » grâce à cela que je devins savant en agriculture, écrit Rogers, et ce » n'est que récemment que j'ai pu me rendre compte de la profonde » compréhension des méthodes scientifiques que j'ai pu acquérir ainsi◆. » Nous voyons ici naître deux autres traits fondamentaux de sa personnalité : son sens de l'observation patiente et minutieuse, son respect de la démarche scientifique et son souci méthodologique.

◆ C.R. Rogers : *le Développement de la personne* (Paris, Dunod, 1968).

Ainsi précocement habitué au respect et à la pratique des disciplines scientifiques, biologiques et physiques, il entra à l'Université pour se préparer à l'agronomie. Or, « au cours de mes années de collège, » écrit-il, je fus amené, à la suite de discussions passionnées sur la » religion qui eurent lieu au cours d'un congrès d'étudiants, à reconsi» dérer ma carrière : j'abandonnai la science agricole pour le pastorat. » Une vétille ! Je passai de l'agriculture à l'histoire qui me semblait être » une meilleure préparation. » Comme on le voit, cette nouvelle orientation, loin de rompre le cordon ombilical qui le rattachait à sa famille, le renforçait, en annexant, aux activités issues de ces jeux enfantins tels qu'ils avaient été suscités par le père, le souci religieux soigneusement entretenu par le même père. Bref, toute cette période de la vie de Rogers est le fruit pur et simple de l'éducation familiale.

Le jeune homme se libère de l'emprise familiale

Survient alors une double expérience, qui va permettre à Rogers d'affirmer ou, comme il le dira lui-même, d'« actualiser » sa personne, son moi propre, et de décider de son orientation définitive. Tout d'abord, il est désigné, avec une douzaine d'étudiants américains, pour aller en Chine participer à un congrès mondial de la Fédération des étudiants chrétiens. « C'était, écrit-il, en 1922, quatre ans après la fin de la Première Guerre » mondiale. Je constatai l'amertume avec laquelle des Français et des » Allemands, individuellement sympathiques, continuaient à se haïr. Je » fus obligé d'admettre que des hommes — sincères et honnêtes — » pouvaient accepter des doctrines très divergentes en matière de reli- » gion. Pour la première fois, je me libérai totalement des opinions » religieuses de mes parents, et je m'aperçus que je ne pouvais plus » les suivre◆. » L'occasion de ce premier éloignement sérieux à l'égard du milieu familial et des Etats-Unis, dont Rogers découvre l'illusoire quiétude face à la diversité réelle des conflits internationaux et religieux, suffit à rompre le charme de l'enfance et de l'adolescence, à créer une angoisse qui le libère, non sans tensions et chagrins, de l'emprise familiale. Comme pour mieux consacrer cette scission, à sa sortie du collège Rogers épouse, malgré les réticences de ses parents, une amie d'enfance et se rend à New York pour entrer à l'Union Theological Seminary, « le collège le plus libéral du pays à l'époque » (1924), en vue de se préparer à sa « vocation religieuse ». « Je n'ai jamais regretté, dit Rogers, » les deux années que j'y passai. » Et, en effet, c'est dans ce collège, où régnait un climat de liberté, qu'il va faire la seconde expérience décisive qui déterminera tout son avenir.

◆ C.R. Rogers : *le Développement de la personne* (Paris, Dunod, 1968).

« Certains d'entre nous, dit-il, ressentaient qu'on nous nourrissait d'idées » toutes faites, alors que ce que nous voulions par-dessus tout était » d'explorer les problèmes que nous nous posions, et d'examiner les » doutes que nous éprouvions pour découvrir ce à quoi ils aboutissaient. » Nous adressâmes à l'administration une pétition dans laquelle nous » demandions l'autorisation d'organiser un séminaire officiel, un sémi- » naire sans professeur, dont nos propres questions formeraient le pro- » gramme. L'administration se trouva naturellement perplexe devant une » telle requête, mais elle y accéda. La seule restriction qu'elle imposa » fut que, dans l'intérêt de l'institution, un jeune professeur assisterait » aux séances sans toutefois y participer, à moins que nous ne l'y invi- » tions◆. » Ainsi a lieu la premère contestation relative à un enseignement et, comme l'a remarqué Max Pagès◆, la première expérience de pédagogie non directive, dans laquelle Rogers découvre l'orientation définitive de sa vie et l'impossibilité de la réaliser dans le cadre de la foi traditionnelle et de sa vocation religieuse. Après la rupture avec l'autorité familiale, survient la rupture avec celle de la foi, qui en était le soutien et la

◆ C.R. Rogers : *le Développement de la personne* (Paris, Dunod, 1968).

◆ Professeur à l'université de Paris - Dauphine.

caution. Mais rupture conditionnelle néanmoins, dans la mesure où cette foi se déplace, presque au sens psychanalytique du mot, au niveau d'une philosophie de la personne. « Je sentis, dit-il, que je continuerais tou- » jours à m'intéresser à tout ce qui concerne le sens de la vie et la » possibilité d'une amélioration constructive de la vie de l'individu, mais » que je ne pourrais pas agir dans le cadre d'une doctrine religieuse » spécifique qui me serait prescrite. » Bref, dès cette date (1926), la ligne du projet était fixée, mais restait à trouver le domaine concret de réalisation où, précise-t-il, « ma liberté de pensée ne serait pas restreinte ».

Rogers découvre la psychologie et la psychanalyse

Ce domaine s'offre « tout naturellement » à lui : celui de la psychologie et, plus exactement, de la psychopédagogie clinique. Déjà intéressé par les cours de psychologie et de psychiatrie donnés au séminaire, il éprouve le besoin de les compléter, d'une part, par l'enseignement de pédagogie dispensé en face de l'établissement, à l'Ecole normale (Teacher's College) de l'université de Columbia, par l'un des principaux disciples de J. Dewey◆, W.H. Kilpatrick, d'autre part, dans le même Teacher's College par des travaux cliniques sur des enfants sous la direction de Leta Hollingworth. Mis sur la voie théorique et pratique de la psychopédagogie, il demande et obtient en 1927 une bourse et un poste d'interne à un tout nouvel institut à New York : l'« Institute for Child Guidance », une clinique psychopédagogique où, en raison de l'organisation encore chaotique, « chacun pouvait travailler selon ses désirs ». Il découvre dans cet établissement un esprit, une orientation absolument nouveaux qui ne sont pas sans lui créer des problèmes. Les psychiatres de cette institution sont tous d'orientation freudienne et Rogers découvre ainsi la psychanalyse ou, comme il le dit lui-même, « le point de vue dyna- » mique de Freud, en opposition profonde avec l'attitude rigoureuse et » scientifique de la psychologie expérimentale ». Autrement dit, alors même qu'il prépare son doctorat, Rogers voit surgir un conflit apparemment irréductible entre la psychologie clinique et la psychologie expérimentale, « entre l'esprit hautement spéculatif qui régnait à l'Institute » for Child Guidance et les conceptions expérimentales et statistiques » qui existaient à Columbia [...], entre la pensée de Freud et celle de » Thorndike◆ ». Mais, comme il le reconnaît lui-même, « la nécessité de » résoudre ce conflit fut une expérience précieuse », car il s'est retrouvé au cours de toutes ses activités ultérieures : « D'un côté, contact appro- » fondi d'individus tous différents, dans une relation de plus en plus » directe ; de l'autre, accomplissement de recherches scientifiques en » psychologie, en utilisant un appareil statistique imposant pour des fins » de validation minutieuses◆. »

◆ *John Dewey* (1859-1952) est le créateur de la psychologie fonctionnaliste et de la pédagogie pragmatiste. Pour lui, l'enfant doit «apprendre en agissant».

◆ *Thorndike*: psychologue américain, appartenant à l'école néo-behavioriste, connu pour ses travaux sur l'apprentissage. Voir M. Kinget et C.R. Rogers : *Psychothérapie et relations humaines* (Louvain, Nauwelaerts, 1971, vol. 1).

◆ A. de Peretti : *les Contradictions de la culture et de la pédagogie* (Paris, éd. de l'Epi, 1959).

Avant d'en arriver là, il fallait vivre et subvenir aux besoins de sa femme et de ses enfants. Rogers se sentit soulagé et joyeux lorsque, à la fin de son internat, il fut embauché en 1928 comme psychologue au Child Study Department de l'Association pour la protection de l'enfance, à Rochester, dans l'Etat de New York. Ce n'était pourtant qu'un poste sans avenir, isolé de tout contact professionnel et insuffisamment rémunéré. Rogers garda confiance en dépit de tout, l'essentiel étant pour lui d'accomplir la tâche qui répondait à ses aspirations. « J'ai toujours » pensé, dit-il, que du moment que l'on me donnait l'occasion de m'em» ployer à faire quelque chose d'intéressant, le reste s'arrangerait bien » un jour ou l'autre. » Dans cette attitude s'exprime l'optimisme radical et inébranlable de Rogers concernant les possibilités inhérentes à toute personnalité et qu'il appellera, plus tard, « la tendance actualisante de » l'organisme ».

Certes, la montée fut pénible et lente, mais elle se fit.

En 1930, Rogers devient directeur du Child Study Department. Il achève en 1931 sa thèse sur la mesure de la personnalité chez les enfants. Et surtout, durant les douze années (particulièrement les huit premières) qu'il passe à Rochester, il se consacre à son service de psychothérapie des enfants délinquants et déshérités envoyés par les tribunaux et les services sociaux. Cette pratique quotidienne lui fut très bénéfique — autant et peut-être même davantage par les échecs rencontrés que par les succès obtenus. Rogers cite, dans son chapitre autobiographique, trois cas de déception qui lui apportèrent chacun la révélation de la faiblesse des méthodes et techniques psychologiques employées, en même temps que la voie nouvelle qu'il convenait de suivre. Faiblesse de la seule explication et de l'interview centrées sur les conflits sexuels ; faiblesse des interviews coercitives, directives du genre judiciaire ; en revanche, efficacité des entretiens d'aide, où le client prend « la direction » et le mouvement du processus thérapeutique ».

Rogers crée un centre indépendant de psychopédagogie

Ces découvertes, et surtout les changements d'attitude et de méthode thérapeutiques qu'elles entraînèrent, loin de s'imposer, heurtèrent les psychologues, dont les activités étaient exclusivement orientées sur les processus d'apprentissage et qui jugeaient cette pratique rogérienne aléatoire et dénuée de rigueur scientifique. Peu à peu, Rogers fut amené à prendre de la distance à l'égard de l'Association américaine de psychologie. Il ne renouera avec la psychologie proprement dite que lors de la fondation de l'Association américaine pour la psychologie appliquée.

Convaincu de la valeur et de la fécondité de ses nouvelles tâches, et en dépit des oppositions des psychiatres comme de celles des psychologues

sur le plan théorique, Rogers est conduit, en 1939, à créer à Rochester un centre indépendant de psychopédagogie, le Rochester Guidance Center. La même année, il parvient à publier, « non sans peine », en prenant sur ses vacances et de brefs congés, son premier livre : « The Clinical Treatment of the Problem Child »◆. C'est l'explosion. Alors qu'il avait déjà commencé à donner ses cours à l'Institut de sociologie de l'université de Rochester et à l'Institut de pédagogie sur la façon de comprendre et de traiter les enfants difficiles, l'université de l'Etat d'Ohio, intéressée par son livre, offre à Rogers, en 1940 à son grand étonnement, une chaire de professeur titulaire. Ainsi commence la grande étape de sa carrière : l'étape universitaire.

◆ C. Rogers: *le Traitement clinique de l'enfant-problème*, édition américaine (Boston, Houghton Mifflin, 1939).

Dès le début de son enseignement, Rogers prit conscience de l'écart qui s'était creusé entre les principes qui guidaient « tous les thérapeutes » et sa propre démarche. Il s'efforça de préciser cette dernière en en donnant les lignes principales dans un exposé qu'il fit, en décembre 1940, à l'université du Minnesota. Les « fortes réactions » qu'il provoqua lui permirent de réaliser que la richesse et la nouveauté d'une idée « peuvent » représenter une menace pour autrui ». De plus, remarque Rogers, « le » fait de me trouver aux prises avec les critiques, au centre d'une contro- » verse, me fit douter de moi-même et me poser des questions. Néan- » moins, je sentais que j'avais quelque chose à dire et je rédigeai le » manuscrit de "Counseling and Psychotherapy"◆, dans lequel je décri- » vais ce qui m'apparaissait en quelque sorte comme une orientation » plus efficace de la thérapie ». En dépit des réserves et des doutes de l'éditeur qui le taxa d'irréalisme, cet ouvrage se vendit, entre 1942 et 1961, à plus de 70 000 exemplaires.

◆ C. Rogers: *la Relation d'aide et la psychothérapie* (Paris, Editions sociales françaises, 1970).

En 1945, il rejoint l'université de Chicago et devient secrétaire général (executive secretary) d'un centre de counseling. Des programmes de recherche élargis et subventionnés, auxquels participent des étudiants appartenant à des domaines étrangers à la psychologie clinique (pédagogie, sociologie, psychologie industrielle, etc.), sont mis sur pied. Les milieux de psychologues, d'ailleurs, reconnaissant enfin son importance, le nomment, en 1946-1947, président de l'American Association for Applied Psychology. En 1951, Rogers publie « Client-Centered Therapy », où, comme l'indique ce titre, il désigne officiellement sa démarche comme « thérapie centrée sur le client » ; il s'agit, notons-le, d'un changement d'orientation et de centration et non d'une absence de direction. La finalité de la pensée de Rogers est et restera toujours positive : il refuse l'incertitude de la négativité et les aléas de la dialectique. En 1954, avec la collaboration de Rosalind Dymond, il fait paraître un ouvrage plus théorique, « Psychotherapy and Personality »◆, dans lequel il s'efforce de valider scientifiquement sa pratique. Sa notoriété grandit : en 1955, il reçoit la médaille d'argent Nicholas Murray Butler de l'université de

◆ Chicago, Chicago University Press, 1954.

Columbia ; en 1956, il est promu docteur *honoris causa* ès lettres du Lawrence College ; la même année, il est titulaire d'une distinction, pour ses recherches dans le champ de la psychothérapie, attribuée par l'American Psychological Association, et, en même temps, devient président, pour deux ans, de l'American Academy of Psychotherapists.
L'année suivante, en 1957, il quitte Chicago pour l'université du Wisconsin où il est nommé professeur à la fois dans les facultés de psychologie et de médecine. Il dispose alors de moyens importants pour des recherches de thérapie auprès des schizophrènes. Il pourra ainsi réfuter la critique qui lui était trop souvent adressée de n'aborder que des cas faciles de personnalités à peine perturbées. Durant sept ans, il affronte des cas de plus en plus difficiles, soumettant ainsi sa pratique thérapeutique à l'épreuve redoutable des psychoses. Les résultats d'une telle épreuve doivent être publiés sous le titre : « A Study Psychotherapy with Schizophrenes ». Mais, entre-temps, en 1961, paraît : « On Becoming a Person »◆, alors que Rogers devient membre de l'American Academy of Arts and Sciences. En 1964, il quitte l'université pour se consacrer plus librement à la recherche au sein du Western Behavioral Science Institute, en Californie, à La Jolla.

◆ C. Rogers : *le Développement de la personne* (Paris, Dunod, 1968).

« Ma propre expérience est la pierre de touche de toute validité »

C'est au cours des récentes années qu'il s'est efforcé de faire connaître ses travaux à l'étranger, accomplissant de nombreux voyages au Japon, en Australie et enfin en Europe, particulièrement en France (séminaire de Dourdan, avril-mai 1966), en Belgique (Louvain) et aux Pays-Bas. Ces voyages lui apportèrent la confirmation assez pénible et toujours surprenante, à ses yeux, de l'animosité et même de la violence des réactions suscitées par ses idées. Malgré la consécration officielle, la forte personnalité de Rogers et l'originalité de ses méthodes excitent la vindicte des psychiatres, après celle, un peu calmée depuis quelques années, des psychologues, des conseillers psychologiques et des enseignants. Même parmi ses amis ou, dit-il, de ses « soi-disant amis », il rencontre des critiques incisives, inattendues pour lui, qui l'amènent à douter de l'authenticité de la réception de son message et, plus encore, de la possibilité de la communiquer. « Je me suis parfois demandé, avoue-t-il, » si ce sont mes ennemis ou mes soi-disant amis qui m'ont fait le plus » de tort. C'est peut-être à cause de cette situation désagréable, qui me » fait voir les gens se battre à cause de moi, que j'ai appris à considérer » comme un précieux privilège de m'échapper pour être seul. J'ai l'im» pression que mes périodes de travail les plus fécondes sont celles où » j'ai pu oublier complètement, d'une part, ce que pensent les autres,

» d'autre part, les attentes et les exigences de ma profession, afin de voir » mon travail en perspective [...]. J'apprécie le privilège d'être seul. » C'est un aveu d'échec, diront certains, pour un psychologue qui prétend permettre une communication harmonieuse entre les hommes. Je pense plutôt, pour ma part, que c'est la conséquence logique d'une théorie de la personnalité, fondée sur des présupposés philosophiques tels qu'elle ne peut aboutir qu'à un solipsisme◆ affectif sécurisant et illusoirement libérateur.

◆ *solipsisme :* théorie philosophique qui estime que rien n'existe en dehors de la pensée individuelle, le réel n'étant que le rêve du sujet pensant.

En réalité, il est inexact de parler d'une théorie rogérienne de la personnalité, si l'on entend, par « théorie », l'objet d'une conception « a priori » constituée par une chaîne déductive d'hypothèses et de conséquences qu'on soumet progressivement à l'épreuve de l'expérience. Pour Rogers, au contraire, tout dérive directement de l'expérience ou, plus précisément, tout ce qu'il sait et pense lui a été « appris » par l'expérience. On assiste à ce paradoxe qui prend l'allure d'un cercle vicieux : Rogers fait figurer parmi les « découvertes » de cet « apprentissage fondamental », auquel la diversité de son expérience d'homme et de psychothérapeute l'a soumis, l'énoncé suivant : « A mes yeux, l'expérience est » l'autorité suprême. » Non content, d'ailleurs, de s'enfermer dans le cercle de cet empirisme qui se garantit lui-même, Rogers limite encore le champ de cette expérience primordiale et privilégiée à la sienne propre : « Ma propre expérience, écrit-il, est la pierre de touche de toute » validité [...]. Ni la Bible, ni les Prophètes, ni Freud, ni la recherche, » ni les révélations émanant de Dieu ou des hommes ne sauraient prendre » le pas sur mon expérience directe et personnelle. » Il s'agit donc, comme on le voit, chez Rogers, d'une option imposée par la pression persuasive du senti, du vécu total ou, selon sa terminologie◆, « organismique », c'est-à-dire de l'individu en tant que totalité psychophysique inter-agissant comme telle avec son environnement. Cette pression est persuasive, aux yeux de Rogers, qui déclare avoir « confiance en son expérience » : « Lorsque je sens, dit-il, qu'une de mes activités est bonne » et qu'il vaut la peine de la poursuivre, c'est la preuve qu'il faut la » poursuivre. Autrement dit, j'ai appris que mon appréciation organis- » mique d'une situation est plus digne de confiance que mon intellect. » Ainsi Rogers est conduit tout naturellement à refuser toute « évaluation » faite par autrui ». Mais loin de rendre impossible toute communication, loin de créer une ségrégation irréductible, cette attitude, selon Rogers, permet de restituer la patrie affective commune de tous les hommes, l'essence de l'expérience humaine en tant que telle. Autrement dit, « ce » qui est le plus personnel est aussi le plus général », transposition moderne et provocante de l'aphorisme de Montaigne : « Chaque homme » porte la forme entière de l'humaine condition◆. »

◆ Empruntée ici à Angyal : *Fundations for Science of Personality* (New York, 1941), et à K. Goldstein : *la Structure de l'organisme* (Paris, Gallimard, 1951).

◆ Montaigne : *Essais*, livre III, chapitre II.

Les grands principes de Rogers

En somme, Rogers reconnaît comme deux évidences fondamentales :
— l'existence d'une nature humaine, fondement de la personne ;
— cette nature ou essence s'exprime dans la seule expérience affective, immédiatement vécue : elle se sent, mais ne se conçoit pas.

Est-ce à dire que chacun doit considérer ce qu'il éprouve comme vérité incontestable et légitime ? Nullement, car, comme le dit Rogers, « ce » n'est pas parce qu'elle est infaillible que mon expérience fait autorité. » Elle est la base de toute autorité parce qu'elle peut toujours être » vérifiée par des moyens primaires. C'est pourquoi ses fréquentes » erreurs — sa faillibilité — peuvent toujours être corrigées ». Rogers est ainsi amené à compléter son empirisme rousseauiste, que certains ont taxé péjorativement de « mystique », par son expérimentalisme scientifique ; car il ne faut pas oublier que, chez Rogers, il y a deux faces correspondant à ce qu'il a appelé lui-même sa « double vie » : la face de l'expérience vécue du thérapeute et celle du savant◆. Or, celle-ci se manifeste par une exigence de rigueur et de vérification, c'est-à-dire à la fois par le « besoin de discerner un ordre et une signification » et celui de prouver après avoir éprouvé. « Les faits (scientifiques) sont » des amis. » En même temps qu'expérience vécue, la thérapie doit être une science permettant la description des changements de la personnalité et la formulation des lois dynamiques qui les régissent, ainsi que celles de toutes les relations humaines.

◆.C.R. Rogers : *le Développement de la personne* (Paris, Dunod, 1968).

Certes, l'accord de ces deux exigences soulève quelques problèmes que Rogers a loyalement et brutalement affrontés◆. Il tente de surmonter ce conflit en rappelant que « la science, comme la thérapie, comme tous » les autres aspects du vivant, prend sa racine et se fonde dans l'expé- » rience intérieure totale organismique, qui n'est que partiellement et » imparfaitement communicable. C'est une des phases de la vie subjec- » tive ». Autrement dit, « la science n'est pas quelque chose d'imper- » sonnel, mais simplement une personne vivant subjectivement une autre » phase d'elle-même◆ ». Mais il ne semble pas que ce compromis, ou « degré d'intégration », satisfasse complètement Rogers qui avoue honnêtement : « Cela ne résout pas complètement toutes les questions » posées [...], mais cela semble aller vers une résolution◆. » C'est pourquoi Rogers ne cessera de mener parallèlement l'approfondissement de son vécu personnel dans l'expérience thérapeutique quotidienne et la formalisation théorique et logique du processus qui la constitue.

◆ C.R. Rogers : *le Développement de la personne* (Paris, Dunod, 1968), p. 174; notons ici que cette argumentation évoque étrangement celle proposée par Merleau-Ponty dans *le Visible et l'Invisible*, où il souligne l'enracinement de la science dans l'expérience vécue, quotidienne et irréfléchie de chacun.

◆ C.R. Rogers : *le Développement de la personne* (Paris, Dunod, 1968).

◆ C.R. Rogers : *le Développement de la personne* (Paris, Dunod, 1968).

Être vraiment soi-même

A la racine de cette expérience, comme à la base de sa formulation théorique, il y a, selon Rogers, cette donnée primordiale — ou « postulat

fondamental » — qui régit toute la vie comme « processus de changement », à savoir l'existence en chaque personne d'un « développement » (*growth*), une « orientation positive » grâce à laquelle l'organisme peut « actualiser » ses possibilités et, si c'est nécessaire, corriger son comportement actuel pour mieux réaliser l'accord (la « congruence ») avec soi-même, bref, « être vraiment soi-même », but suprême de la vie autant pour Rogers que pour Kierkegaard◆. Ce postulat, Rogers l'a énoncé à maintes reprises sous des formes variables et, en fait, si on veut bien le comprendre, il faut, comme l'a noté Max Pagès, le décomposer en deux axiomes (qui restent, ne l'oublions pas, absolument indubitables aux yeux de Rogers) : d'une part, celui de la « tendance actualisante » qui se définit ainsi : « Tout organisme est animé d'une tendance inhé- » rente à développer toutes ses potentialités et à les développer de » manière à favoriser sa conservation et son enrichissement ; d'autre » part, celui de la capacité, ou pouvoir de régulation, qui affirme que » l'individu possède, potentiellement, la compétence nécessaire à la solu- » tion de ses problèmes » ou encore « la capacité inhérente de s'orienter, » de se diriger, de se contrôler◆ », bref, de modifier par lui-même son système de valeurs en fonction de son expérience propre.

◆ M. Kinget et C.R. Rogers : *Psychothérapie et relations humaines* (Louvain, Nauwelaerts, 1971).

◆ M. Kinget et C.R. Rogers : *Psychothérapie et relations humaines* (Louvain, Nauwelaert. 1971).

Cela implique en chacun l'élaboration d'une « image de soi-même » qui organise l'actualisation des potentialités et le contrôle des conduites.

Cette image de soi se développe comme une forme dynamique (une « Gestalt ») qui tend à enrichir et à préserver l'expérience directement acquise par l'individu dans l'expression de sa totalité organique. Cette image, qui apparaît plus ou moins dans le comportement quotidien, n'est pas immuable et autonome : elle peut varier dans les relations avec autrui en fonction de l'image qu'il se fait lui-même de nous, de la manière dont il nous évalue. Mon voisin pourra me juger « docile » ou, au contraire, « obstiné », « désordonné » ou « ordonné », « incapable » ou « inventif » [...] et, la plupart du temps, ce voisin soulignera, dans son comportement, ce mode d'évaluation en sanctionnant de manière positive (sourires, gestes, paroles d'approbation, etc.) mes « bons » (selon lui) comportements, et de manière négative (mimiques et paroles de réprobation, silences, etc.) les « mauvais ». Bref, il aura « une considé- » ration positive seulement conditionnelle et sélective ». D'où, sous l'influence de cette attitude, une modification ou révision de l'image de moi-même ou, plus exactement, la constitution d'un double système de valeurs, celui provenant de mon propre système personnel de régulation, et l'autre provenant de ma relation à autrui. Ce décalage, ou « désaccord », entre les deux systèmes de valeurs ou, comme le dit Rogers, entre l'image du moi (moi idéal) et l'expérience vécue (moi réel), se traduit extérieurement par une « vulnérabilité » devant les autres appréhendés comme « menaces », et intérieurement par des angoisses et un dysfonctionnement psychique. Pour les réduire ou les éviter, l'individu a recours à un double processus de défense : il refuse son moi, son expérience vécue et imite autrui pour mieux lui plaire. Dans ce cas, dit Rogers, « il évalue son expérience en fonction de critères empruntés » à autrui au lieu de l'évaluer sur la base de la satisfaction (ou du » manque de satisfaction) vécue, réellement éprouvée. Autrement dit, » il attache une valeur soit positive, soit négative, aux divers éléments » de son expérience, en tenant compte non de leur effet, favorable ou » défavorable à son actualisation, mais en se basant sur l'échelle des » valeurs d'autres individus◆ ». Il n'y a plus communication, mais imitation, c'est-à-dire limitation et autorépression, bref, aliénation dans la mesure où une partie de l'expérience immédiate est soustraite à la conscience pour des considérations extérieures, étrangères au moi authentique. Pour rétablir cette authenticité, et, par conséquent, la liberté dans l'accord ou congruence avec soi-même, il faut amener le sujet à s'accepter activement (et non par résignation) sur la base d'appréciation des sentiments qu'il éprouve immédiatement avec les limites que cela implique. S'accepter, c'est prendre en compte la totalité de ce qui est senti, et cela seul. Par conséquent, l'acceptation de soi est acceptation du changement ou du développement. Elle est présence à soi-même, à ses contradictions et surtout à leur dépassement.

◆ M. Kinget et C.R. Rogers : *Psychothérapie et relations humaines* (Louvain, Nauwelaerts, 1971).

Les techniques de la thérapie de Rogers

La thérapie rogérienne consiste précisément à essayer de restaurer cette présence, cette acceptation de soi, ce processus d'évaluation spontané du sujet en changeant le mode de relation avec lui. Pour éviter les méfaits de cette relation, il suffit, en effet, de ne pas rejeter sur l'autre une image ou une évaluation autre que celle qu'il exprime lui-même, autrement dit d'avoir pour lui « une considération positive inconditionnelle », une attitude de totale disponibilité, d'accueil, en un mot, « d'écoute intégrale ». En sachant écouter l'autre, je participerai à ses sentiments, à son point de vue sans l'évaluer ni le juger et donc, sans pour autant, prendre sa place ou me confondre avec lui. C'est ce que Rogers appelle l'empathie◆. Pour que celle-ci ait lieu, encore faut-il que le thérapeute lui-même ait réalisé et réalise une parfaite acceptation de soi, manifeste une présence authentique dans le dialogue avec autrui.

◆ *empathie:* forme particulière de la connaissance de soi.

D'où l'exigence fondamentale et rigoureuse posée par Rogers pour exercer la profession de psychothérapeute : être soi-même une personne « congruente », en un mot « être vraiment soi-même », avoir « une vie pleine », au sens où elle est sans faille ni rupture. Seul le thérapeute

satisfaisant à cette condition peut accomplir efficacement sa tâche et réussir à restituer à autrui son authenticité.

Pour ce faire, il doit d'abord, concrètement, désigner son interlocuteur — le sujet consultant — non par le terme de patient, de malade ou (s'il est pédagogue) d'élève, mais par celui de « client », indiquant par là le refus de toute position privilégiée, de toute marque de supériorité et, par contre, la visée d'un échange libre et réciproque avec l'autre en tant que personne et seulement comme personne. Ensuite et corollairement, il devra s'efforcer d'être dans son comportement aussi « non défensif » que possible en présence de son client, afin d'être non « une façade », un rôle ou une prétention, mais lui-même, car nos masques et nos rôles sociaux, ou nos « positions », sont des moyens d'action par lesquels nous exerçons une pression sur autrui en nous dérobant à la relation interpersonnelle.
En troisième lieu, il importe que le thérapeute parvienne à communiquer, à faire comprendre au client qu'il a perçu avec attention les sentiments et les pensées, exactement comme ce client les a perçus et vécus en lui-même, qu'il l'a « compris ». C'est ce à quoi répond la technique opératoire dite de la « reformulation », ou encore du « reflet », de la « réflexion » ou du « miroir » : le thérapeute, concentré sur les messages du client, les « reformule », les réexprime en les répétant avec d'autres termes et sous une forme plus concise ou plus explicite, de manière à révéler à la conscience du client leur contenu affectif et intellectuel. Ainsi donne-t-il d'abord la possibilité au client de se reconnaître lui-même ; ensuite, la preuve qu'il est en voie de se faire comprendre ; et du même coup l'envie de s'exprimer davantage, donc, enfin, l'occasion d'être vraiment soi-même, de s'accepter. Néanmoins, pour être efficace, cette technique doit éviter : 1. d'être pratiquée d'une façon systématique, comme certains débutants ont tendance à le faire, sous peine de devenir un « tic » et, par conséquent, une manière défensive de refouler la situation et la possibilité de la relation intersubjective ; 2. d'être un artifice, une modalité détournée d'exposer ses propres sentiments. En d'autres termes, cette technique ne doit pas être une règle fonctionnelle et absolue, manipulable à des fins diverses. Elle doit être une pratique souple, fluide, intégrée à la situation et résultant d'une personnalité vivant pleinement.

Cette méthode a connu une grande expansion et dépassé les limites de la relation thérapeutique pour s'appliquer à toutes les formes de relation d'aide comportant l'entretien de face à face◆ : celle de l'assistante sociale, du conseiller d'orientation, de l'enquêteur, de l'interviewer radiophonique, etc. Il convient de souligner que Rogers, en la proposant,

◆ R. Mucchielli : *l'Entretien de face à face dans la relation d'aide* (Paris, Ed. sociales françaises, 1966).

a toujours pensé, en même temps qu'à la psychothérapie et la psychologie clinique, à la pédagogie. Il ne faut pas oublier, en effet, que la découverte de sa vocation de psychologue et sa philosophie de la personne s'est faite en partie à l'occasion d'un problème pédagogique : la revendication d'un « séminaire sans professeur », non directif dirait-on aujourd'hui. Il est bien évident que sa longue carrière universitaire n'a fait que renforcer cette tendance. C'est ce qui explique les références nombreuses et la place importante accordées aux questions pédagogiques dans la réflexion de Rogers.

Après l'essor du non-directivisme en pédagogie, il reste à se demander si ce non-directivisme, ou même la notion d'« orientation non directive », est vraiment conforme ou fidèle au message rogérien.

A ce propos, une première remarque s'impose : Rogers n'a jamais mis l'accent sur la seule non-directivité de sa démarche en tant que telle, mais sur la nécessité de restituer la positivité de l'« être soi-même », de « la vie pleine ». C'est pourquoi il désigne aussi bien sa thérapeutique que sa pédagogie par l'expression : « centrée sur le client » (client-centered), et non comme « non directive ». L'erreur est d'autant plus grave qu'une telle étiquette laisse accréditer l'idée, dans le public non informé, que la pratique rogérienne est une mise en question et un refus de la directivité comme telle et, par extension en pédagogie, de l'autorité, bref, une revendication sinon anarchiste, du moins anarchisante. Or, rien n'est plus éloigné de la sagesse sereine, tolérante et bienveillante du message de Rogers, dont la philosophie vise l'essence chrétienne de la personne, non un individualisme agressif, irrespectueux des institutions sociales. Cela nous conduit à une seconde remarque qui concerne précisément l'absence de la dimension sociologique au sens strict chez Rogers : il n'est question pour lui que de la relation interpersonnelle, du face à face, ou, comme disent les philosophes, de la dyade, mais nullement du groupe ou de la société. Aussi est-il quelque peu paradoxal, d'une part, de vouloir appliquer la pratique de Rogers à une pédagogie de groupes, celle des classes scolaires dont la situation sociologique — tant par leur origine, leur statut, leur composition, leurs traditions que par leur contexte institutionnel — rend impossible et annule la communication interpersonnelle ; d'autre part, de mêler confusément cette pédagogie non directive, qui serait d'inspiration rogérienne, à une pédagogie institutionnelle fondée sur une critique radicale du phénomène bureaucratique et de l'autorité en général◆.

◆ M. Lobrot : *la Pédagogie institutionnelle* (Paris, Gauthier-Villars, 1966). Cet auteur a le mérite de distinguer rigoureusement les deux tendances.

On comprend les malentendus qu'une certaine approche de Rogers a pu faire naître. Contentons-nous ici de signaler les principales contradictions et les lacunes relevées par A. de Peretti :

1. le confusionnisme des plans, domaines ou niveaux de connaissance par la tentative obstinée d'unification qui gouverne tout le projet rogé-

rien (unification entre l'action et la pensée, entre la thérapie et la pédagogie, entre la pratique clinique et la recherche expérimentale) : il efface ainsi les frontières, les classes, les conflits, etc. Il simplifie les concepts théoriques et les comportements pratiques corrélatifs de façon à passer plus aisément d'un ordre d'application à un autre. D'où l'impression de naïveté et la réserve suscitée quant à la valeur scientifique de la démarche.

2. Si le retour permanent à l'immédiateté ou, plus exactement, le va-et-vient incessant entre les concepts et les sentiments, la théorie et le vécu, coïncide avec l'évolution même de la vie, il entraîne aussi du même coup un flottement, une incertitude, une fragilité des conclusions qui nuisent à la solidité et à la stabilité conceptuelles exigées par la science. Dans le même sens, il convient de noter que le privilège accordé à la subjectivité indispose l'homme de science et l'homme tout court dans la mesure où non seulement il peut à bon droit en suspecter la légitimité, mais aussi et surtout être taxé de facilité, de laisser-aller et d'illusion de perspective.

3. Enfin, et fondamentalement, ce qui est le plus souvent dénoncé chez Rogers, c'est, outre le postulat empiriste de son mode de connaissance, le postulat philosophique de la personne comme gouvernée par une tendance actualisante, une orientation positive, une visée d'accord avec soi-même et les autres, bref, sa conception optimiste de l'homme et de l'humanité. Indépendamment de toute prise de position ou de choix idéologique, cette conception ne s'oppose-t-elle pas aux données les plus sûres de la psychanalyse et de la sociologie ? Prendre en considération la seule expérience consciente, n'est-ce pas mépriser l'inconscient, avec ses ruses et ses conflits ? N'est-ce pas encourager le client à se tromper ? N'est-ce pas contrarier son évolution, plutôt que la favoriser ?

Ces questions et ces incertitudes ne doivent pourtant pas diminuer l'importance de l'apport de C. R. Rogers à la psychologie et à la pédagogie contemporaines. En fait, il n'y a pas plus de rogérisme que de non-directivisme, mais l'expérience et la tentative d'un homme, Carl Rogers, à la personnalité sinon exceptionnelle, du moins suffisamment originale et rayonnante pour adopter et promouvoir une attitude de vie, de thérapeute et de pédagogue en rupture avec les excès d'une mauvaise psychanalyse inquisitoriale et fonctionnelle, d'un certain impérialisme psychiatrique et avec les méfaits d'un enseignement autoritaire et impersonnel issu d'institutions bureaucratiques. Cet homme a aussi le mérite de nous avoir rappelé que, dans un monde aussi cruel que le nôtre, la négativité ne l'emporte pas toujours sur la positivité, que l'amour, bien que toujours suspect, peut encore être aimé.

M. B.

Quiz

Connaissez-vous Carl Rogers ?

1
Carl Rogers est originaire de
☐ Londres
☐ Montréal
☐ Chicago

2
Son père était
☐ avocat
☐ médecin
☐ homme d'affaires

3
Le climat familial était-il
☐ religieux et moral
☐ fantaisiste et bohème
☐ intellectuel et froid

4
Rogers se passionne dès l'enfance pour
☐ la physique
☐ l'agriculture
☐ l'art

5
A quel âge Rogers fit-il la première expérience de pédagogie non directive ?
☐ 15 ans
☐ 24 ans
☐ 32 ans

6
A quelle occasion Rogers découvrit-il la psychanalyse freudienne ?
☐ par la seule lecture des ouvrages de Freud
☐ par son travail dans une clinique de New York
☐ par sa propre analyse

7
A quel âge Rogers publia-t-il son premier ouvrage de psychothérapie ?
☐ 25 ans
☐ 30 ans
☐ 37 ans

8
Dans quelle université Rogers occupa-t-il pour la première fois une chaire de professeur titulaire ?
☐ New York
☐ Ohio
☐ Chicago

9
Par quel ouvrage se diffusa la pratique rogérienne ?
☐ « The Clinical Treatment of the Problem Child »
☐ « On Becoming a Person »
☐ « Counseling and Psychotherapy »

10
En quelle année devint-il président de l'American Psychological Association ?
☐ 1938
☐ 1946
☐ 1960

11
Où Rogers travaille-t-il depuis 1964 ?
☐ au M.I.T. de Boston
☐ au Western Behavioral Science Institute de La Jolla
☐ au Rochester Guidance Center de Rochester

12
Quelle est, selon Rogers, l'autorité suprême qui fonde la connaissance ?
☐ l'expérience vécue
☐ l'expérimentation
☐ la raison

13
Quelle est, selon Rogers, la donnée primordiale qui régit toute la vie ?
☐ l'instinct de conservation
☐ la recherche du plaisir
☐ la tendance actualisante

14
Quel est le courant philosophique avec lequel Rogers s'est senti en accord ?
☐ la philosophie marxiste

Il est urgent de consacrer autant de temps et d'argent à la libération de la personne qu'à la recherche nucléaire.

☐ la philosophie existentielle
☐ le positivisme

15
Quel doit être, selon Rogers, le but de toute existence ?
☐ être soi-même
☐ transformer le monde
☐ communiquer avec les autres

16
A quoi correspond le concept de « considération positive inconditionnelle »
☐ à l'admiration
☐ à l'acceptation
☐ au respect

17
Quelle est, selon Rogers, la bonne réponse d'un psychothérapeute « centré sur le client » ?
☐ interprétative
☐ rassurante
☐ compréhensive

18
Quel est le critère de recherche en psychothérapie rogérienne ?
☐ le degré de guérison
☐ le degré de succès
☐ le degré de changement

19
Quelle place occupe l'expérimentation chez Rogers ?
☐ nulle
☐ secondaire
☐ complémentaire

20
Qu'est-ce qu'« être soi-même » selon Rogers ?
☐ assumer son caractère
☐ laisser exploser ses pulsions
☐ accéder au changement

21
Qu'est-ce que Rogers appelle la « vulnérabilité » ?
☐ avoir un caractère faible
☐ le désaccord entre le moi et l'expérience
☐ se sentir malade

22
Qu'est-ce que Rogers appelle un « processus d'évaluation organismique » ?
☐ l'évaluation de l'expérience vécue
☐ l'évaluation de son corps
☐ l'évaluation du corps des autres

23
Comment Rogers appelle-t-il la perception correcte du cadre de référence d'autrui avec les harmoniques et les valeurs subjectives qui s'y rattachent ?
☐ la sympathie
☐ l'identification
☐ l'empathie

24
Quel est, selon Rogers, le nombre de stades par lesquels passe, d'une manière continue, le processus psychothérapeutique ?
☐ trois
☐ cinq
☐ sept

25
Dans quel ordre s'est effectuée l'évolution de la conception rogérienne de la psychothérapie ?
☐ l'« experiencing »
☐ l'«insight »
☐ la « congruence »

26
Quel psychanalyste a été le plus favorablement reconnu par Rogers ?
☐ Freud
☐ Jung
☐ Karen Horney

27
Parmi les objections suivantes adressées à la psychanalyse, quelles sont celles qui ont été réellement formulées par Rogers ?
☐ analyse interminable
☐ pansexualisme
☐ postulat d'une nature sauvage et agressive
☐ caractère répressif
☐ manipulation
☐ complexité théorique

28
En quel sens Rogers reprend-il le concept freudien de « refoulement » ?
☐ identique
☐ plus large
☐ totalement différent

29
En quel sens aussi Rogers reprend-il le concept freudien de « transfert » ?
☐ identique
☐ totalement différent
☐ plus large

30
Rogers a tenu un symposium avec Skinner : où et quand ?
☐ Berkeley, en 1963
☐ Harvard, en 1959
☐ Chicago, en 1956

31
Quelle divergence est apparue entre eux ?
☐ sur la technique thérapeutique
☐ sur la théorie de la science
☐ sur la conception de la psychologie

32
Rogers prétend promouvoir une « troisième force » par rapport à deux courants théoriques principaux ?
☐ le behaviorisme et la phénoménologie

☐ la théorie de la forme et le behaviorisme
☐ le behaviorisme et la psychanalyse

33
A quel concept correspond la définition suivante :
« *L'émergence dans l'action d'un produit relationnel nouveau, qui se détache de la nature unique de l'individu, d'une part, et des événements des personnes ou des circonstances de sa vie, d'autre part* » ?
☐ l'enseignement
☐ l'apprentissage
☐ la créativité

34
Lorsque Rogers vint en France, quel accueil reçut-il de la part des intellectuels ?
☐ chaleureux
☐ hostile
☐ réservé

35
A quelle occasion et à quelle date Rogers formula-t-il ses célèbres propositions sur la pédagogie ?
☐ dans un article, en 1960
☐ dans un cours, en 1958
☐ dans un séminaire, en 1952

36
Quel est le nombre de ces propositions ?
☐ treize
☐ huit
☐ dix

37
En quoi la pédagogie dite « non directive » diffère-t-elle d'une pédagogie libérale ou démocratique ?
☐ au niveau des principes
☐ au niveau de l'intervention
☐ au niveau du langage

38
Dans quelle ville Rogers a-t-il appliqué son plan d'action pédagogique ?
☐ New York
☐ Chicago
☐ Los Angeles

39
Quelle attitude Rogers adopte-t-il à l'égard des examens ?
☐ refus
☐ méfiance
☐ indifférence

40
A plusieurs reprises Rogers a réagi violemment contre le système universitaire : il lui arriva même de démissionner
☐ de Chicago
☐ de Rochester
☐ de l'université du Wisconsin

Quiz

Réponses

1 Chicago.
Il y est né le 8 janvier 1902, quatrième d'une famille de six enfants.

2 Homme d'affaires.
C'est après avoir fait fortune dans les affaires que le père de Rogers a acheté une ferme en 1914.

3 Religieux et moral.
« *Pas d'alcool, pas de réunions dansantes, pas de jeux de cartes ni de spectacles, peu d'activités mondaines et beaucoup de labeur* [...]. *Pour moi,* ajoute Rogers, *même les boissons non alcoolisées dégageaient une vague odeur de péché* » (« le Développement de la personne », p. 5).

4 L'agriculture.
Il se passionne pour l'observation de la nature, élève des animaux et lit de nombreux ouvrages sur l'agriculture.

5 A 24 ans.
En 1926, à l'Union Theological Seminary où, à la suite d'une pétition, l'Administration autorisa un séminaire sans professeur, les étudiants constituant leur propre programme.

6 Par son travail.
Dans une clinique de New York, l'Institute for Child Guidance, au contact de « *professeurs tels que David Levy et Lawson Lowrey* » (« le Développement de la personne », p. 8).

7 37 ans.
« The Clinical Treatment of the Problem Child ».

8 A l'université d'Ohio.
Grâce, selon lui, à la parution de son premier livre.

9 « Counseling and Psychotherapy ».
Ouvrage paru en 1942 (traduit en français sous le titre « la Relation d'aide et la psychothérapie », éd. Sociales Franç. 1970) ; dans cet ouvrage, « *je décrivais,* écrit Rogers, *ce qui m'apparaissait en quelque sorte comme une orientation plus efficace de la Thérapie* » (voir « le Développement de la personne », p. 13). Ce livre connut une très forte diffusion.

10 En 1946.
Lorsqu'il était déjà président de l'American Association for Applied Psychology.

11 Au Western Behavioral Science Institute de La Jolla.
Ou, plus exactement, Western for Advanced Study in the Behavioral Sciences (W.B.S.I.), créé en 1959. Récemment, avec d'autres collègues, Rogers se détacha du W.B.S.I. pour former le Center for Study of the Person, afin de mieux poursuivre ses propres buts.

12 L'expérience vécue.
« *Ma propre expérience,* écrit Rogers, *est la pierre de touche de toute validité* » (« le Développement de la personne », p. 22).

13 La tendance actualisante.
Notion prise chez Angyal qui l'a lui-même empruntée à Goldstein et que l'on peut ainsi formuler : tout organisme est animé d'une tendance inhérente à développer (to grow) toutes ses potentialités et à les développer de manière à favoriser sa conservation et son enrichissement. Bref « *tous les hommes ont une orientation positive* » (« le Développement de la personne », p. 24).

14 La philosophie existentielle.
Il la découvrit au cours de ces dernières années par la lecture (conseillée par ses étudiants) de Kierkegaard et de Buber (« le Développement de la personne », p. 153).

15 « Etre soi-même ».
C'est le titre, d'ailleurs, du chapitre VI du « Développement de la personne ».

16 L'acceptation.
Elle n'exclut pas l'admiration et le respect, mais plutôt les englobe dans la mesure où, d'une part, comme le respect selon Kant, l'appréciation porte uniquement sur la personne prise comme telle et, d'autre part, comme l'admiration et cette fois, contrairement à Kant cette appréciation n'est pas dictée par la raison, mais par un mouvement du cœur. Bref, c'est l'expérience de la reconnaissance chaleureuse inconditionnelle de la personne en autrui ou en soi-même.

17 Compréhensive.
C'est-à-dire qu'elle vise à comprendre de l'intérieur. La réponse interprétative est celle de la psychanalyse et implique que le thérapeute sait mieux que le client ce que celui-ci est lui-même. Elle est donc manipulatrice, tout comme la réponse rassurante qui introduit aussi la relation paternaliste de supériorité.

18 Le degré de changement.
« *Nous ne nous sommes pas demandé au cours de notre recherche : Un succès a-t-il été obtenu ? La maladie a-t-elle été guérie ? Nous avons, au lieu de cela, posé une question scientifiquement beaucoup plus justifiable, à savoir : « Quels sont les changements concomitants du traitement ?* » (« le Développement de la personne », p. 178).

19 Complémentaire.
Dans le chapitre VIII du « Développement de la personne » (« Personne ou science ? une question de philosophie »), il indique les modalités de cette complémentarité entre l'expérience vécue subjectivement et l'expérimentation objective.

20 Accéder au changement.
« *Certains croient qu'être soi-même, c'est rester statique* [...]. *Rien n'est plus faux. Etre soi-même, c'est justement accéder à la mobilité, à la fluidité complète.* » (« le Développement de la personne », p. 132).

21 Le désaccord entre le Moi et l'expérience.
Ou, plus exactement, ce qui en résulte. La vulnérabilité découle du désaccord entre l'expérience vécue de soi-même et l'image du Moi façonnée par l'évaluation d'autrui.

22 L'évaluation de l'expérience vécue.
Le processus d'évaluation organismique est celui par lequel les expériences sont valorisées positivement ou négativement selon leur capacité de développer les potentialités de l'organisme, celui-ci étant pris comme totalité psychophysique en interaction avec le milieu (voir note 1, p. 20, in « le Développement de la personne »).

23 Empathie.
A la différence de l'identification psychanalytique, c'est une situation « comme si » (voir « Psychothérapie et relations humaines », t. I, p. 39). A la différence de la sympathie, il n'y a pas l'expérience passive d'une confusion affective subie en quelque sorte.

24 Sept.
Ils sont décrits dans « le Développement de la personne », pp. 94-116.

25 Insight (de 1940 à 1945), puis congruence (1946-1957), enfin experiencing (à partir de 1957).
Evolution décrite par Miguel de La Puente dans son livre, « C. Rogers : de la psychothérapie à l'enseignement », pp. 95-142.

26 Karen Horney.
Que Rogers appelle « un freudisme moderne », auquel il rattache H.S. Sullivan, Otto Fenichel, F. Aledander et T.M. French, et que Marcuse, pour sa part, nomme « un révisionnisme néofreudien » (voir « la Relation d'aide et la psychothérapie », p. 28 ; et « Eros et civilisation », de Marcuse [postface]).

27 Analyse interminable ; postulat d'une nature sauvage et agressive ; manipulation ; complexité théorique.

28 Plus large.
Sont objets de refoulement non seulement les sentiments négatifs, c'est-à-dire les représentations traumatisantes, mais aussi les sentiments positifs d'amour, de bonté et de confiance en soi.

29 Totalement différent.
L'analyste établit le transfert en interprétant les attitudes du client, tandis que le thérapeute rogérien l'établit, lui, en comprenant et acceptant lesdites attitudes, admises alors peu à peu comme siennes par le client. Le transfert, en psychanalyse, tient à la substance du traitement ; dans la thérapie rogérienne, c'est la même perception de soi-même et de ses attitudes de la part du client qui est au centre la thérapie, et non l'objet de ses perceptions et de ses attitudes.

30 Chicago, en 1956.
Voir « C. Rogers : de la psychothérapie à l'enseignement », de M. de la Puente, pp. 63-65.

31 La théorie de la science.
Le point de vue de Skinner implique une conception de l'homme comme objet absolument déterminé (cf. « le Développement de la personne », chap. XVI : « Place de la personne dans le monde nouveau des sciences du comportement »). Ce point de vue repose sur « *une mauvaise perception des rapports de la science avec les valeurs et les objectifs humains* [...]. *A nous de choisir*, ajoute Rogers, *faire*

de l'homme un esclave, le manipuler, même si c'est pour le rendre plus heureux, comme le veux Skinner, ou bien, comme nous le suggérons pour notre part, le libérer, l'aider à réaliser son immense processus de devenir, à se dépasser toujours davantage » (chap. cité, p. 267).

32 Le behaviorisme et la psychanalyse.
Voir « le Développement de la personne », chapitres VIII et XVI ; et « Psychologie existentielle », chapitres I, IV et V.

33 La créativité.
Définition proposée dans « le Développement de la personne », p. 247.

34 Réservé.
A. de Peretti analyse ces réactions dans son livre « les Contradictions de la culture et de la pédagogie », pp. 31-49.

35 Séminaire en 1952 à l'université Harvard.
Ce séminaire portait sur le thème : « Comment l'enseignement en classe peut-il influencer le comportement humain ? » Voir « le Développement de la personne », chapitre X : « Enseigner et apprendre. Réflexions personnelles ».

36 Treize.
La plus célèbre était la suivante : « *Il me semble que tout ce qui peut être enseigné à une autre personne est relativement sans utilité et n'a que peu ou point d'influence sur son comportement.* »

37 Au niveau de l'intervention.
Si la pédagogie non directive, qui n'a rien à voir avec le laisser-faire, adopte la même attitude de confiance que la pédagogie démocratique, elle diffère de celle-ci dans le fait que, au lieu de suggérer diverses structures au choix du groupe, elle donne à celui-ci l'information sur son activité structurante elle-même, le groupe créant ainsi lui-même les structures de son propre apprentissage (voir « l'Orientation non directive en psychothérapie et en psychologie sociale », de Max Pagès, pp. 51-57).

38 Los Angeles.
Dans un complexe d'enseignement du Immaculate Heart, qui comprend un collège, plusieurs « high schools » et diverses écoles élémentaires (voir « Liberté pour apprendre », Epilogue).

39 Méfiance.
Rogers maintient vis-à-vis des examens durant l'apprentissage scolaire la même méfiance qu'il a pour l'application des méthodes de diagnostic (tests, mesures) durant la relation d'aide (Counseling). Ces moyens doivent être appliqués sur la demande du client et à la fin de l'interview. De même, les examens peuvent être un enrichissement dans la mesure où l'évaluation externe des professeurs aide l'élève à mieux se développer, donc servent comme technique d'appoint du climat d'apprentissage.

40 De l'université du Wisconsin.
Pour protester contre la sévérité de la faculté de psychologie (un étudiant seulement sur sept obtenait le doctorat).

» Citations «

... « *Au cours des vingt dernières années, je me suis habitué à être sans cesse attaqué, mais je continue à être étonné par les réactions que suscitent mes idées. Je suis conscient de les avoir toujours énoncées comme sujettes à révision et comme pouvant être acceptées ou rejetées par le lecteur ou par l'étudiant, et pourtant mon point de vue a soulevé de la part des psychologues, conseillers psychologiques et enseignants, des critiques virulentes et méprisantes. Leur fureur s'est un peu calmée au cours des dernières années, mais elle a été remplacée par celle des psychiatres dont quelques uns voient, dans mes méthodes, une forte menace contre leurs principes les plus chers et les mieux établis. D'ailleurs, ces critiques orageuses trouvent leur parallèle dans le tort que m'ont fait certains* « *disciples* » *en acceptant mes opinions sans discernement et sans se poser de questions : je pense à des individus qui sont arrivés à certaines conclusions nouvelles et sont partis en guerre contre tout le monde, armés d'idées parfois exactes, parfois erronées, sur mon travail et sur ma personne. Je me suis parfois demandé si ce sont mes ennemis ou mes soi-disant amis qui m'ont fait le plus de tort. C'est peut-être à cause de cette situation désagréable qui me fait voir les gens se battre à cause de moi, que j'ai appris à considérer comme un précieux privilège de m'échapper pour être seul. J'ai l'impression que mes périodes de travail les plus fécondes sont celles où j'ai pu oublier complètement, d'une part ce que pensent les autres, d'autre part les attentes et les exigences de ma profession, afin de voir mon travail en perspective.*

Le Développement de la personne (*Paris, Dunod, 1968*).

... « *Nous pouvons choisir d'utiliser nos connaissances croissantes pour réduire les peuples en esclavage d'une façon qu'on n'avait jamais imaginée auparavant, en les dépersonnalisant, en les contrôlant par des moyens si minutieusement choisis qu'ils ne s'apercevront peut-être jamais qu'ils ont perdu leur dignité de personnes. Nous pouvons choisir d'utiliser notre savoir scientifique pour rendre les hommes nécessairement heureux, pour assurer leur bonne conduite, les rendre efficaces, comme le suggère le Dr Skinner. Nous pouvons, si nous le désirons, choisir de rendre les hommes soumis, conformes à un modèle donné, dociles, ou, à l'autre extrémité de l'éventail des choix, nous pouvons choisir de nous servir des sciences du comportement d'une manière qui libérera et ne contrôlera pas, qui amènera une variabilité constructive, non la conformité, qui développera l'esprit de création, non la satisfaction, qui aidera chaque personne dans son processus autonome de devenir, qui aidera les individus et les groupes et même la science à se transcender en des façons nouvelles de s'adapter et de faire face à la vie et à ses problèmes.*

Si nous choisissons d'utiliser notre savoir scientifique pour libérer les hommes, il nous faudra alors vivre ouvertement et franchement avec le grand paradoxe des sciences du comportement. Nous reconnaîtrons que le comportement, lorsqu'il est examiné scientifiquement, est sûrement mieux compris dans une optique déterministe. C'est là le grand fait de la science. Mais le choix responsable et personnel qui est l'élément essentiel dans le fait d'être une personne, qui est l'expérience suprême en psychothérapie, qui enfin existe préalablement à toute démarche scientifique, est également un fait de première importance dans notre vie. Le fait que ces deux éléments importants de notre expérience semblent être en contradiction a peut être la même signification que la contradiction entre la théorie ondulatoire et la théorie corpusculaire de la lumière ; on peut démontrer la vérité de chacune d'elles, elles n'en sont pas moins incompatibles. Il n'y a aucun profit à nier la liberté qui existe dans notre vie subjective, pas plus que nous ne pouvons nier le déterminisme qui est évident dans la description objective de cette vie. Il nous faut donc vivre ce paradoxe.

Le Développement de la personne (*Paris, Dunod, 1968*).

... « *Dans le domaine de la psychothérapie, ce qui nous incite irrésistiblement à pousser plus avant sur la voie de la recherche, c'est le sentiment intolérable de perdre l'expérience contenue dans les innombrables interviews avec nos clients. En effet, le thérapeute épris de son travail ne peut se défendre de la conviction que les événements qui se déroulent sous ses yeux obéissent à quelque ordre caché mais décelable. En fait, il est obsédé par la question : « Quelle est la nature de cet ordre ? » Aussi, chaque fois qu'une conjecture ou une hypothèse passe par son esprit, il ne cesse de se demander s'il se trouve enfin sur la bonne piste ou s'il se laisse leurrer par son désir intense de comprendre. Ainsi, petit à petit, il accumule un ensemble de faits qu'il complète bientôt par une série de propositions systématiques visant à expliquer ces faits. Or le mobile profond de cette chaîne d'activités émane du besoin profondément humain de connaître et de comprendre les relations qui unissent les phénomènes offerts à l'observation.*

Psychothérapie et relations humaines, *en collaboration avec M. Kinget* (*Louvain, Nauwelaerts, 1971*).

... « *Une des premières observations recommandées au clinicien est de voir dans quelle mesure le client est dans un état de stress ou de tension. La consultation ne peut apporter de l'aide que si la détresse psychologique a atteint un degré tel qu'elle est facteur de déséquilibre. Ces tensions peuvent être d'origine entièrement psychique, se développant à partir de conflits de désirs. Tel étudiant socialement inadapté désire être plus sociable et en même temps désire se protéger des risques*

d'humiliation et d'infériorité qu'il éprouve quand il s'aventure dans des activités sociales. Tel autre individu est déchiré d'une part entre de puissants désirs sexuels et, d'autre part, de puissants sentiments de culpabilité. Le plus souvent, ces tensions sont causées, au moins en partie, par les exigences de l'environnement entrant en conflit avec les besoins de l'individu. Le mariage, par exemple, exige soudainement de la personne jeune une maturité d'adaptation qui peut entrer en conflit avec ses propres besoins de dépendance, ou avec sa tendance à considérer la sexualité comme tabou, ou avec son besoin de domination et de supériorité. Les exigences de l'environnement, dans d'autres cas, peuvent être imposées par un groupe social. Le délinquant d'une bande de quartier peut n'avoir que peu ou pas de conflit interne par ses activités, mais la tension et le stress sont créés quand la communauté impose des normes qui entrent en conflit avec les siennes. L'insuffisance de son travail peut n'entraîner, chez l'étudiant, aucune lutte psychique, jusqu'à ce que l'université crée une tension psychologique par ses menaces de sanction. Depuis trop longtemps, surtout à cause de la tradition freudienne classique, nous considérons le conflit comme interne, intra-psychique, et nous ne reconnaissons pas que dans tout conflit existe une vaste composante culturelle, et que dans de nombreux cas, le conflit est créé par une nouvelle exigence culturelle, qui vient s'opposer aux besoins de l'individu.

On peut employer avec succès un traitement par l'environnement même en l'absence de tensions de ce genre. Un groupe de délinquants, par exemple, à condition qu'on lui fournisse un « bon » leader et de meilleures possibilités de divertissement, peut être détourné peu à peu de ses activités délinquantes en faveur d'activités socialisées, sans que ce groupe ait jamais pris conscience intensive de la différence entre ses standards primitifs et ceux de la communauté. Il en va différemment dans l'aide psychologique et la psychothérapie, qui ne peuvent être indiquées et efficaces que lorsqu'il y a conflit soit de désirs, soit d'exigences sociales, conflit créant la tension et requérant d'une manière ou d'une autre une solution. Fondamentalement, ce qu'on peut dire de plus précis à propos de cette situation est que, avant que l'entretien d'aide puisse être efficace, les tensions créées par ces désirs et ces exigences conflictuels doivent être plus douloureuses pour l'individu que ne le sont la souffrance et la tension de recherche de solution du conflit.

Psychothérapie et relations humaines, *en collaboration avec M. Kinget (Louvain, Nauwelaerts, 1971).*

Bibliographie

Ouvrages principaux :

Le Développement de la personne (*Paris, Dunod, 1968*).

La Relation d'aide et la psychothérapie (*Paris, Editions sociales françaises, 1970*).

Autobiographie (*Paris, Ed. de l'Epi, 1971*).

Psychothérapie et relations humaines, *en collaboration avec G.M. Kinget* (*Louvain, Newelaerts, 1971*).

Liberté pour apprendre (*Paris, Bordas, 1972*).

The Clinical Treatment of the Problem-Child (*Boston, Houghton Mifflin, 1939*).

Client-Centered Therapy (*Boston, Houghton Mifflin, 1965*).

Psychotherapy and Personality Change, *en collaboration avec R.F. Dymond* (*Chicago, University of Chicago Press, 1954*).

Person to Person (*Walnut Creek, Californie, 1967*).

Man and the Science of Man (*Colombus, Charles E. Merrifut, 1968*).

Ouvrages de référence :

A.R.I.P. (Association pour la recherche et l'intervention psychologique) : Pédagogie et psychologie des groupes (*Paris, Ed. de l'Epi, 1966*).

Corsini (R.) : « Freud, Rogers and Moreno », in *Group Psychology, 1956, vol. 9, pp. 274 à 281.*

Filloux (J.-C.) : « Carl Rogers, le non-directivisme et les relations humaines », *in Bulletin de psychologie, 1963, pp. 321 à 325.*

Marquet (P.-B.) : Rogers (*Paris, Editions universitaires, collection « Psychothèque », 1972*).

Mucchielli (R.) : l'Entretien de face à face dans la relation d'aide (*Paris, Editions sociales françaises, 1966*).

Peretti (A. de) : les Contradictions de la culture et de la pédagogie (*Paris, Ed. de l'Epi, 1959*).

Peretti (A. de) : Carl Rogers, in *Etudes, 1967, pp. 23-39 et 147-165.*

La Puente (M. de) : Carl Rogers, de la psychothérapie à l'enseignement (*Paris, éditions de l'Epi, 1970*).